JN296105

中級日本語文法と教え方のポイント

市川保子 著

スリーエーネットワーク

© 2007 by ICHIKAWA Yasuko

All rights reserved. No part of this publication may be reproduced, stored in a retrieval system, or transmitted in any form or by any means, electronic, mechanical, photocopying, recording, or otherwise, without the prior written permission of the Publisher.

Published by 3A Corporation.
Trusty Kojimachi Bldg., 2F, 4, Kojimachi 3-Chome, Chiyoda-ku, Tokyo 102-0083, Japan

ISBN978-4-88319-445-2 C0081

First published 2007
Printed in Japan

まえがき

　中級レベルの日本語学習者に、どのように文法を指導していくかについては、いろいろの考え方があるでしょう。レベルが上がるにつれ、文法指導は控えめにしたほうがいいという考えもあれば、レベルが上がるからこそ、きちんと文法の整理、項目の比較をするべきだという考えもあります。

　いくつかの考えの中で共通して言えることは、中級レベルの学習者には、教師がすべてを与えるのではなく、学習者自身に考えさせ、気づかせるということではないでしょうか。

　学習者が自分で気がつき、自分のことばで、自分の言いたいことを言おうという気持ちを育てること、これが中級指導の根本だと思われます。

　本書は、「わかりやすく」「役に立つ」をモットーとする『初級日本語文法と教え方のポイント』をさらに推し進めるとともに、新たに、その文法項目は「いつ使われるか」「どのような語と結び付きやすいか」を示す試みを取り入れました。

　「いつ使われるか」では、会話の、また、文章の、どういう文脈や流れの中でその項目が使われやすいかを、具体的に例を挙げ、説明するようにしました。

　「どのような語と結び付きやすいか」には、その項目がどのような動詞や形容詞などとともに現れやすいかが示してあります。

　たとえば、日本語には、「～するのが難しい」を表すのに「～にくい・～づらい・～がたい」などがあります。「食べる」という動詞は「食べにくい・食べづらい」は言えますが「食べがたい」とは言いませんね。「信じる」という動詞は「信じにくい・信じがたい」とは言えても「信じづらい」は言いにくいですね。

　学習者は「いつ使われるか」「どのような語と結び付きやすいか」などの情報を手がかりにして、自分自身で考え、文作りを、また、発話を試み始めていくと確信します。

　自分で考え、自分で気づき、自分でやってみるという作業は、単に学習者にとどまらず、中級レベルを教える教師にも求められます。本書は、『初級日本語文法と教え

方のポイント』と異なり、「ああしろ、こうしろ」と手取り足取り教えている本ではありません。この本の中に述べられていることをヒントとして、教師自身が必要に応じて利用し、ときには補足しながら、応用していけるように作られています。

　本書での新しい試みのいくつかは、まだまだ検証が不十分で、そういう傾向があるのではないかということを示したに過ぎません。もっと多くの実例を集め、分類し、検証していく必要があるでしょう。
　今後は皆さんのご意見やご批判を伺いながら、より確実なものにしていきたいと思っています。

　最後に、数多くの有意義な助言をくださった編集者佐野智子さん、山本磨己子さん、素敵なイラストを描いてくださった向井直子さんに心より感謝申し上げます。特に有能なお二人の編集者がいらっしゃらなければ、この本は実現を見なかったであろうことを申し添えたいと思います。

2007年5月　市川保子

本書の使い方

1．全体の構成について

　本書は日本語教育の中級レベルで扱われる文法項目を約100項目取り上げています。中級で教えられる項目はほとんど網羅されていると言えます。

　文法項目の順序は次のようです。
　　　複合格助詞　　　（1 として(は)・にとって(は)・(にしては)⇔7 を通じて・を通して）
　　　　↓
　　　取り立て助詞　　（8 くらい(ぐらい)・ほど⇔14 まで・(までに)）
　　　　↓
　　　文末表現　　　　（15 〜つつある⇔29 〜ん(の)じゃないか・〜のではないか）
　　　　↓
　　　従属節　　　　　（30 〜あいだ(は)・〜あいだに⇔54 連用中止(形)）

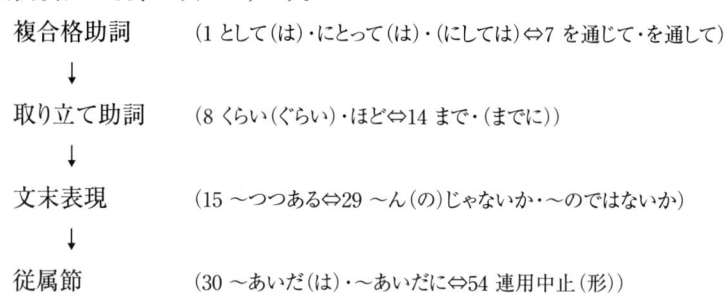

2．各文法項目の構成について

各文法項目は次の部分からできています。
1) 会話文
　　当該文法項目を使った短い会話文です。会話の流れの中から、項目がどのように自然に使われているかをつかんでください。
2) 学習者はどこが難しいか。よく出る質問。
　　その項目について、学習者がよくする質問、また、学習者の困難点を箇条書きで取り上げています。これらについては「説明」で説明されています。
3) 学習者の誤用の例
　　学習者の誤りの例です。最初に誤用文を、矢印のあとに訂正文をかかげました。誤用の部分に網掛けをしてあります。
4) 説明
　①基本的な意味用法
　　その文法項目についての基本的な意味と用法の説明です。
　②作り方・接続の仕方

その文法項目が動詞や形容詞、名詞などにどうつながるかを示したものです。扱われている文法関連の記号は次のようです。

　　　　　　N　　　名詞　　　　　V　　　動詞
　　　イadj.　イ形容詞　　　ナadj.　ナ形容詞

　次に「作り方・接続の仕方」の見方を説明します。
　次の図は「くらい・ほど」にどのような語が接続するかを示したものです。まず、名詞(N)が「Nくらい・Nほど」という形で接続します。次に「普通形」とあるのは、動詞(V)・イ形容詞(イadj.)が「辞書形・ナイ形・タ形・ナカッタ形」の形で、ナ形容詞(ナadj.)・「名詞(N)＋だ」が、「～だ・～では(じゃ)ない・～だった・～では(じゃ)なかった」の形で接続することを示しています。ナ形容詞は「～だ」ではなく、「静かなくらい」「元気なほど」のように「～な」で接続するので、例外として示してあります。

　一方、「名詞(N)＋だ」は「くらい・ほど」の前では「日曜日くらい」「子供ほど」のように「だ」が落ちます。しかし、名詞(N)については表の一番上に示してあるので、例外からは省いてあります。

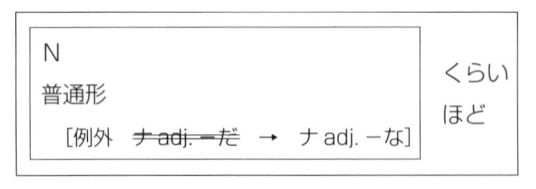

```
┌─────────────────────────────────┐
│ N                               │    くらい
│ 普通形                           │    ほど
│   [例外 ナadj.－だ → ナadj.－な]  │
└─────────────────────────────────┘
```

接続に関しては、接続の仕方としては存在しても、書きことばにしか使われないなど、あまり使用されないものは載せていません。

③いつ使われるか
　その文法項目が実際の場面・状況、文脈の中でいつ使われるのかが具体的に示されています。「いつ使われるか」は「会話の中で」と「文章の中で(文のつながりの例)」の二つに分かれます。
　会話の中で
　　会話の中でどのように使われるかがいくつかの例を挙げて説明されています。

文章の中で（文のつながりの例）

　　「文章」という語を使っていますが、書かれたものだけでなく、独話やスピーチなどを含めて、広く談話の中で「文のつながり」を見ています。その文法項目がどのような前文、後文に現れやすいかを、いくつかの具体例を挙げて示しています。
　④どのような語と結び付きやすいか

　　その項目がどのような動詞、形容詞、名詞などと結び付きやすいかの傾向を示したものです。
　⑤そのほかの用法

　　その項目の「説明」で取り上げられている以外の重要な用法についていくつか説明を加えています。
　⑥類義表現との比較

　　その文法項目と類似の他の項目との比較がしてあります。
5)「学習者の誤用の例」の解説

　　3)で取り上げた学習者の誤用について、誤用をおかす要因と、誤用をおかさないようにするにはどうすればいいかなどについて説明してあります。

3．「指導法あれこれ」

「指導法あれこれ」では、助詞（1－14）、文末表現（15－29）、従属節（30－54）ごとに、いくつかの練習が準備されています。

ここでは、学習者が自分で気づき、自分で考え、自分に引き付けて話せるような練習を心がけました。練習は従来の文型練習で培われる単一能力ではなく、総合能力養成を目指しています。

練習は参考例でしかありませんので、実際の学習者に合わせて、量を増やしたり、内容を変えたりしてください。一つの練習の方法が、ほかの文法項目に使える場合もあるので、ここで取り上げていない項目についても使えるように応用と工夫をしてみてください。

4.「参照」について

　本文の中での参照の指示は次のようになります。

例(⇒16)：本書(『中級日本語文法と教え方のポイント』)の16課を参照してください。

　(⇒初ポ20)：『初級日本語文法と教え方のポイント』の20課を参照してください。

目　次

まえがき …………………………………………………………003
本書の使い方 ……………………………………………………005

Ⅰ　助詞

〈複合格助詞〉
1　として(は)・にとって(は)・(にしては) ……………………012
2　〜から〜にかけて・にわたって・(にかけては) ……………021
3　に対して ………………………………………………………028
4　について・に関して・(をめぐって) …………………………036
5　にもとづいて・をもとにして・にそって・(にのっとって・に即して) ………043
6　によって ………………………………………………………051
7　を通じて・を通して …………………………………………059

〈取り立て助詞〉
8　くらい(ぐらい)・ほど …………………………………………066
9　こそ ……………………………………………………………076
10　さえ・でさえ …………………………………………………084
11　だけ・(しか・だけしか) ……………………………………093
12　など・なんか・なんて・(でも) ……………………………102
13　ばかり ………………………………………………………111
14　まで・(までに) ………………………………………………120

　　指導法あれこれ〈1〉 …………………………………………128
　　　(に対して、について、を通じて・を通して、ほど、さえ、だけ、まで)

Ⅱ　文末表現

〈テンス・アスペクト的なもの〉
15　〜つつある …………………………………………………133

16　～(よ)うとする ………………………………………………141
17　～始める・～出す・(～かける) ………………………148

〈その他の複合動詞〉
18　～きれない・～えない・～かねる・(～きれる・～える／うる・～かねない)…154
19　～にくい・～づらい・～がたい ………………………163

〈ムード(モダリティ)〉
20　～ことだ ………………………………………………170
21　～(せ)ざるをえない・(～ほかはない・～しかない)………178
22　～てならない・～てたまらない・～てしかたがない・(～てしようがない)…186
23　～ないではいられない・～ずにはいられない ………195
24　～にちがいない・～に相違ない ………………………203
25　～べきだ ………………………………………………209
26　～まい …………………………………………………218
27　～ものだ ………………………………………………224
28　～(し)ようがない・～(し)ようで・～(し)ようによって ………235
29　～ん(の)じゃないか・～のではないか ………………242

　指導法あれこれ〈2〉 ……………………………………251
　　(～(よ)うとする・～(よ)うと思う、～にくい・～づらい・～がたい、～ことだ、～ないではいられない・～ずにはいられない、～にちがいない、～べきだ、～まい、～のではないか)

Ⅲ　従属節
30　～あいだ(は)・～あいだに ……………………………259
31　～一方だ・～一方(で)・(～反面) ……………………267
32　～うえで・～際(に)・～に際して ……………………275
33　～うちに・～うちは ……………………………………282
34　～おかげで・～せいで …………………………………292
35　～かぎり・～かぎりでは・～にかぎって ……………300
36　～からには・～以上(は)・～うえは・(～ん(の)だから・～からこそ)……310
37　～かわりに・～にかわって ……………………………319

38	〜くせに・〜にもかかわらず・〜にかかわらず	325
39	〜結果・〜あげく・〜うえで・(〜すえに)	333
40	〜(の)ことだから・〜ものだから・(〜わけだから)	341
41	〜ては・〜ても	350
42	〜というと・〜といえば・〜といったら	358
43	〜(た)ところ・〜(た)ところが・〜ところに／へ・〜ところを	365
44	〜とすると・〜とすれば・〜としたら	376
45	〜(た)とたん(に)・〜(たか)と思うと・〜次第・(〜や否や・〜なり)	384
46	〜となると・〜となれば・〜となったら	393
47	〜ないで・〜なくて	402
48	〜ず・〜ずに	410
49	〜ながら・〜ながら(も)	417
50	〜につれて・〜にしたがって・〜にともなって・〜とともに・(〜に応じて)	425
51	〜には・〜のに	434
52	〜場合	441
53	〜まま(で)・〜まま(に)・(〜とおり(に)・〜っぱなし(で))	447
54	連用中止(形)	454

　指導法あれこれ〈3〉 …………………………………………………………462
　　(〜あいだ(は)・〜あいだに、〜一方(で)、〜おかげで・〜せいで、〜にかぎって、〜からには・〜以上(は)、〜結果、〜ものだから・〜わけだから、〜(た)ところ・〜ところに／へ・〜ところを、〜とすると、〜ないで、〜ながら、〜場合、〜まま(で))

参考文献 …………………………………………………………………………473
索引 ………………………………………………………………………………477

1 として(は)・にとって(は)・(にしては)

〈**A**：町内の人　**B**：町内会役員〉
A：このごろ変なセールスマンが来るんです。
B：それはいけませんね。
A：お年寄りにとってはよくないと思うし……。
B：ええ。
A：町内会として注意してくれませんか。

学習者はどこが難しいか。よく出る質問。

1．「にとって」と「として」の違いがわかりにくい。
2．「にとって・として」と、「にとっては・としては」の使い分けができない。
3．いつ「(私)にとって」を使うの？「(私)に」ではだめなの？
4．「(私)は」でいいところを「(私)として」を使ってしまう。

学習者の誤用の例

1．彼は学生として、学校へ行かず、遊んでばかりいる。
　→彼は学生なのに／学生のくせに、学校へ行かず、遊んでばかりいる。
2．留学生として大変なのは食べ物だと思う。
　→留学生にとって大変なのは食べ物だと思う。
3．私にとってその色はあまり好きではない。
　→私はその色はあまり好きではない。
4．現代女性にとって、結婚するまでに一度外国旅行に出たいと思うのではないだろうか。→現代女性なら、結婚するまでに一度(は)外国旅行に出たいと思うのではないだろうか。

説 明

●基本的な意味用法

　「社会人として振舞う」「それは学生にとって大きな問題だ」の「として」「にとって」は、もともとは、助詞「と」と動詞「する」、助詞「に」と動詞「とる」が組み合わさってできたものです。このようにいくつかの語が組み合わさって格助詞としての役割を果たすものを「複合格助詞」と呼びます。「複合格助詞」には、「として」「にとって」のほかに、「にかけて」「にわたって」「について」「に関して」「にもとづいて」「にそって」「によって」などがあります。本書では1～7にわたって複合格助詞を取り上げます。

１．として

　「名詞＋として」と「名詞＋にとって」はともに、立場・観点などを表しますが、「として」は次のように、その立場・観点から、また、資格として何をする／したかという行為を述べることが多いです。

　　(1)　センターの代表として委員会に出席した。(資格・立場)
　　(2)　アザラシ型ロボット「パロ」が「世界一の癒しロボット」としてギネスブックに載った。(資格)

２．にとって

　「にとって」は、その立場(の者)から見ればどうであるかという評価や価値判断、気持ちを表すことが多いです。

　　(3)　これは私にとって忘れられない思い出だ。

　それぞれに「は」の付いた「としては・にとっては」には、ある事柄を主題(トピック)にしたり(取り上げたり)、対比的な意味合いを持たせたりするという、話し手の判断が入ります。

　　(4)　私としては、その考えには賛成いたしかねます。

(5) あなたにとっては朝飯前かもしれないが、私にとっては大変な仕事だ。

●いつ使われるか

１．会話の中で

(6)は父親の立場からどうするか、どうであるかということを表しています。

　　(6)　妻：最近、洋子の帰りが遅いんです。
　　　　 夫：うん、そうだね。
　　　　 妻：服装も乱れてきているし。
　　　　 夫：……。
　　　　 妻：お父さん、父親としてきちんと言ってくださいよ。

一方、立場からではあるが、「できる、できない」、また、「難しい、深刻だ、大変だ、大切だ、ありがたい」などの評価を表す場合は「にとって」が使われることが多いです。

　　(7)　A：これ、捨ててもいい？
　　　　 B：いえ、だめです。
　　　　 A：どうして。
　　　　 B1：これは私にとって大切なものなんです。
　　　　 B2：これは私にとって忘れられない思い出の品なんです。

　　(8)　A：来年から医療費が上がるんだって。
　　　　 B：ええっ、また？
　　　　 A：うん、特に老人の負担が増えそうだよ。
　　　　 B：そう……。老人にとって大変ですね。

評価を表す「大切だ、忘れられない、大変だ」には、「にとって」が使われますが、次の例では「として」も可能になっています。

　　(9)　人{として／にとって}大切なことは何か。

(10) 広島の原爆は日本人{として／にとって}忘れられない出来事だ。
(11) 医療費値上げは老人{として／にとって}大変な問題だと思う。

(9)～(11)では、「として」と「にとって」を使った場合、それぞれの意味合いが異なります。(9)の「人として」は「人としてすべき」という意味合いを、(10)の「日本人として忘れられない」は「日本人として忘れてはいけない」、(11)の「老人として大変な問題」は「老人として許せない、何かしなければならない問題」という意味合いを感じさせます。それぞれ、行為に結び付いていくような、積極的な意味合いを感じさせます。一方、「にとって」は単にそうであることを述べているだけです。

次は、ある事柄を主題(トピック)にしたり(取り上げたり)、対比的な意味合いを持たせたりする「としては・にとっては」の会話例です。

(12) A：東銀行が西銀行と合併するそうだよ。
B：へえ。でも、東銀行{としては／にとっては}、そう悪いことではないんじゃない?
A：でも、西銀行としては黙って見ているわけにはいかないんじゃないか。

ここでは東銀行と西銀行が対比的に取り上げられています。

丁寧な形として、「としまして・といたしまして・にとりまして」が用いられることがあります。

(13) A：環境省としてはどう考えていますか。
B：環境省としましては、今回の処置はやむを得ないものと考えております。

2．文章の中で（文のつながりの例）

「として」と「にとって」では、文のつながりの形が少し異なるので、別々に取り上げます。

1）として

例1　　事態・状況の文。　　見方・立場の文［～として～］。

何かが起こったという事態・状況の文があり、そのあとで、それに対する見方・立場を述べる形です。

⑭　市から感謝状と記念品をいただいた。これは我が家の家宝として大切にしたい。
⑮　大勢の友達が死んだ。生き残った者として、英霊の前に手を合わせずにはいられない。

例2　　意見・考えの文。　　見方・立場の文［～として～］。

自分の意見・考えを出し、そのあとでそれに対する見方・立場を表す言い方です。

⑯　解説者は、「なるほど」と思わせる説明を加えるべきである。精神論ばかりふりまわす人は、解説者として不適格である。
⑰　義務教育の段階で手紙の書き方を教えたほうがいい。手紙は社会人として絶対に必要な国語教育である。

2）にとって

例3　　～にとって～の／ことは～だ／である。

「～にとって」の基本形「～は～にとって～だ」の「～にとって～だ」の部分を取り立てたり、強調する形です。

⑱　今、私にとって唯一の楽しみになっているのは音楽だ。
⑲　糖尿病の患者にとって非常に厄介なことは食事療法である。

例4　　主題・話題の文［～にとって～］。　　具体的説明の文。

最初に、「にとって」の文で主題・話題を導入し、あとの文で説明を加える形です。

(20) 昔の人々にとって「川」は必要不可欠なものであった。交通手段ばかりでなく、生活用水にもいろいろな形で利用されていた。
(21) 建築業界にとって優秀な建築士が少ないのが現実だ。建築業界では一級建築士の奪い合いが熾烈になっている。

3) としては・にとっては
例5　事態・状況の文。　意見・考えの文［(しかし)〜としては／にとっては〜］。

「としては・にとっては」の形が両方使用できる形です。一つの事態・状況を紹介し、次の文でそれに対して、意見・考えを述べるときに用いられます。

(22) A型はこういう性格だとか、B型はこういう性格だとか、昨今まことしやかに語られている。科学者{としては／にとっては}、全く研究に値するものではないらしい。
(23) 新幹線の駅を作る計画が進められている。しかし、住民{としては／にとっては}益になるものは何もない。

●どのような語と結び付きやすいか

1．XとしてY
〈Yに来る語〉
◆動作を表す動詞：
言う、発言する、行動する、出席する、許す、など

(24) 一会員として許すわけにはいかない。

◆状態を表す動詞・形容詞：
通用する、(人気が)ある、知られている、恥ずかしい、失格だ、有名だ、など

(25) 彼は俳優としてより、エッセイストとして有名だ。

2．XにとってY

〈Yに来る語〉

◆可能・不可能表現：

可能だ・不可能だ、忘れられる・忘れられない、無理だ、(手が)届く・届かない、など

(26) これ以上の作業は従業員にとって無理だ。

◆評価・価値判断を表す形容詞：

大切だ、深刻だ、貴重だ、重大だ、難しい、ありがたい、大変だ、など

◆「形容詞＋名詞だ」の形：

深刻な問題だ、大切な宝だ、忘れられない思い出だ、など

(27) これは現場の教師にとって重大な問題だ。

● 「として・にとって」のほかの用法

「として・にとって」の名詞修飾の形

「として」が名詞を修飾する場合は、「～としての＋名詞」という形をとります。

(28) 私には私としての考えがあるけれど、今は言いたくない。
(29) 一市民としての責任を感じている。

「にとって」が名詞を修飾する場合は、「～にとっての＋名詞」という形をとります。

(30) 日本人にとってのタブーとは何でしょう。
(31) 皆さんにとってのアンデルセン、そして、デンマークという国についての想いをお聞かせください。

● 類義表現との比較

「としては」と「にしては」の比較

「にしては」は、話し手が今まで持っていた評価・期待と食い違ったときに抱く、「そ

の割には(思っていた割には)そうではない」という気持ちを表します。

(32)　上司：川崎君、この間の報告書だけれど。
　　　川崎：はい。
　　　上司：君にしてはまとめ方が雑だね。もう一度やり直してください。

(32)の「にしては」は、上司の、川崎君の報告書に対する期待外れの気持ちを表しています。

(33)　A：海岸にごみがいっぱいですね。
　　　B：本当に……。
　　　A1：日本を代表する三崎海岸としては汚すぎますね。
　　　A2：日本を代表する三崎海岸にしては汚すぎますね。

A1の「～としては」は客観的な立場から「三崎海岸」を評価した場合であり、A2は「日本を代表する海岸は当然きれいであるべきなのに」という話し手の期待と食い違った気持ちを述べています。

　「その割には」という気持ちはマイナス(失望感)を表すことが多いですが、次のように、そうでない場合もあります。

(34)　A：あの外人タレントは日本語がうまいね。
　　　B：そうだね。
　　　A：外国人にしては発音がきれいだ。

Aは、外国人は「発音がよくないはずだ」というマイナスの評価・期待を持っていたが、実際はそれと食い違っていたという気持ちを「にしては」で表しています。

「学習者の誤用の例」の解説

　「として」はその立場・観点から何をするかということを表しますが、1では、「学生という立場なのに」という逆接の意味になるので、「として」を使うと不自然になります。2は「として」と「にとって」を混同している例ですが、「大変だ」という気持ちは立場・観点から何をするかを表すのではなく、むしろ話し手の評価や価値判断になるので、「にとって」のほうが適切ということになります。

　3と4は「にとって」の誤用の例です。3の「にとって」は文末に評価や価値判断を表す表現が来ることが多いですが、「好きだ」はそうした表現の中には含まれません。4の「たいと思う」も願望を表す表現で、「にとって」とは結び付きにくいです。

　1～4の学習者の誤りから言えることは、「として・にとって」の使い分けを効果的に定着させるためには、それぞれの構文の文末に来る形容詞などを、かなり限って、こういう形容詞のときには「にとって」を使うというように指導するのがいいと考えられます。

2

～から～にかけて・にわたって・（にかけては）

> A：ゆうべから今朝にかけての大雨はすごかったですね。
> B：ええ、本当に。
> A：午後10時ごろからだったから、6時間にわたって降ったことになりますね。
> B：ああ、そうですね。

学習者はどこが難しいか。よく出る質問。

1. 「～から～まで」と「～から～にかけて」を混同してしまう。
2. 「にかけて」と「にわたって」の違いがわからない。
3. 「にかけて・にわたって」の前に来る名詞が不適切になる。

学習者の誤用の例

1. 新潟から東京まで地震がありました。
   →新潟から東京にかけて地震がありました。
2. 午前10時から午後6時にかけて宿題をした。
   →午前10時ごろから午後6時ごろまで宿題をした。
3. シンガポールでは、東側から西側にかけて車で40分でかかる。
   →シンガポールでは、東側から西側に行くのに車で40分かかる。

4．ゴールデンウィークにわたって関西全体を観光した。
　　→ゴールデンウィークのあいだ、関西全体を観光した。
5．老若男女にわたって世論調査を行った。
　　→老若男女すべてに(対して)世論調査を行った。

説明

●基本的な意味用法

「にかけて」「にわたって」は場所や時間を表す名詞に付いて、空間的・時間的な幅を表します。

１．～から～にかけて

通常、「～から～にかけて」の形で、二つの時点、地点の間にどういうことが起こる／起こったか、どういう状態である／あったかを表します。(1)は時点の、(2)は地点の例です。

　(1)　この道路は夕方5時から7時にかけて必ず渋滞する。
　(2)　宮城県から茨城県にかけて震度4の地震が起こった。

２．にわたって

「にわたって」は期間・時間・回数・場所・範囲など、主に数量を表す名詞に付いて、その規模が大きいことを表します。

　(3)　川田博士は30年にわたって研究を続け、新療法を開発した。
　(4)　環境をミクロからマクロにわたって眺めることが必要だ。

●いつ使われるか

１．会話の中で

「～から～にかけて」は「～から～まで」とほぼ同じ意味を持ちますが、「～から～ま

で」が2点間を限定するのに対し、「〜から〜にかけて」はやや漠然ととらえるという特徴があります。

> (5) A：山手線のラッシュアワーはすごいですね。
> B：そうですね。
> A：何時から何時までが一番込みますか。
> B：そうですね。朝7時から8時半にかけて一番込みますね。

Aが正確な時間帯を聞いているのに対し、Bはやや漠然と答えています。

　しかし、次の(6)(7)の場合は「〜から〜まで」では少し不自然になります。地震の被害や肩の痛みが「〜から〜まで」と限定できない、ある幅に広がっているということを表しているからでしょう。

> (6) A：きのう地震があったね。
> B：うん、東北地方が震源地だってね。
> A：うん、宮城県から茨城県｛?まで／にかけて｝かなり被害が出たようだよ。

> (7) A：どうしたの？
> B：五十肩かもしれない。
> A：痛いの？
> B：うん、肩から腕｛?まで／にかけて｝痛くて、重くて……。

「にわたって」は前に来る名詞がかなり限られ、また、後件(主節)に来る動詞も「続く・続ける・継続する」という意味合いを持つものが現れます。

> 〈定年退職祝賀会で〉
> (8) A：定年退職おめでとうございます。
> B：ありがとうございます。
> A：吉田さんは40年にわたって国際交流の仕事を続けてこられました。これは私どもからのささやかな記念品です。どうぞ。

2．文章の中で（文のつながりの例）

例1　 事態・状況の文 [～から～にかけて～]。　　（だから／それで）～。

ある事態・状況が起こったことを述べ、次に、そのためにどうするかを説明する形です。

(9) 今晩から明朝にかけて台風が上陸します。海岸寄りの皆さんは高潮に警戒してください。

(10) 今晩8時から9時ごろにかけて宅急便が届きます。ですから、その時間は家にいてください。

例2　 原因・理由の文 [～から～にかけて～ので／から]、～。

例1は原因・理由を表す「～ので／から」を用いて、1文で表されることもあります。

(11) 今晩から明朝にかけて台風が上陸するので、海岸寄りの皆さんは高潮に警戒してください。

(12) 今晩8時から9時ごろにかけて宅急便が届くから、その時間は家にいてください。

例3　 原因・理由の文 [～ために／ので／から]、～から～にかけて（は）～。

原因・理由を表す文が先に来て、その時間帯・場所はどうであるかという言い方です。「～から～にかけては」という言い方になることもあります。

(13) インフルエンザの発生のために、今日から週末にかけて学校は休みになる。

(14) 豪雪が予測されるので、新潟県から群馬県にかけては注意が必要です。

例4　 事態・状況の過程の文 [～にわたって～]。　　結果の文 [その結果、～]。

前文で、ある事態・状況の過程について述べ、次の文で、それがどうなったかの結果の文を示す形です。

(15) 10年にわたって遺跡の調査が行われた。その結果、このあたりは奈良時代の住居の跡だということがわかってきた。

(16) 長時間にわたって強風が吹き荒れた。その結果、屋根が吹き飛ばされた家屋が続出した。

例5 事態・状況の過程の文 [〜にわたって〜が]、結果の文。

これは「〜にわたって〜」のあとで、結果がうまく出なかった場合の形です。

(17) 数回にわたって話し合いが持たれたが、両者の意見は噛み合わないままだった。

(18) 手術は長時間にわたって行われたが、患者の容態は回復しなかった。

●どのような語と結び付きやすいか

1．WからXにかけてY

〈W・Xに来る語〉

◆**時・場所に関する名詞**：

〜日（から）・〜日（にかけて）、〜年後半（から）・〜年初頭（にかけて）、〜（から）・〜付近（にかけて）、〜曜日（から）・〜曜日（にかけて）、など

〈Yに来る語〉

◆**「事態が起こる、そういう事態である」ことを表す動詞**：

（台風が）上陸する／来る、（地震が）ある／起こる、休暇をとる、仕事を休む、など

(19) 例年、年末から年始にかけて人の大移動が起こる。

2．XにわたってY

〈Xに来る語〉

◆**「範囲が大きい、時間が長い」という意味を持つ名詞**：

長期、長時間、長年、過去〜年、将来〜年、〜週、〜日間、四半世紀、半年、全般、親子二代、広範囲、など

〈Yに来る語〉
◆「続いて・継続して」という意味合いを含む動詞:
行う、行われる、提供する、購読する、放映する、続く、続ける、待ち続ける、持ち続ける、持続する、(研究を)重ねる、掲載する、記録する、など

(20) この映画は、イルカの水中での動きを長時間にわたって記録している。

●類義表現との比較

「〜にかけて」と「〜にかけては」の比較

「〜にかけて」に「は」の付いた「〜にかけては」は空間的・時間的な幅を表すものではなく、全く別の意味を持ちます。

(21) ラーメン作りにかけては王さんの右に出る人はいない。

「〜にかけては」の後件(主節)には、その技術や能力・腕に対する高い評価の表現が来ることが多いです。

「学習者の誤用の例」の解説

　1と2は、場所と時間の違いはありますが、「〜から〜にかけて」と「〜から〜まで」の混同です。「〜から〜まで」と「〜から〜にかけて」を比較すると、前者がその区間、また、その時間の範囲がはっきりしているのに対し、後者はやや漠然としています。また、「〜から〜まで」は「行為をする／した」ということを、「〜から〜にかけて」は「どういう事態・状況である／あったか」ということを表す場合に用いられることが多いようです。

　2がやや不自然に感じられるのは、漠然と時間を表す「〜から〜にかけて」のあとに意志的な行為表現が来ているからでしょう。これが、「午前10時から午後6時にかけて泥棒が侵入したようだ。」になると、意志的な行為というより、事態表現になるので自然になります。

　3も事態・状況を示す「〜から〜にかけて」が正しく使えていない例です。「〜から〜にかけて」は2者間にまたがって、どうである／あったか、何が起こる／起こったかを表すので、単なる2者間の距離や時間についての事柄を表すことはできません。その場合は「〜から〜まで」が用いられます。

　「にわたって」は通常、数量を表す名詞に付きます。4では「ゴールデンウィーク8日間にわたって」と数量を入れると適切になります。5も「老若男女1,000人にわたって」であれば不自然でなくなると考えられます。

3 に対して

A：私は今の意見に賛成です。
B：ほかの皆さんはどうですか。
　　ご意見があったらどうぞ。
C：私は今の意見に対して反対です。
　　というのは、社員のやる気を
　　損なうんじゃないかと思うからです。

学習者はどこが難しいか。よく出る質問。

1．「に対して」を使わなくてもいいところで使ってしまう。
2．「に対して」と「にとって」の使い分けが難しい。
3．「に対して」と「について」の使い分けが難しい。
4．「に対して」と、「は」の付いた「に対しては」の使い分けができない。「は」が落ちる。

学習者の誤用の例

1．勉強しない学生に対して、除名しましょう。
　　→勉強しない学生を除名しましょう。
2．お年寄りに対して尊敬すべきだ。
　　→お年寄りを尊敬すべきだ。
3．その問題に対して説明してください。
　　→その問題について説明してください。
4．親に対して子供が一番大切なものだ。
　　→親にとっては／には子供が一番大切なものだ。

説明

●基本的な意味用法

「名詞＋に対して」の形で、「何かを対象にし、それと向き合って、それと相対して」という意味を表します。

(1) このごろの親は子供に対して甘すぎる。
(2) 組合は会社の要求に対して抗議をした。
(3) 首相は記者団の質問に対して事実関係を否定した。

文末には何らかの働きかけを示す動詞・形容詞などが来ます。(1)(2)では「に対して」の代わりに「に」(「子供に」「要求に」)を用いても意味は変わりませんが、対象を明確にし、方向をはっきりさせるために「に対して」が用いられています。一方、(3)では、「に対して」しか用いることはできません。

「に対して」は話しことばでも用いられますが、ややかたい改まった言い方になります。「に対して」に「は」の付いた「に対しては」は、話し手の取り立て(対比)の意識や判断が強くなります。

(4) 首相は記者団に対しては何も答えなかった。
(5) 欧米人に対しては親切だが、アジア人に対してはそうでもない日本人が多い。

●いつ使われるか

1. 会話の中で

次の会話では単なる「に」ではなく、「(誰)に対して」を用いることで、「誰が誰に向けて行う／行ったかを明確に表示」していると言えます。

(6) A：メールの書き方って難しいね。
　　B：そうね、誰に対して書くかによって違ってくるし。
　　A：何を書くかも難しいし。
　　B：誰に対して何を書くかをはっきりさせる必要があるね。

(7)では、母親は最初に「に対して」を使い、2度目には「に対しては」を使っています。最初の「に対して」は、主題化されず(取り立てられず)動詞と結び付いており、2度目のは「お年寄りに対しては」と、主題化されて(取り立てられて)、それについて注意をうながしています。

(7) 明：おばあちゃん、あっちへ行けよ。
　　母：明、おばあちゃんに対して何ていう言い方をするの。
　　明：……ごめん。
　　母：お年寄りに対しては、丁寧なことばを使いなさい。

(8) A：インフルエンザの予防注射した？
　　B：まだ。
　　A：早くしたほうがいいよ。
　　B：うん、でも新型のウイルスに対しては効果がないって言うよ。

ここでは、「に対しては」に対比的な意味合い(旧型のウィルスには効くかもしれないが)が入っています。

丁寧な形として、「に対しまして」を用いることがあります。

(9) 社長：今回の不祥事に対しまして、お詫び申し上げます。

もっとかたい言い方として「に対し」を使うこともあります。

(10) ご家族の皆様に対し、心よりお悔やみ申し上げます。
(11) 日本海域侵犯に対し、日本政府は直ちに抗議をした。

２．文章の中で（文のつながりの例）

例1　　〜に〜。　　〜に対して〜。

最初「に」を使っていたものを言い換えるとき、対象を明確にするために「に対して」を用いることがあります。

(12) 東洋人、たとえば韓国人とか中国人にも外人って言いますか。外見が外国人に見える人に対して、外人と言うんじゃないですか。

(13) 今の意見に質問がありますか。今の意見に対してご質問、ご意見があったらお願いします。

例2　　意見・考えの文 [〜に対して、というより〜]。

意見・考えを述べるとき、「というより」などの、文の流れを切る語がうしろに来ると、「に」ではなく「に対して」が用いられるようです。「に対して」を用いることによってその事柄を際立たせようとする話し手の意図が見られます。

(14) このことは欧米系の人に対して、というよりすべての国の人に知っておいてほしいことです。

(15) これは、学校に対して、というより、教育委員会に申し上げるべきことですが。

例3　　まとめの文 [〜に対して〜]。

自分や人の意見を繰り返すとき、また、言い直したりまとめたりするとき、物事の関係を明確にするために「に」ではなく「に対して」が使われやすくなるようです。

(16) 　A：日本人は外国人に一線を画していると思います。
　　 司会：Aさんのご意見は、日本人は外国人に対して、一種の線を引いて接することが多いということですね。

(17) 司会：Bさんは、日本人が外国人に冷たいと思うことがありますか。
　　 B：忘れられない、いい経験もたくさんありますが、それでもやっぱり、日本人が外国人に対して冷たいということは毎日の生活の中で感じます。

例4　　～に対して(は)～が／けれども、対比的な文 [～に対して(は)～]。

「が／けれども」を使った対比的、対照的な文では「に対しては」が現れやすくなります。

(18) うちの犬は大きい犬に対してほとんど吠えないが、小さい犬に対しては大声で吠える。

(19) 日本人は知らない人に対しては消極的だが、親しい人に対しては積極的な態度を見せることが多い。

●どのような語と結び付きやすいか

Xに対してY
〈Yに来る語〉

◆「に」をとる対人的・対物的態度を表す動詞 (「に」または「に対して」をとる)：
「「に」をとる対人的・対物的態度を表す動詞」というのは、人やものに働きかけを示す動詞で、「～に答える」「～に謝る」のように本来「に」をとる動詞のことです。

答える、与える、請求する、同情する、謝る、遠慮する、お辞儀をする、感謝する、働きかける、立ち向かう、反対する、抵抗する、抗議する、警告する、など

(20) 我が国は、アジア諸国の人々{に／に対して}多大の損害と苦痛を与えました。

(21) 私達{に／に対して}遠慮しないでください。

(22) すべての職員が執行部{に／に対して}抗議をした。

◆「に」をとる対人的・対物的態度を表す形容詞 (「に」または「に対して」をとる)：
人やものに働きかけを示す形容詞で、「～に厳しい」「～に積極的だ」のように本来「に」をとる形容詞のことです。

甘い、厳しい、批判的だ、申し訳ない、熱心だ、細かい、積極的だ、消極的だ、など

(23) 若い人{に／に対して}甘い。
(24) 初心者{に／に対して}厳しいんではないか。

◆「に」をとらない対人的・対物的態度を表す動詞(「に対して」をとる)：
防衛する、防御する、保護する、否定する、(行動／訴えを)起こす、改善する、導入する、(態度を)軟化する、など

(25) すずめの被害に対して、目の細かいネットで稲を保護する。
(26) ハッカーの進入に対して自動的に防御するネットワークを構築する。

「に」をとらない対人的・対物的態度を表す動詞の場合は「～に対して～を＋動詞」の形をとることが多いです。

● 「に対して」のほかの用法

「に対して」の名詞修飾の形

「に対して」が名詞を修飾する形には、「～に対しての＋名詞」と「～に対する＋名詞」の2通りあります。

(27) 商品に対してのご感想やご質問等がございましたら、ぜひお聞かせください。
(28) 女性に対する暴力は、女性の人権を著しく侵害するものである。

「～に対しての＋名詞」と「～に対する＋名詞」は、ほとんどの場合置き換えが可能です。

(29) 結婚{に対しての／に対する}両家の価値観の違いに不安を感じる。

「～に対する＋名詞」のほうがやや書きことば的であると言えます。

「数量＋に対して」

「に対して」が数量を表す語に付くと、「割合」を表します。

(30)　白菜1キロに対して塩100グラム入れてください。
　(31)　採用人員10名に対して、100人の応募があった。

「Aが〜のに対して、Bは〜」

また、「に対して」は「Aが〜のに対して、Bは〜」という形をとって対照を表します。

　(32)　長男が神経質であるのに対して、次男はのんびりした性格である。

●類義表現との比較

「に対して」と「について・に関して」の比較（⇒4）

　「について・に関して」と「に対して」は、何かを対象にして、それに関わるという点では共通点があり、学習者が混同を起こすものの一つです。両者は対象との関わり方が異なり、「について・に関して」が「そのもの自体に関わることを述べたり、質問したりする」のに対して、「に対して」は「そのものと相対した形で働きかけをする」という点に違いがあります。「について・に関して」と「に対して」の違いを図示すると次のようになります。

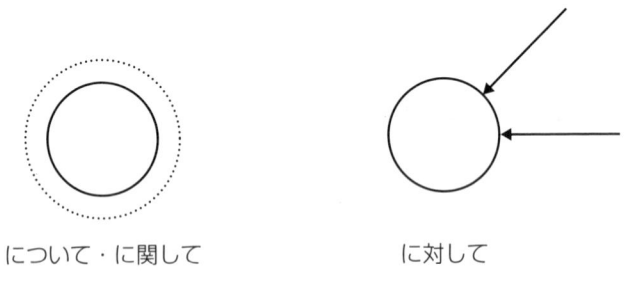

　　　　　について・に関して　　　　　に対して

　この違いは、しかしながら、学習者にはわかったようでわかりにくいもののようで、次のような文を作りがちになります。

　(33)×私は朴さんの今言った意見について反対します。
　(34)×水不足に関して給水制限が導入された。

むしろ両者の違いは、「どのような語と結び付きやすいか」で説明しているように、う

しろに来る動詞の違いとして指導することが適切と考えられます。

「について・に関して」：話す、説明する、調べる、考える、など
「に対して」：答える、反対する、働きかける、導入する、など

(33)の「反対する」、(34)の「導入する」は「に対して」とともに用いられる動詞と考えられます。

「学習者の誤用の例」の解説

「に対して」の誤用では、不必要なときに「に対して」を使っている例が見られます。1と2では、「学生を除名する」「お年寄りを尊敬する」のように、「を」のままで正しいのに、その「を」を「に対して」としています。もし「に対して」を使いたければ、次のように別の動詞を補う必要があります。

1' 勉強しない学生に対して除名を行おう。
2' お年寄りに対して敬意を払うべきだ。

ここで言えることは、「を」で言える場合は「に対して」にしないこと、もし、したければ「に対して」に対応できる動詞を補う必要があるということでしょう。

3は「に対して」と「について」の混同です。「説明する」のような動詞は、「説明」の対象には「に対して」でなく「について」を用います。「解説する」「述べる」なども同様です。4は「大切だ」と話し手の評価や価値判断、気持ちを表しているので、「に対して」ではなく「にとって」が適切になります。（⇒1）

4 について・に関して・(をめぐって)

A：田中さんは家事はやりますか。
B：いえ、家事については、家内まかせです。
A：奥さんは何も言いませんか。
B：ええ、今のところは。

学習者はどこが難しいか。よく出る質問。

1．「について」と「に関して」は同じ？
2．「について・に関して」と、「は」の付いた「については・に関しては」の使い分けができない。「は」が落ちる。
3．「〜に関しての〜」と「〜に関する〜」の使い方は全く同じ？

学習者の誤用の例

1．今から日本に関して話してください。
　→今から日本について話してください。
2．マンガについて、子供はどのような影響を与えるか。
　→マンガは、子供にどのような影響を与えるか。
3．老年人口の問題に関して、最近は日本の社会問題になっている。
　→老年人口の問題が、最近は日本の社会問題になっている。
4．この事件に関しての人はほとんど外国へ逃げ出した。
　→この事件に関係する人はほとんど外国へ逃げ出した。

説 明

●基本的な意味用法

「名詞+について/に関して」の形でその事柄・人を題材・主題として取り上げ、そのものに関わることを述べたり、質問したりするときに使われます。

(1) 日本の風力発電について教えていただけませんか。
(2) 国際協力に関して、日本は予想以上に期待されている。

「について」が内容そのものを取り上げるのに対し、「に関して」はそれと関係する周辺のことまで含めます。「について」と比べて、「に関して」のほうがややかたい、改まった言い方になります。

●いつ使われるか

1. 会話の中で

学習者は自分の国を紹介する機会も多いと思いますが、スピーチを始めるとき、また、終わるときに「について」が必要になります。

> (3) A：皆さん、こんにちは。今日はこれから、江南の四季についてお話しします。
> ……
> A：これで終わります。江南の四季について何か質問があったらどうぞ。
> ……
> A：では、江南の四季についてのスピーチを終わります。ありがとうございました。

ところが、この「について」を「に関して」にすると、少し不自然になります。スピーチは話者がある話題を取り上げ、そのものについて話すものだからです。

(4)　A1：?皆さん、こんにちは。今日はこれから、江南の四季に関してお話しします。
　　　……
　　A2：これで終わります。江南の四季に関して何か質問があったらどうぞ。
　　　……
　　A3：?では、江南の四季に関してのスピーチを終わります。

A1、A3では「に関して」はやや不自然ですが、A2のようにその事柄を含めた、周辺のことまで述べる、または、質問する場合は、「に関して」も可能になります。

「について・に関して」に「は」の付いた「については・に関しては」は、ある事柄を主題（トピック）として取り上げたり、対比的な意味合いを持たせたりします。

(5)　A：秘書がお金を受け取ったんでしょう？
　　B：……。
　　A：秘書が受け取ったって言ってますよ。
　　B：そのこと{については／に関しては}、私は何も知りません。

「について・に関して」は丁寧な形として、「につきまして・に関しまして」を用いることがあります。改まった言い方なので、企業の説明や通知などによく使われます。

(6)　A：ただ今より、企業説明会を始めさせていただきます。
　　　……
　　B：今の説明{について／に関して}、質問があります。
　　A：はい、どうぞ。
　　　……
　　A：ただ今のご質問{につきまして／に関しまして}、業務部長のほうよりご説明いたします。

「について」は、「付く」という動詞から出ています。「付く」は「密着する」という意味

を持っているので、「について」は、密着してそのものを取り上げます。一方、「に関して」は「関係する」という意味を持つので、そのものというより、それに関する、もう少し周辺的な事柄を扱うと言えます。

「について」は「話す・書く・考える」などのコミュニケーション行為と結び付いて用いられます。また、本や論文・エッセー・お知らせなどのタイトル・見出しに使われるのは、「について」であって、「に関して」はあまり使われません。

(7) 「駐車違反取締りについて／？に関して」のお知らせ
(8) 説明会のタイトルは「アスベスト問題について／？に関して」です。
(9) 来週の議題「子供を不審者から救う方法について／？に関して」

2．文章の中で（文のつながりの例）

例1　　主題・話題の文 [〜について／に関して〜]。　　具体的説明の文。

「について・に関して」で主題や問題、話題を提起して、次の文で具体的に説明する形です。

(10) 「うつ」と「うつ病」の違い{について／に関して}説明したいと思う。両者の違いは、「うつ」であることを本人が自覚しているかどうかにかかっている。
(11) 現在パソコンの機能{について／に関して}以下の問題が発生しております。文字入力で対応できないことと画像処理が遅れるということです。

例2　　主題・話題の文 [〜について／に関して〜が／けれども]、具体的説明の文。

例1と似ていますが、前文が「が／けれども」を使って前置きとなり、1文になる形です。

(12) 「うつ」と「うつ病」の違い{について／に関して}説明したいと思いますが、両者の違いは、「うつ」であることを本人が自覚しているかどうかにかかっています。
(13) 早期教育{について／に関して}専門家の間でも賛否両論があるようだけれど（も）、現場では早期英語教育はすでに始まっている。

例3　意見・考えの文。　意見・考えの文[(一方/しかし、)〜については/に関しては〜]。

一つの意見・考えを述べ、次の文でそれと反対の、または、対比的、対照的な事柄について「については・に関しては」を使って表します。

(14) 私達が知りたいのはアンケートの結果です。男性であるか女性であるか、年齢はどうかなど{については／に関しては}、それほど重要ではありません。

(15) サッカーの審判員制度には不満があります。しかし、全体的な運営方法{については／に関しては}、不満はありません。

例4　〜については／に関しては〜が／けれども、対比的な文。

前後文が対比的、対照的な場合は、「が／けれども」で導かれる前件、また、後件（主節）に「については・に関しては」が現れやすくなります。

(16) 判断処理{については／に関しては}コンピュータの能力は人間の1万分の1にも及ばないけれど(も)、計算処理では人間はコンピュータの足元にも及ばない。

(17) 広報活動{については／に関しては}、最後まで続けていきたいとは思いますが、営業案内{については／に関しては}、もう少しお待ちください。

●どのような語と結び付きやすいか

Xについて／に関してY
〈Yに来る語〉
◆事柄・人のことを説明する動詞：
　話す、議論する、述べる、説明する、論じる、など

(18) 建物の構造{について／に関して}ご説明申し上げます。

◆事柄・人のことを調査する動詞：
　調べる、調査する、探る、など

(19) 現在、事件の真相｛について／に関して｝調査しております。

◆事柄・人のことを認識・思考する動詞：
考える、知っている、熟慮する、熟考する、など

(20) 彼はそのこと｛については／に関しては｝何も知らない。

● 「について・に関して」のほかの用法

「について・に関して」の名詞修飾の形

「について」が名詞を修飾する場合は、「〜についての＋名詞」という形をとります。

(21) 公務員削減についてのアンケートが配られてきた。
(22) あちこちで著作権についての勉強会や研修会が開かれている。

一方、「に関して」が名詞を修飾する場合は、「〜に関しての＋名詞」と「〜に関する＋名詞」という形をとります。

(23) 受講に関してのお問い合わせ、お申し込みは次の宛先まで。
(24) 個人情報の保護に関する法律が制定された。

「〜に関しての＋名詞」と「〜に関する＋名詞」はどちらを使っても意味的に変わりはありませんが、「〜に関する＋名詞」のほうがやや書きことば的です。

● 類義表現との比較

「について・に関して」と「をめぐって」の比較

その人や事柄が関係する対象を表す表現として「をめぐって」というのがあります。

(25) a．メールの内容について、いろいろな憶測がなされている。
　　 b．メールの内容に関して、いろいろな憶測がなされている。
　　 c．メールの内容をめぐって、いろいろな憶測がなされている。

abcはいずれも適切ですが、「をめぐって」には次のような特徴があります。

1)「をめぐって」では、その人・事柄がどうなのかを複数の人が、流動的に議論したり、話し合ったりする場合に使われます。次の例では、「研究する」のはむしろ個人的、固定的な作業なので、「をめぐって」は不適切になります。

(26) 私は日本経済{×をめぐって／について／に関して}研究しています。

2)「をめぐって」は文末に意志表現をとることができません。

(27) 来年の企画{×をめぐって／について／に関して}話し合ってください。

「学習者の誤用の例」の解説

「に関して」はややかたい、改まった言い方であること、関係する周辺のことまで含めるという点で、「について」と異なります。1は日本のことや日本そのものについて話すという意味合いなので、漠然と周辺を含める意味の「に関して」は不適切になると考えられます。2は「マンガ」そのものを主題(トピック)として取り上げるのであれば、「マンガについて」ではなく「マンガは」とするべきです。もし、「マンガについて」を生かしたいのであれば、次のような文末にする必要があります。

2' マンガについて、子供にどのような影響を与えるのか調べる。

3も2とよく似た内容の誤用ですが、3は事態変化を表しているので、「は」ではなく「が」をとります。

4は「に関する／関しての」と「関係する」の混同です。「に関する／関しての」は、うしろに来る名詞の内容や側面を表すので、「この事件」に主体的に関係する「人」に対して「に関する／関しての」を使うと不自然になります。

5 にもとづいて・をもとにして・にそって・（にのっとって・に即して）

A：詐欺をするとどうなりますか。
B：刑法にもとづいて裁判を受けることになります。
A：その刑法というのは何をもとにしているんですか。
B：憲法です。

学習者はどこが難しいか。よく出る質問。

1．「にもとづいて」と「をもとにして」を混同する。
2．「にもとづいて」の使い方がわからない。
3．「にそって」と「にもとづいて」の違いがわからない。

学習者の誤用の例

1．これまでの経験にもとづいて、これからも頑張りたいと思う。
　　→これまでの経験をもとにして、これからも頑張りたいと思う。
2．空手をやったことをもとにして、日本に興味を持つようになった。
　　→空手をやったことから／をきっかけにして、日本に興味を持つようになった。
3．この町は桜をもとにして「桜タウン」と名付けられた。
　　→この町は桜にちなんで「桜タウン」と名付けられた。
4．親の期待にそって、サッカーの試合でチームを優勝に導いた。
　　→親の期待にこたえて、サッカーの試合で優勝することができた。

説 明

●基本的な意味用法
「名詞＋にもとづいて／をもとにして／にそって」は基準に合わせて物事を行うことを表します。

１．にもとづいて
「その事柄やものを基礎において」、あるいは、「それを根拠として、それに合わせて忠実に」物事や行為が行われることを表します。

　(1)　人は法にもとづいて裁かれる。

２．をもとにして
「その事柄やものを基礎にして、それを生かしながら、ある部分利用しながら」の意味を表します。具体的に何かをしたり、作ったりすることが多いようです。

　(2)　これまでの経験をもとにして、頑張りたいと思う。

３．にそって
「にそって」は「にもとづいて・をもとにして」と同じく「その事柄やものを基礎にして、合わせて」の意味を持ちますが、(4)のように「物理的な距離から離れずに」という意味を含みます。

　(3)　今度のプロジェクトは私の考えにそってやってほしい。
　(4)　道にそって花が植えられている。

●いつ使われるか

１．会話の中で
「にもとづいて・をもとにして・にそって」はともに「それを基礎にして」という点では共通なので、(5)ではどれもが適切になっています。

(5) A：このドラマはなかなかいいね。
　　B：これは本当の話なのよ。
　　A：ええっ。事実｛にもとづいて／をもとにして／にそって｝作ってあるの？
　　B：そうよ。

しかし、次のような場合は「にもとづいて・にそって」は不自然になります。

(6) A：4月から仕事ですね。
　　B：はい。
　　A：頑張ってくださいね。
　　B：はい、この学校で得た経験｛?にもとづいて／をもとにして／?にそって｝、頑張りたいと思います。

「経験」は、長いプロセスを経て得られた結果であって、プロセスそのものではないので、「にそって」が不自然になると考えられます。「にもとづいて」と「をもとにして」の違いは微妙なので、次の例を比べてください。

(7) この学校で得た経験｛?にもとづいて／をもとにして｝、頑張りたいと思う。
(8) 彼は過去の経験｛にもとづいて／をもとにして｝判断した。

同じ「経験」でも、「頑張る」の場合「にもとづいて」は不自然になり、「判断する」は自然になっています。「にもとづいて」は「〜を基礎において忠実に」の意味なので、「忠実に判断する」は可能ですが、「忠実に頑張る」は少し無理なようです。一方、「をもとにして」は「それを生かして」の意味なので、「頑張る」「判断する」両方に可能だと考えられます。

「にもとづいて・をもとにして・にそって」は次の(9)のように、動詞としても表すことができます。

(9) A：このドラマはなかなかいいね。
　　B：これは本当の話なのよ。
　　A：ええっ。事実|にもとづいている／をもとにしている／にそっている|の？
　　B：そうよ。

2．文章の中で（文のつながりの例）

例1　事態・状況の文[〜にもとづいて／をもとにして／にそって〜]。　　ただし書き・反対の文[ただし／しかし、〜]。

ある基準に合わせて行われた事柄や事態・状況に対し、次の文でただし書きを加える形です。

(10) このドラマは史実|にもとづいて／をもとにして／にそって|作られた。しかし、まだ検証の足りない部分がある。

(11) 裁判所は判例|にもとづいて／をもとにして／にそって|刑を確定した。しかし、刑が軽すぎるという声が上がっている。

例2　事態・状況[〜して／し]、過程の文。　　結果の文[(その結果・そして)〜にもとづいて／をもとにして／にそって〜]。

ある事態・状況が起こって、それについて議論などのプロセス・過程を経て、最後に結果を述べる形です。事態や過程説明の文は「〜して」や「〜し」によって1文になることが多いです。

(12) カンニング事件が発生し、徹底的な調査がなされた。その結果、学校側は、校則|にもとづいて／をもとにして／にそって|カンニングに関わった生徒を退学処分にした。

(13) 高校生が芥川賞を受賞し、世間の話題をさらった。そして半年後には彼女の小説|にもとづいて／をもとにして／にそって|映画が作られることが決まった。

例3　〜にもとづいて／をもとにして／にそって〜ので／から、評価的判断の文。

　ある基準に合わせて行われた事柄に対して、その理由を述べて評価する形です。評価はプラスの場合もマイナスの場合もあります。主に「にもとづいて・をもとにして」が使われますが、「にそって」が使われる場合もあります。

(14)　このドキュメンタリーは徹底的な取材｛にもとづいて／をもとにして／?にそって｝書かれているので、信頼できる。

(15)　このメールはいい加減な情報｛にもとづいて／をもとにして／にそって｝作られているようだから、信用してはいけない。

(15)の「情報にそって」は自然ですが、(14)の「取材にそって」は少し不自然に感じられます。この場合、「取材によって」のように手段としての意味を含んでいるからと考えられます。

● どのような語と結び付きやすいか

　「にもとづいて・をもとにして・にそって」では、動詞には他動詞・自動詞ともに受身動詞が多く現れます。

(16)　この映画は事実｛にもとづいて／をもとにして／にそって｝作成されている。

(17)　株主総会は綿密な進行予定｛にもとづいて／をもとにして／にそって｝進められた。

では、次に、それぞれに現れやすい、名詞と動詞を見ていきましょう。

1．XにもとづいてY
〈Xに来る語〉
◆基準を表す名詞：
　ルール、規則、規定、事実、計画表、情報、構想、事件、経験、話、伝説、など

〈Yに来る語〉
◆作成・開発に関する動詞：
　書く、作る、作成する、開発する、これらの受身動詞、など
◆行為・行動に関する動詞：
　使用する、判断する、行う、行動する、決める、分配する、これらの受身動詞、など

(18)　配当金は当社の規定にもとづいて分配されます。

２．XをもとにしてY

〈Xに来る語〉
◆情報を持つ名詞：
　データ、情報、経験、事実、事件、先行事例、基本原理、報告、話、噂、など
〈Yに来る語〉
◆作成・開発に関する動詞：
　書く、作る、作成する、設計する、構築する、生成する、これらの受身動詞、など

(19)　実験で得られたデータをもとにして新しい物質を生成する。

◆行為・行動に関する動詞：
　対処する、判断する、行う、行動する、決める、分配する、これらの受身動詞、など

(20)　人の噂をもとにして判断してはいけない。

３．XにそってY

〈Xに来る語〉
◆長さを表す名詞：
　道路、カーブ、川、コース、壁、塀、など
◆過程を含む名詞：
　プログラム、マニュアル、手順、意向、要望、要求、戦略、など

〈Yに来る語〉

◆動詞：

並ぶ、行く、歩く、植える、伸びる、配置する、進む、進める、設計する、説明する、行う、報告する、など

(21) 塀にそって進んでください。
(22) 説明はマニュアルにそって進められた。

●類義表現との比較

「にのっとって」「に即して」との比較

(23) 祭礼は伝統{にのっとって／に即して／にもとづいて}行われている。
(24) 説明はマニュアル{?にのっとって／に即して／にそって}進められた。
(25) 経験{×にのっとって／に即して／をもとにして}判断する。

「にのっとって」は(23)の「伝統にのっとって」のように「基準・規範になりうる」と考えられている語と結び付くことが多いです。「経験」は個人的なものであるので、(25)は不適切になります。(24)の「マニュアル」も次のように、「基準・規範になりうる」ということがわかる説明の付いた形になると適切になります。

(26) 説明は自治体が作成したマニュアルにのっとって進められた。

一方、「に即して」は、「にもとづいて・にそって」と同じ意味を持ちますが、ややかたい言い方になります。

(27) 時代の変化に即して雇用形態も変えていかなければならない。

「に即して」が「に則して」になると、「規則・法律などにそって」という意味で用いられます。

(28) 不法滞在者は法律に則して強制送還される。

「学習者の誤用の例」の解説

　「にもとづいて」と「をもとにして」の使い分けは非常に微妙ですが、前者が「それを基本にそのまま従っていく」のに対し、後者は「それを基本に据えるだけ」という違いがあります。1は経験のよい部分を生かして頑張りたいわけで、そっくり全部経験通りにするのではないので、「をもとにして」のほうが適切になります。2は「空手をやったこと」と「日本に興味を持つようになった」ことは因果関係にあるので、「から／をきっかけにして」にしたほうがいいでしょう。

　3は「桜を基本にして」という意味ではなく、「それにちなんで」になります。

　4は学習者の言いたいことが少し不明瞭なところがありますが、「優勝できた」のように物事を達成する場合は「〜にこたえて」のほうが適切と考えられます。

6 によって

A：首相は話し合いで選んだほうがいい。
B：いや、選挙によって選ぶべきだ。
A：じゃ、どちらの方法にするか投票によって決めよう。
B：……。

学習者はどこが難しいか。よく出る質問。

1．「によって」はいろいろな用法があるので、覚えにくい。
2．情報源を表す「によると」を使うべきところで、「によって」を使ってしまう。

学習者の誤用の例

1．ニュースによって、朝は晴れだそうだ。
　→ニュースによると、朝は晴れだそうだ。
2．世界中が経済成長しか考えないことによって、環境問題は悪化しつつある。
　→世界中が経済成長のことしか考えないために、環境問題は悪化しつつある。
3．電気製品の普及によって、DVDはテレビより人気がある。
　→電気製品の普及につれて、DVDはテレビより人気が出てきている。
4．動物は種類や習性によって研究される。
　→動物は種類や習性に応じて研究される。／動物は種類や習性によって研究の仕方が異なる。

説明

●基本的な意味用法

「によって」は普通ひらがなで表されますが、もとの動詞は「依る・因る・拠る・由る」などが使われます。これらの漢字からも想像できるように「によって」は「〜を原因にして」「〜をもとに」など数々の意味用法を持ちます。

(1) 人身事故によって鉄道が止まることが多い。(原因・理由)
(2) インターネットによって世界中の人と交流することができる。(手段)
(3) 彼の証言によってすべてが明らかになった。(根拠・よりどころ)
(4) この庭は小堀遠州によって造られたという。(受身文の動作主)
(5) どう考えるかは人によって違います。(場合)

●いつ使われるか

1．会話の中で

(6)は原因・理由を表す「によって」の会話です。格助詞「で」「から」を使っても同じですが、「によって」のほうが書きことば的になります。「によって」は原因・理由を明確にしたり、強調的に言うときに使われやすくなります。

(6) A：腰が痛くて。
　　B：腰痛だね。
　　A：うん、医者に行ったほうがいいかな。
　　B：腰痛ってストレスによって起こるんだよ。

「手段」の「によって」は格助詞「で」、また、「根拠・よりどころ」は「で」「から」で表すこともできます。いずれの場合も、「で」「から」と比べて書きことば的になります。
(7)の「によって」は「手段」を表しています。

(7) パーソナリティ：ラジオをお聞きの皆様、こんばんは。
　　　　　　　　　この音楽番組は、皆様からのリクエストによって行っています。
　　　　　　　　　お聞きになりたい曲がありましたら、どしどしはがきに書いて
　　　　　　　　　送ってください。

　次は「受身文の動作主」を表す「によって」です。本来、話しことばではあまり用いられません。

(8) A：また津波が起こったんだって。
　　B：この間はハリケーンだったね。
　　A：次々に自然災害が起こるね。
　　B：温暖化によって引き起こされるんだろうか。

　次は、「場合」を表す「によって」です。「国、人、ところ、場合、時と場合」などに応じて「違う／異なる」という言い方を使うことが多いです。

(9) A：帰りは遅いんですか。
　　B：日によって違うんですけど。
　　A：土曜日も遅くなりますか。
　　B：ええ、土曜日はお客さんが多いですからね。

　次の(10)と(11)は「によっては」を使った会話です。「によっては」の前に来る事柄を取り立てた言い方になります。(10)は「場合」、(11)は「場合」または「根拠・よりどころ」を表しています。

(10) A：先生、いかがでしょうか。
　　 B：炎症がかなり進んでいますね。
　　 A：治りますか。
　　 B：場合によっては、手術したほうがいいかもしれません。

> (11) A：この数字は変ですね。
> B：そうですね。値がちょっと小さ過ぎますね。
> A：でも、データのとり方によっては、値が小さくなることもあるかもしれませんね。

「によって」は、「により」で置き換えることができます。ただし、非常にかたい言い方になります。

> (12) 裁判官：刑法120条により懲役3年を言い渡す。

2．文章の中で（文のつながりの例）

例1　　事態・状況の文。　　具体的説明の文［〜によって〜］。

全体的な事態・状況を説明し、次の文で「によって」を使って、より明確、強調的に原因・理由その他を示します。

> (13) 多くの銀行が資金難に陥っている。ほとんどの銀行は不良債権処理の失敗によって経営が悪化したのだ。（原因・理由）
> (14) その事件はついに解決の兆しを見せ始めた。犯人の自白によって事件の真相が明らかになってきた。（根拠・よりどころ）
> (15) 1990年代には多くのマンションが建設された。その中のいくつかはA氏によって設計されている。（受身文の動作主）

例2　　手順説明の文［〜をし、〜をし］、まとめの文［〜によって〜］。

手順を説明するとき、「〜をし、〜をし」と述べて、そのあとで「その〜によって〜」という形でまとめることがあります。

> (16) 沸騰したら火を止め、ふたをし、余熱によって中まで火を通します。（手段）
> (17) コンピュータのメモリをいくつかの要素に分け、それぞれに番地（address）を付け、その番地によってデータにアクセスできるようにする。（手段）

例3　結果・結論の文。　具体的説明の文［〜によっては〜］。

「場合」を表す「によって」で、最初に結論的なことを言って、次に具体的、個別的な場合を説明するときに「によっては」が現れます。

(18) コンビニは割高と言われるが、そうでもない。商品によってはスーパーより安いものもある。(場合)
(19) 最近は老舗料理店もいろいろなサービスをしないとやっていけないようだ。店によっては忘年会など会社まで迎えに来てくれる。(場合)

例4　事情・前提の文。　(同じ)意見・考えの文［〜によって〜］。

最初に一つの事情・前提を述べ、あとの文で「〜によって」を用いて、意見・考えを改めて取り上げる形です。

(20) 恋愛結婚の長所は、「昔、愛し合った」という原点に立ち返れることだ。こういう気持ちが持てるかどうかによって結婚生活は違ったものになる。(場合)
(21) 「とんでもない」と言うとき、私たちは無意識のうちに手をあげ、左右に激しく振る。左右に振ることによって、何かを払いのけようとしているのかもしれない。(手段)

● どのような語と結び付きやすいか

1.「原因・理由を表す」XによってY

〈Xに来る語〉

池上素子(2005)は学術論文を分析し、原因を表す「によって」の前に来る名詞について次のような傾向を提出しています。

1) 変化を表す名詞：変化、上昇、増減、など
2) 動作を表す名詞：行為、動作、働き、暴力、など
3) 動きを表さない名詞：低迷、停滞、静寂、沈黙、など

〈Yに来る語〉

◆結果を表す動詞：

自動詞（生じる、生まれる、起こる、起きる）、受身動詞（行われる、もたらされる、誘発される、促進される）、など

(22) 政治の低迷によって国民の政治離れがもたらされる。

2．「手段を表す」XによってY

〈Xに来る語〉

◆名詞：

（インター）ネット、メール、方法、結婚、リサイクル、対話、教育、リクエスト、技術、システム、など

〈Yに来る語〉

◆達成や変化を表す動詞：

変わる、起きる、早くなる、決まる、可能になる、アクセスする、（情報を）得る、生き返る、など

(23) リサイクルによって廃品が生き返る。

3．「根拠・よりどころを表す」XによってY

〈Xに来る語〉

◆その中に情報を含む名詞：

証言、告白、告発、報道、情報、調査、など

〈Yに来る語〉

◆引き起こされた結果を表す動詞など：

明らかになる、明白になる、わかる、〜てくる、など

(24) 彼女の告白によって事件の全貌がわかってきた。

4．「受身文の動作主を表す」XによってY

〈Xに来る語〉

◆名詞：
　有名人や作者の名前、何者か、当局、契約、法律、など

〈Yに来る語〉

◆ものの創造を表す動詞：
　つくる(作る、造る、創る)、書く、建てる、発明する、発見する、設計する、など

　(25)　このマンションは有名な一級建築士によって建てられたものだ。

◆その他の動詞：
　得る、解明する、発信する、制定する、決める、拘束する、引き起こす、壊す、など

　(26)　いったん契約すると、契約書によって拘束されるので、注意が必要だ。

5．「場合を表す」XによってY

〈Xに来る語〉

◆名詞：
　場合、ところ、人、国、日、機種、種類、(見る)角度、会社、メーカー、店、など

〈Yに来る語〉

◆異なることを表す動詞：
　違う、異なる、変わる、など

　(27)　どう考えるかは人によって違います。

●「によって」のほかの用法

「によって」の名詞修飾の形

　「によって」が名詞にかかるときには、「～によっての＋名詞」と「～による＋名詞」の2通りあります。「～による＋名詞」のほうが書きことば的ですが、「によって」の意味用法によって一方しか使えない場合もあります。次のように、「手段」と「場合」を表す「によって」は「による・によっての」の両方が可能なのに対し、それ以外の「によって」は

「による」しか使えないと言えそうです。

1. 原因・理由　　　・鳥インフルエンザ{による・?によっての}死亡者が続出する。
2. 手段　　　　　　・電話{による・によっての}相談も受け付けています。
3. 根拠・よりどころ・証言{による・?によっての}真実の露呈
4. 受身文の動作主　・東山魁夷{による・?によっての}「残照」という作品
5. 場合　　　　　　・メーカー{による・によっての}味の違い

●類義表現との比較

「によって」と「を通じて・を通して」の比較
本書の「7 を通じて・を通して」を参照してください。

「学習者の誤用の例」の解説

　「によって」は幅広い意味用法を持ちます。1は情報源を「根拠・よりどころ」と解釈して、学習者は「によって」を使ったと考えられます。しかし、「根拠・よりどころ」を表す「によって」は「明らかになった」「わかった」という表現と結び付き、単なる伝聞「そうだ」とは結び付きません。「そうだ」と結び付けるためには、「によると」とする必要があります。これは学習者がよくする誤用なので注意が必要です。

　2は原因・理由を表す「によって」を使っていますが、因果関係をはっきり表すために「ので」「ために」などを使うほうがいいと思われます。

　3は原因・理由というより「普及につれて」と考えたほうが適切になります。

　4の「場合」を表す「によって」は結び付く動詞が「違う・異なる・変わる」など限られていて、「研究する」は結び付かないようです。

7 を通じて・を通して

A：私達、結婚することになりました。
B：おめでとう。お二人のなれそめは？
A：私達はインターネットを通じて
　　知り合ったんです。
B：へえ、ネット結婚ですか。

学習者はどこが難しいか。よく出る質問。

1．「を通じて」と「を通して」は同じ？
2．「通じて」と「通して」が表記・発音で混乱する。「通(とお)しで」になったり、「通(とお)じて」になったりする。
3．「を通じて」と「によって」の違いがわかりにくい。

学習者の誤用の例

1．留学試験を通じて大学は学生を選ぶ。
　　→留学試験によって大学は学生を選ぶ。
2．あの歌は全国を通じて、はやっている。
　　→あの歌は国中ではやっている。
3．インターネットを通して新聞記事を読む。
　　→インターネットで新聞記事を読む。
4．父を通して、仕事につくことができた。
　　→父の紹介で、仕事につくことができた。

説 明

●基本的な意味用法

「名詞+を通じて／を通して」は両方とも「～を経て・～を仲介として」という意味を表します。

(1) 仕事{を通じて／を通して}人脈が広がっていった。
(2) ラジオ、テレビ{を通じて／を通して}全国に呼びかけた。

また、「その期間中いつも」という意味もあります。

(3) このスキー場は1年{を通じて／を通して}スキーができる。
(4) 父は生涯{を通じて／を通して}幸せだった。

「を通じて・を通して」はほぼ置き換えが可能ですが、「を通じて」は「情報・情報手段・人・人脈」などを通じて広がっていく結果に、一方、「を通して」は意志的に行う行為に焦点が当たります。

●いつ使われるか

1．会話の中で

(5)は「その期間中いつも」の意味を表します。

(5) A：ポンさんの国は暖かいんでしょう？
B：ええ。
A：1年中暖かいんですか。
B：ええ、1年{を通じて／を通して}温度差は2、3度です。

(6)の「〜を通じて・〜を通して」は「〜を経て・〜を仲介として」の意味を表します。

(6)　A：留学して何年ですか。
　　　B：2年たちました。
　　　A：日本語が上手になりましたね。
　　　B：日本語の勉強{を通じて／を通して}日本人の考え方が少しわかってきました。

ディスカッションなどの終わりのことばとして、司会者は次のように言うことが多いです。

(7)　司会：今日は話し合いに参加していただいてありがとうございました。
　　　　　　今日の話し合い{を通じて／を通して}いろいろ情報交換ができ、よかったと思います。
　　　　　　では、これで第2回目の討論会を終わらせていただきます。

動詞「通ずる・通じる」から派生している「を通じて」は、「通じる」ことによって得られた結果を表すことが多いようです。一方、動詞「通す」から来ている「を通して」は、意志的な側面を持っていると考えられます。次の(8)を見てください。

(8)　A：どうして子供を作りたくないんですか。
　　　B：子育ては大変ですから。
　　　A：私の場合は、子育て{を通じて／を通して}世界が広がりました。
　　　B：そうですか。
　　　A：あなたも子育て{を通じて／を通して}どんどん世界を広げてください。

最初のAでは「世界が広がった」という結果について、あとのAでは「どんどん広げてください」という意志表現が来ています。どちらの場合も「を通じて・を通して」の両方が可能ですが、意志や働きかけを表す場合は「を通して」のほうが「を通じて」

より適切に感じられます。

2．文章の中で（文のつながりの例）

例1　　事態・状況の文。　　～を通じて／を通して～。

　一つの事態・状況があり、それを解決するための手段が次に述べられます。解決するためという意志的なものが加わる場合は、「を通して」が使われることが多いと思われます。

(9)　どう支援してほしいかは人によって違う。我々の過去の体験{を通じて／を通して}生活の支援のあり方を考えてみよう。

(10)　問題が山積していた。前向きな話し合い{を通じて／を通して}解決していくより方法がない。

例2　　事態・状況の文。　　～を通じて／を通して～。

　例1とよく似たパターンをとりますが、ここでは、まず一つの状況があり、次にそれについて説明を加えるときに「を通じて・を通して」を使う例です。

(11)　我々は環境保護活動を行ってきた。ホームページの作成、ポスターやマンガ{を通じて／を通して}活動を行った。

(12)　彼は死刑廃止論者である。日々の活動{を通じて／を通して}多くの人に訴えかけている。

例3　　前置きの文 [～が]、具体的説明の文 [～を通じて／を通して～]。

　例3は、最初に前置きの文を出し、それについての具体的説明で「を通じて・を通して」を使っています。

(13)　ある会合で松下幸之助の考え方を学んでいるが、その会{を通じて／を通して}経営者として大切なことを教示してもらっている。

(14)　インターネットには種々のホームページがあるが、それ{を通じて／を通して}いろいろな情報を得ることができる。

例4　　～を通じて／を通して～「名詞」が／は／を～。

「を通じて・を通して」を含む文が名詞修飾節となって、次の語へかかっていくという形も多く見られます。

(15)　私達がネット{を通じて／を通して}見ているものは、非現実のものでしかない。

(16)　視聴覚{を通じて／を通して}得た情報がどのように認識されるのかという問題は、まさに心理学の問題です。

●どのような語と結び付きやすいか

1.「その期間中いつもを表す」Xを通じて／を通してY

〈Xに来る語〉

◆期間を表す名詞：

　生涯、一生、一年、年間、四季、季節、など

〈Yに来る語〉

◆状態を表す動詞・形容詞など：

　～ている、～できる、続く、続ける、ある、暖かい、など

(17)　佐藤さんの庭は四季{を通じて／を通して}花が咲いている。

2.「～を経て・～を仲介としてを表す」Xを通じて／を通してY

〈Xに来る語〉

◆名詞：

　経験、体験、言語、育児、教育、仕事、食、事業、スポーツ、(インター)ネット、秘書、受付、など

〈Yに来る語〉

◆「伝播する・広がる」の意味を持つ動詞：

　広がる、広まる、感染する、伝える、伝わる、見えてくる、など

(18) その噂は報道関係者|を通じて／を通して|広がっていった。

◆「認識・認知する」の意味を持つ動詞：
考える、見る、学ぶ、探る、感じる、出会う、など

(19) 子供達は親の行動|を通じて／を通して|親を見ている。

●類義表現との比較

「を通じて・を通して」と手段を表す「によって」の比較（⇒6）

手段を表す「によって」は書きことば的ですが、「を通じて・を通して」と置き換えることができます。

(20) ネット|を通じて／を通して／によって|骨董品を販売する。

「を通じて・を通して」がその過程・プロセスを重視するのに対し、「によって」はその結果がどうなったかが重視されます。したがって、手段と結果の結び付きが明確な文において、「によって」はより自然になります。

(21) 選挙|?を通じて／?を通して／によって|委員長になることができた。

「学習者の誤用の例」の解説

　1のように「試験で選ぶ」というように明確に手段を表す場合は、「を通じて」では不十分で「によって」にすべき例です。

　2は学習者がよくする誤りですが、「全国を通じて」と「はやっている」は結び付かず、「全国的に」「国中で」とすべきです。

　3も1と似ていて、「インターネット」を手段として「新聞を読む」のですから、「を通じて」は不適切になります。「によって」でもいいですが、少し書きことば的になるので、「で」に訂正しておきました。もし、「インターネットを通じて」を生かしたければ、次のようにする必要があります。

　3'　インターネットを通じて(新聞の)情報を得る。

　4も「父」と「仕事につくことができた」の関係は単に「経由して」ではなく、「〜の紹介で」としたほうが関係が明確になります。

8 くらい（ぐらい）・ほど

A：Bさんはペットは飼ってますか。
B：ええ、犬を飼ってます。
A：そうですか。かわいいでしょうね。
B：かわいいし、犬ほどかしこい動物はいませんよ。

学習者はどこが難しいか。よく出る質問。

1．「ぐらい」と「くらい」は同じ？
2．「ほど」と「くらい」の使い分けがわからない。
3．「ほど」の使い方がわかりにくい。
4．「ほど」は否定文で使うの？

学習者の誤用の例

1．きのうは洪水に<u>なったぐらい</u>一日中大雨でした。
　→きのうは洪水になるぐらい一日中大雨が降った。
2．この問題は<u>あきらめるくらい</u>難しくない。
　→この問題はあきらめてしまうほど難しくはない。
3．現代の人は単に生きるために食べるという<u>ほど</u>のレベルでは満足できない。
　→現代人は単に生きるために食べるという(くらいの)レベルでは満足できない。
4．私の国は日本<u>ほど寒い</u>です。
　→私の国は日本と同じくらい寒いです。／私の国は日本ほど寒くないです。

説 明

●基本的な意味用法

「そんなことぐらい自分でしなさい」「こんどこそ頑張ろう」「いつも文句ばかり言っている」の「ぐらい」「こそ」「ばかり」のように名詞その他に付いて、話し手の気持ちを表す助詞を「取り立て助詞」と言います。国語文法で「係助詞」「副助詞」と呼ばれているものです。

「取り立て助詞」にはこのほかに「ほど」「さえ」「など」「なんか」「でも」「だけ」「しか」などがあります。本書では8〜14にわたって取り立て助詞を取り上げます。(⇒初ポ30)

「くらい・ぐらい」と「ほど」はどちらも程度を表します。話しことばでは「くらい・ぐらい」がよく使われ、「ほど」はやや改まった言い方になります。「くらい・ぐらい」はどちらを使っても意味は変わりませんが、本書では、主に「くらい」を使います。

1.「くらい」と「ほど」の両者が使える場合

1) 数量を表す名詞に付いて概数を表す。

　(1)　100人{くらい／ほど}の人が集まっている。

2) 程度がそれぐらいであることを表す。

　(2)　宿題が多くて泣きたい{くらい／ほど}だ。
　(3)　泣きたい{くらい／ほど}宿題が多い。

2.「くらい」のみが使える場合

1) 同じ程度を表す。

　(4)　北海道も同じ{くらい／×ほど}暑いですよ。

2) 話し手のそのことに対する軽視の気持ちを表す。

　　(5)　そんなこと{くらい／×ほど}言われなくてもわかるよ。

3) 話し手の「せめてそのことは」という限定の気持ちを表す。

　　(6)　日曜日{くらい／×ほど}子育てから解放されたい。

3．「ほど」のみが使える場合

1) 否定の比較を表す。

　　(7)　私の国は日本{×くらい／ほど}寒くないです。

2)「(〜ば)〜ほど」の形をとって比例表現を表す。

　　(8)　考えれば考える{×くらい／ほど}わからなくなる。

●作り方・接続の仕方

「くらい・ほど」は次のように、名詞と、動詞・形容詞の普通形に付きます。

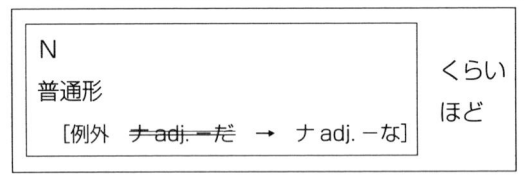

N 普通形　[例外　ナadj.ーだ　→　ナadj.ーな]	くらい ほど

格助詞と取り立て助詞が結び付くときは、基本的には、「名詞＋格助詞＋取り立て助詞」の順序になります。

　　(9)　私　＋　に　＋　くらい　＋　は　＋　話してくれてもいいだろう。
　　　　名詞　格助詞　取り立て助詞　取り立て助詞

しかし、格助詞が省略されたり、順序が異なる場合もあるので、注意が必要です。
　「くらい・ほど」が格助詞とつながるときは、「が・を」は省略されるか、「くらい・ほど」のうしろに来ます。「が・を」以外の格助詞は省略されませんが、つながり方には2の

ようにa、bの2通りあります。(「N+」は名詞に、「〜+」は名詞、形容詞、動詞などに接続することを表します。)

```
1. 〜+くらい／ほど+(が／を)
2. a. N+に／へ／で／と／から+くらい
   b. 〜+くらい+に／へ／で／と／から
      N+ほど+に／で／から
```

(10) まだ半分{くらい／ほど}(が)売れ残っている。
(11) 株式投資は5万円ほどから始められます。

●いつ使われるか

1．会話の中で

(12)は否定の比較を表す場合です。Aは、「先生」という程度の高いものと比べて、「先生のようにはうまく行かない」と言っています。このような「〜ほど〜ない」という否定の比較では、「くらい」は使えません。

(12) 先生：なかなか上手に描けてますね。
    A：いえ、先生{×くらい／ほど}にはうまく行きません。
    先生：いえ、ほかの皆さんよりは上手ですよ。
    A：ありがとうございます。

(13)では、その状態や事態がどの程度であるかを、話し手の(または、社会的な)価値基準を用いて表しています。

(13) A：福徳というラーメン屋、知ってる？
    B：うん、テレビに出ていたところだろう。
    A：そう。すごい人気で、開店前からお客さんが並ぶ{くらい／ほど}だよ。
    B：へえー。

(13)では、「すごい人気だ」ということを「客が並ぶ」という基準で表しています。

次は、話し手のその物事に対する軽視の気持ちが含まれている言い方です。「くらい」しか使えません。この言い方は、家族などの親しい関係の場合を除いて、上の人には使えません。

(14)　A：道夫、早く宿題しなさい。
　　　B：うるさいなあ。こんなもの{くらい／×ほど}すぐできるから。

軽視の意味は含まれませんが、限定を表す「せめて」の気持ちが含まれたときにも、「くらい」が現れます。

(15)　A：帰らない？
　　　B：いや、課長に誘われてるんだ。
　　　A：そうか……。
　　　B：アフターファイブ{くらい／×ほど}課長から解放されたいんだけど。

次は「ほど」が使えて、「くらい」が使えない例です。「～ば～ほど～」の形で、「ほど」の前の状態・事態の程度が高くなれば、それにつれて後件の状態・事態の程度も高くなることを表します。「～ば～ほど～」は「～ば」が省略されることもあります。(16)は動詞、(17)(18)はそれぞれイ形容詞、ナ形容詞の形です。

(16)　A：この間の問題、解決した？
　　　B：いや、まだ。
　　　　　考えれば考える{×くらい／ほど}、わからなくなってくるんだ。
　　　A：そうか……。でも、早く解決したほうがいいね。
　　　B：うん。

(17)　A：この間の問題のこと、先生に相談した？
　　　B：いや、まだ。いつ相談しようか迷っているんだ。
　　　A：(早ければ)早い{×くらい／ほど}いいよ。
　　　B：うん。

(18) A：政治家は大変だね。
　　 B：変なことすると、すぐ告発されるし。
　　 A：有名であればある{×くらい／ほど}、身辺をクリーンにしておく必要があるね。

２．文章の中で（文のつながりの例）

例１　　事態・状況の文。　　（強調的）説明の文 [〜くらい／ほどだ]。

　ある事態・状況があり、次の文でその状況や事態がどのようであるかを比喩的に表します。「くらい・ほど」を使って、事態・状況をより強調的に説明する形です。

(19) 孫はかわいい。目に入れても痛くない{くらい／ほど}だ。
(20) 落語を聞いて笑った。おなかが痛くなる{くらい／ほど}笑った。

例２　　原因・理由の文 [〜て]、結果の文 [〜くらい／ほどだ]。

　ある原因・理由で、そういう状態の程度になったことを説明する形です。原因・理由は「〜ので／から」より「〜て」で表されることが多いようです。

(21) 私は寒いのが苦手で、冬は一日中ふとんをかぶっている{くらい／ほど}だ。
(22) あの映画は人気があって、立ち見客が出る{くらい／ほど}だ。

例３　　前置きの文 [〜くらいだが／けど]、本題の文。

　「前置きの文」に「〜くらい」を用いて「その程度のものだが」と断り、次にそれに対して申し述べるという形です。

(23) 日本語はまだ聞いてようやくわかるくらいだが、とてもおもしろいことばだと思う。
(24) ビールぐらいしかありませんけど、よかったらどうぞお寄りください。

例4　前置きの文 [～が／けれども]、～ほど～ない。

「前置きの文」が「～が／けれども」などに導かれて提出され、次の文に「～ほど」を用いて、実際はそうではないという意味の文が来る形です。

(25)　加藤さんはこわい上司だと聞いていたが、接してみると、人が言うほどこわくなかった。

(26)　日本は近代国家と言われているけれども、国民の意識はそれほど高くはない。

例5　事態・状況の文。　　～ば～ほど～。　　まとめの文。

ある事柄を説明するのに、まず、状況を説明し、それについて「～ば～ほど」を使って強調的に説明を加え、最後にまとめるという形も見られます。

(27)　最近の政府の態度はいい加減である。政府のとる政策を知れば知るほど、怒りが高まってくる。政府はもっと国民の声に耳を傾けるべきだ。

(28)　家を売りたいが、なかなか買い手が見つからない。時間がたてばたつほど資産価値も下がってくる。そして、ますます売れなくなる。

●どのような語と結び付きやすいか

１．XほどY

「死ぬほど好きだ」のような文において、「Xほど(死ぬほど)」は話し手(または、社会一般)が「Yである(好きだ)」と認めるための価値基準であることを表します。そのために、「XほどY」のXには、Yであることを強調する表現や慣用的な表現が来やすくなります。(以上は川端(2002)より)

〈Xに来る語〉

◆動詞など：

　驚く、びっくりする、死ぬ、呆れる、気が狂う、目が回る、目玉が飛び出る、～たい、など

(29) うちの息子は呆れるほどよく食べる。
(30) 食べてしまいたいほどかわいい。

◆形容詞：

おもしろい、痛い、こわい、など

(31) この占いはおもしろい／こわいほどよく当たる。
(32) 彼女の気持ちは痛いほどわかる。

2．Xほど〜

「ほど」は次のように、指示語（こ・そ・あ・ど）と結び付いて用いられることが多いです。

◆指示語：

それ、これ、あれ、どれ、など

(33) このごろの子供はもらうことに慣れ過ぎているのか、ものをもらっても、それほど喜ばない。
(34) 政府の出した子育てに関する法案が物議をかもしている。あれほど働く女性を馬鹿にした法案はないのではないか。
(35) 血液型がどれほどの意味を持つのかは疑わしい。

● 類義表現との比較

「くらい」と「ほど」の比較

「くらい」と「ほど」は、次のような特徴を持ちます。（以下は川端（2002）を基に筆者が整理したもの）

1．くらい
 1) 近似の値（大体の値）を表す。
 2) 具体的な程度を例示して、バラエティに富んだ程度の表し方をする。
 3) 話しことば的

2．ほど
　1）非断定的な言い方だが、他の値（数量）の可能性がなく、必ずしも不確定ではない。
　2）「XほどY」において、「Xほど」は話し手（または、社会一般）が「Yである」と認めるための到達目標、または価値基準であることを表す。
　3）やや改まった言い方

　目の前に家が3軒並んでいたのを描写するとき、⑶⑹のように「ほど」は使えますが、「くらい」は少し不自然に感じられます。

　　⑶⑹　その3軒｛?くらい／ほど｝の家は、すべて平屋作りだった。

　これは、「ほど」が「3軒ほど」と非断定的な言い方をしながら、実は「3軒」という確定した数量を表すことができるのに対し、「くらい」は常に大体の量しか表せないためと考えられます。

　　⑶⑺　このあたりはおもしろい｛くらい／ほど｝魚がとれる。

⑶⑺は「Xほど／くらいY」の形をとって、Y（魚がとれること）が「X（おもしろい）ほど／くらい」で示される程度に、程度が大きいことを表しています。この用法は、「どのような語と結び付きやすいか」で触れたように、本来「ほど」が持つ用法ですが、話しことば的であり、用法の広い「くらい」でも表すことができます（基本的な意味用法1．2））。しかし、次の⑶⑻のように、前に来る語によっては「くらい」が少し不自然に感じられることもあります。

　　⑶⑻　このあたりは驚く｛?くらい／ほど｝静かだ。

　また、「XほどYない」でも「くらい」は不自然になります。

　　⑶⑼　日本語はアラビア語｛×くらい／ほど｝難しくないです。

⑶⑼では、話し手は「アラビア語」と比較して、日本語はそんなに難しくないと言っています。しかし、単なる2者の比較「日本語はアラビア語より難しくないです」ではなく

て、基準や目標がアラビア語という高いレベルにあり、日本語はそこまでは難しくないと言っていると考えられます。

「学習者の誤用の例」の解説

1は大雨の激しさを「洪水になった」で表したいのですが、「なったぐらい」ではなくて、「なるぐらい」と非過去で表すのが普通です。

2は「くらい」と「ほど」の混同です。この問題は難しいが、「あきらめてしまう」程度までは難しくないという意味なので、比較表現「〜は〜ほど〜ない」(名古屋は横浜ほど大きくない。)を用いる必要があります。「〜は〜ほど〜ない」では「くらい」は使えません。

3は「生きるために食べる」というレベルをやや軽視しているので、「ほど」は使えません。「ほど」の代わりに軽視を表す「くらい」を使う必要があります。ただ、「レベル」ということばがあるので、程度を表す「くらい」を省略することもできます。

4は比較を表す表現で「ほど」が使われています。学習者が何を言いたかったのかがつかみにくい文で、「ほど」を「同じ程度」の意味で用いたのか、「〜ほど〜ない」のように否定の形にできなかったのか判断が難しいところです。訂正文では両方の場合を考えて訂正しておきました。

9 こそ

川田：はじめまして、川田と申します。
　　　どうぞよろしく。
野田：あ、野田です。
　　　こちらこそ、よろしくお願いします。
川田：野田さんは学生さんですか。
　　　……

学習者はどこが難しいか。よく出る質問。

1．「こそ」と格助詞「が・を・に・で、など」との接続がよくわからない。格助詞が落ちてしまう。
2．「こそ」が強調を表すことはわかるが、どこに付けていいのかわからない。
3．「こちらこそ」「今度こそ」「今年こそ」のような決まり文句でしか使えない。

学習者の誤用の例

1．今年こそ、日本語の重要性がわかるようになった。
　　→今年になってはじめて、日本語の重要性がわかるようになった。
2．今日は日曜日こそ、ゆっくり家でリラックスできるね。
　　→今日は日曜日だから、ゆっくり家でリラックスできるね。
3．彼は自分が悪かったと言っているが、彼女こそ悪かったと思う。
　　→彼は自分が悪かったと言っているが、悪かったのは彼女のほうだと思う。
4．兄こその努力すれば、東大に行けるだろう。
　　→兄ぐらい／ほどの努力をすれば、東大に行けるだろう。

説 明

●基本的な意味用法

　冒頭のモデル会話では、川田さんが「どうぞよろしく」と言ったのに対して、野田さんは「どうぞよろしくと言うのは私です」という気持ちを込めて、「こちらこそ」を使ったと考えられます。このように「こそ」は、その人・もの・ことを強く取り立てて「ほかでもなくこれなのだ」と強く指し示す意味機能を持っています。
　次のように名詞、時を表す語、動詞などに付きますが、その基本的な意味は同じです。

　　(1)　企業家精神こそ経済再生の決め手だ。
　　(2)　今こそ始めよう。
　　(3)　子供を育ててこそ人生の何たるかがわかる。
　　(4)　喜びこそすれ、恨みなどしない。

「こそ」を受ける述語には、「〜だ」「〜(よ)う」「〜べきだ」など、断言的な表現が来ることが多いです。
　取り立て助詞「こそ」は、話しことばでも使われますが、どちらかと言えば書きことばに用いられる助詞です。

●作り方・接続の仕方

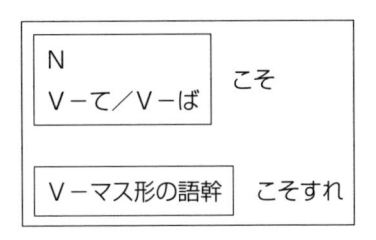

N V－て／V－ば	こそ
V－マス形の語幹	こそすれ

　　(5)　君のためを思えばこそ、うるさく言うんですよ。

「こそ」が格助詞「が」とつながるときは、「Nこそ」、または、「Nこそが」という形をとります。「を」とつながるときは、「Nこそ」または「Nをこそ」になります。「Nこそを」を用いることもあります。「が・を」以外の格助詞は省略されません。

```
1. a. N+が(／を)+こそ
   b. N+こそ+(が／を)
2. N+に／へ／で／と／から+こそ
```

(6) a. 島田氏をこそ首相に推薦したい。
　　b. 島田氏こそ首相に推薦したい。
(7) 地方にこそおいしい食べ物がある。

●いつ使われるか

1．会話の中で

何人かの中から人を選ぶとき、「田中さんが適任です」と言います。「田中さんこそ適任です」の「こそ」はこの選択の用法を持つ格助詞の「が」に似ています。
　「が」が単に複数の中から選ぶ働きを持つのに対し、「こそ」は「ほかでもなくこれなのだ」と、話し手がそのものを強く指示する言い方です。

(8)　　A：この仕事は誰にやってもらいましょうか。
　　　 林：田中さんが適任です。
　　　 田中：いえ、林さんこそ適任です。
　　　 A：……。

次の例は格助詞に「こそ」が付いた形です。

(9)　A：ヨガって知ってる？
　　　B：うん、体をくねくねする体操だろう？
　　　A：そう、友達とヨガ教室に通ってるの。
　　　B：女性向きの体操だね。
　　　A：ううん、違うのよ。運動量が激しくて、中年男性にこそやってほしい健康法よ。
　　　B：ふうん。

(10)(11)では、「～こそ～が／けれども」の形をとって、相手の言うことを、また、社会的な通念を一応は認めるけれども、それに匹敵するほかのことがあることを示す言い方です。

(10)　A：どうぞ召し上がれ。
　　　B：なんかおいしくなさそうだね。
　　　A：ううん、見た目こそよくないけど、味は抜群だから。
　　　B：ふうん、じゃ。
　　　A：どう？
　　　B：ほんとだ。いい味だね。

(11)　A：今度の首相は支持率が低いですね。
　　　B：いやいや、支持率こそ伸び悩んでますが、何かやってくれそうですよ。
　　　A：そうですか。じゃ、期待しましょうか。

「～からこそ」は「まさに～だから～」と原因・理由を強調する表現です。(⇒36)

(12) A：彼女と別れたんですって。
　　 B：うん。
　　 A：どうして？嫌いになっちゃったの？
　　 B：ううん、今でも愛しているよ。
　　 A：じゃ、なぜ？
　　 B：僕といると彼女は幸せになれない。
　　　　 彼女を愛しているからこそ、別れたんだ。

２．文章の中で（文のつながりの例）

例1　　主張の文［～こそ（が）～だ］。　　原因・理由の文。

文の初めに「～こそ～だ」という主張の文が来て、次に原因・理由を説明する形です。

(13) この効果こそが、ポリフェノールによるものだ。ポリフェノールには抗酸化作用があり、血液をサラサラにしてくれる。

(14) あなたこそ責任をとるべきだ。この計画に一番深く関わっていたのだから。

例2　　意見・考えの文。　　（強調的）説明の文［～こそ～］。

前文で意見・考えを出し、次の文でそれに関係付けて、強調的に説明をする形です。

(15) 学校は地域との関係を大切にするべきだ。両者の緊密な連携こそが子供達を育てていく。

(16) ロボット開発については、大学と民間とが一体となって研究を進めることが重要である。特にわが国の場合、具体的な応用研究にこそ力を入れる必要がある。

例3　　前置きの文［～が／けれども］、本題の文［～こそ～］。

「前置きの文」が「が／けれども」などに導かれて提出され、次に本題の文が来る形です。

(17) 有権者約200万人の審判はまもなく下るが、新市長には今度こそ市民と向き合った市政を行っていただきたい。

(18) 何かと慌ただしい年末だが、今こそ各家庭のセキュリティ対策を見直すのに絶好の時期だ。

例4 　前置きの文 [〜と言うが／けれども]、本題の文 [〜こそ（が）〜だ]。

例3と似ていますが、前置きの文が「〜と言うが」などに導かれて前に来て、そのあとで、「実は」そのこと自身がそうであると説明する形です。

(19) 「風邪は万病の元」とは言うが、「心の風邪」こそ万病の元である。

(20) 新聞は進歩的だとか民主主義だとか言っているが、実は新聞自身こそが一番保守的である場合もある。

例5 　事情・前提の文。　　意見・考えの文 [だからこそ／それでこそ〜]。

前の文で事情や前提について述べられ、次の文で、それに対してどうであるか、どうあるべきかについて意見や考えを述べる形です。理由を表す接続詞「だから」「それで」などに「こそ」が付いて、意見・考えの妥当性を主張しています。

(21) 携帯電話は便利だが、使い方を間違えると危険である。だからこそ、子供には使い方やマナーをよく教えておく必要がある。

(22) 教師は日本の教育の将来についてもっと発言するべきだ。それでこそ、教育者と言えるのではないだろうか。

●どのような語と結び付きやすいか

XこそY
〈Xに来る語〉
◆**人・組織などを表す名詞**：
あなた、私、彼、われわれ、〜自身、など

(23) マスコミ自身こそが反省すべきである。

◆**時を表す名詞**：
今度、今、来年、来期、など

(24) 今度こそ負けるものか。

〈Yに来る語〉
「こそ」の持つ意味が「もっともふさわしい」であるので、それを受ける述語には次のようなものが使われやすいと言えます。

◆**最上の評価を表す「名詞＋だ」など**：
決め手だ、最適だ、適任だ、最良の〜だ、など

(25) 彼こそ適任／最適だ。

◆**意志を表す表現**：
〜(よ)う、〜(よ)うと思う、〜てほしい、など

(26) 今こそ立ち上がろう。
(27) 若い人たちにこそやってほしい。

「学習者の誤用の例」の解説

1では「今年こそ」を用いていますが、これには「ほかの年と比べて」という意味合いが入り、述語には「〜したい」「〜しよう」などの意志表現が来やすくなります。「わかるようになった」という変化表現を用いているので、「今年こそ」は不適切です。

2は、「今日が日曜日であること」を強調して「こそ」を使ったと考えられます。「今日は日曜日だ。だから、今日こそゆっくり家でリラックスできる」というプロセスを踏むべきところを、2のように言ったと考えられます。

「こそ」は「ほかでもなくこれなのだ」と強く指し示す意味を表します。3は彼と彼女を比較し、どちらが悪かったかを問題にしているので、「彼女こそ」ではなく「彼女のほうが」とするべきです。もし、「こそ」を用いたいのであれば、強く指し示す言い方、例えば「彼女こそ責められるべきだ」などにする必要があるでしょう。

4は「こそ」の意味用法を正確に把握していないために起こっている誤りです。「ぐらい・ほど」のほかに「兄のように」でも適切になります。

4' 兄のように努力をすれば、東大に行けるだろう。

10 さえ・でさえ

A：キューティクルって知ってる？
B：わからない。何それ？
A：髪の毛に関することばよ。
B：……。
A：今どき、女の子だったら小学生でさえ知ってるよ。

学習者はどこが難しいか。よく出る質問。

1. 「さえ」と格助詞「が・を・に・で、など」との接続がよくわからない。格助詞が落ちてしまう。
2. 「さえ」をどこに付けていいのかわからない。
3. 極端なものを出して対比するとき、何を対比しているのかがわかりにくい。
4. 「さえ」と「でさえ」の使い分けがわからない。
5. 「さえ」と「まで」の違いがわかりにくい。

学習者の誤用の例

1. 私は1人だから、あなたさえ私の心の頼りだ。
   →私は1人だから、あなただけが私の心の頼りだ。
2. 大学生なのに、この漢字さえ読めないと、恥ずかしいだろう。
   →大学生なんだから、この漢字が／も読めないと、恥ずかしいだろう。
3. この漢字は子供もさえ分かるはずだ。
   →この漢字は子供でさえ／でも分かるはずだ。
4. 彼さえいなかったら、どうなってしまったのだろう。
   →彼がいなかったら、どうなってしまったのだろう。

説 明

●基本的な意味用法

　(1)　母は息子の名前さえ忘れてしまっていた。

(1)は、「普通は母親が自分の息子の名前を忘れることはあり得ないのに、そのことが起きている」という意味です。取り立て助詞「さえ」を用いることによって、「母の病状が非常に進んでいる」「母は何もわからなくなっている」ということを言おうとしています。

　このように、「XさえY」(息子の名前さえ忘れる)の意味は、Xの事柄(息子の名前)が「Yの動作、出来事、状態(「母親が忘れる」こと)などとは、普通はめったに結び付かないものである」のに、それを結び付けることによって、その事態の尋常でないことを強調しています。(下線部分は寺村(1991)より)

　次のように名詞や動詞などに付きますが、その基本的な意味は同じです。

　(2)　認知症の母親は子供の名前さえわからなくなっている。
　(3)　お金を貯めようと、彼女は毎日の食費さえ惜しんでいた。
　(4)　誰かがそばにいてさえあげれば、彼女は大丈夫だ。

「さえ」は話しことばにも使われますが、本来は書きことば的な助詞です。

●作り方・接続の仕方

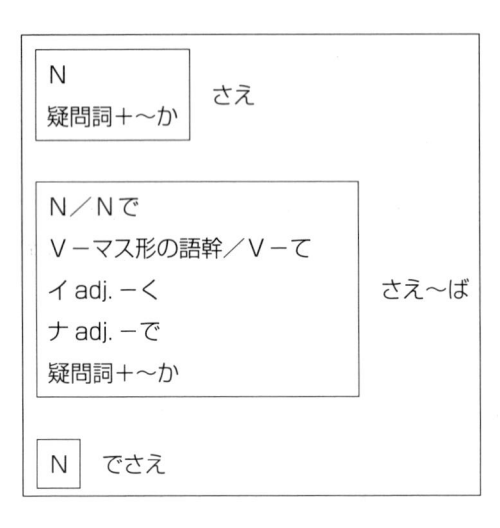

```
┌─────────────────┐
│ N               │  さえ
│ 疑問詞＋～か    │
└─────────────────┘

┌─────────────────┐
│ N／Nで          │
│ V－マス形の語幹／V－て │  さえ～ば
│ イadj.－く      │
│ ナadj.－で      │
│ 疑問詞＋～か    │
└─────────────────┘

┌─────┐
│ N   │ でさえ
└─────┘
```

(5) いつ帰ってくるかさえわからない。

(6) ここにはんこを押しさえすれば、すべては解決するのです。

また、「さえ～ば」は、主に「さえあれば」の形で、名詞・形容詞に付くこともあります。

(7) 彼は、女性でさえあれば誰にでも声をかける。

(8) 元気でさえあればそれでいい。

(9) 駅から近くさえあれば、住まいはどこだっていい。

「さえ」が格助詞「が」とつながるときは、「Nさえ」という形をとります。「を」とつながるときは、「Nさえ」または「Nをさえ」になります。それ以外の格助詞はそのまま残ります。

```
1．N＋が（／を）＋さえ
2．N＋に／へ／で／と／から＋さえ
```

(10) 突然の火事で、大切にしていた写真(を)さえ持ち出すことができなかった。
(11) 彼女は母親にさえ何も言わない。

●いつ使われるか

1．会話の中で

⑿は、本来なら若者は漫画が好きなはずなのに、その好きなはずの「漫画」を読まなくなっていると述べることで、何か尋常でないことを表しています。ここでは、若い人たちの読書離れが相当進んでいることを表しています。

(12) A：このごろ若者の読書離れが進んでいますね。
B：そうですね。漫画ばかり読んでますね。
A：いえ、若い人は漫画さえ読まなくなってきているようですよ。
B：えっ、そうなんですか。

主語を主題(トピック)として取り立てるとき、「さえ」はしばしば「でさえ」になります。

(13) そんなことは子供でさえ知っているよ。

⒁は、「大企業」が主題(トピック)になって、それについて語られている場合です。「さえ」より「でさえ」のほうが自然になります。

(14) A：不況で企業が倒産し始めているらしい。
B：君のところは大企業だから大丈夫だね。
A：いや、今は大企業でさえ、危ないらしいよ。

次は格助詞「に」や「へ」に「さえ」が付いた形です。

(15) A：保険料の支払いが大変ですね。
B：ええ、年寄りの私にさえ支払いの請求書が来るんですよ。
A：そうですか。
B：一人で病院へさえ行けない老人に国は冷たいですね。

前件(従属節)が「～さえ～ば／たら」の形をとって、「そのことが、後件(主節)の事態が実現するための唯一の条件である」ということを表します。

(16) A：鹿児島に転勤になったよ。
　　 B：おめでとうって言っていいのかな。
　　 A：うーん、複雑だよ。都会から取り残されそうで。
　　 B：大丈夫だよ。今はパソコンさえあればどこでだって仕事ができるし。
　　 A：うん、そうだね。

(17) A：お子さんも大きくなられて……。
　　 B：ええ、2人ともも家を出ています。
　　 A：そうですか。じゃ、もうご安心ですね。
　　 B：ええ。……息子に相手が見つかりさえすればいいんですが。
　　 A：ああ、ご結婚がまだなんですね。

(17)の「息子に相手が見つかりさえすればいい」は動詞「見つかる」を取り立てていますが、「息子に相手さえ見つかればいい」のように名詞「相手」を取り立てることもできます。意味的にはほぼ同じですが、文のうしろの部分を取り立てるほど、話し手の気持ち(ここでは「そうあってほしい」という気持ち)が強く感じられるようです。

2．文章の中で（文のつながりの例）

例1　　(普通の)事態・状況の文。　　(強調的)説明の文［～さえ～］。

「さえ」は極端な例を出して、それがそうであるからほかの場合・人・ことはもちろんそうだ（そうではない）という意味を表します。まず、前文に普通のことを出し、あとの文で「さえ」を伴って極端な例を出す形がよく見られます。

(18) そんなことは誰でも知っている。子供でさえ知っている。
(19) その病院には十分なベッド数はなかった。最低限必要な設備さえなかった。

例 2　(普通の) 事態・状況の文 [連用中止 (形)]、(強調的) 説明の文 [~さえ~(ない)]。

例1が1文になったものです。否定の場合に多く使われるようです。

(20)　その病院には十分なベッド数はなく、最低限必要な設備さえなかった。
(21)　彼女は何も知らされておらず、明日どこへ行くかさえ知らない。

例 3　理由の文 [~て]、~どころか/はもちろん~さえ~

そういうことはもちろん、最低限のこともできない／しないという強調的な言い方です。前に理由の文が来ることが多いです。

(22)　忙しくて、海外旅行どころか国内旅行さえしていない。
(23)　このごろの若者は、活字離れが続いていて、かたい本はもちろん、小説さえ読もうとしない。

例 4　事態・状況の文。　(しかし、) ~さえ~ば、~。

一つの事態・状況があって、それに対して、最低の条件を出す形として、「~さえ~ば」を使うことがあります。

(24)　この車は旧式の車だ。しかし、エンジンさえ取り替えれば、時速100キロは出る。
(25)　売り上げが今ひとつ伸びない。しかし、景気さえ回復すれば、少しはよくなるにちがいない。

例 5　事態・状況の文 [~が／けれども]、~さえ~ば、~。

例4を「が／けれども」で結ぶと、次のようになります。

(26)　この車は旧式の車だが、エンジンさえ取り替えれば、時速100キロは出る。
(27)　売り上げが今ひとつ伸びないが、景気さえ回復すれば、少しはよくなるにちがいない。

● どのような語と結び付きやすいか

「～さえ」は極端なものを出して、その事柄・事態が普通でないことを表します。極端なものには最低(最小)のものと最高(最大)のものがあります。

Xさえ／でさえY
〈Xに来る語〉
◆最低(最小)のもの：

子供、小学生、赤ちゃん、中小企業、動物、私、など

(28) 動物でさえ母性愛を持っているのに、人間が幼児虐待をするとは情けない。

◆最高(最大)のもの：

大企業、一流企業、一流銀行、あのトヨタ、大国、有名人、など

(29) 大企業さえリストラせざるをえない時代になった。

● 「さえ」のほかの用法

取り立て助詞「さえ」は「も」を伴って「さえも」として用いられることがあります。より書きことば的で、また、「さえ」を強調した意味合いを添えます。

(30) 国民に3度の食事さえも保障できない事態が続いた。
(31) その盗難車はタイヤもライトも、そして、ハンドルさえも取り外されていた。

● 類義表現との比較

「さえ」と「まで」「も」の比較 （⇒14）

(32) 骨まで愛してほしいのよ。
(33) 彼は私にまでお金を借りに来る。

取り立て助詞「まで」は普通では考えられない範囲にまで及んでいる、「何でもかでも」の意味合いを持ちます。(32)では「徹底的に愛してほしい」ことを、(33)では「彼のお金の借り方が手当たり次第である」ことを表しています。
　次の文では、「まで」「さえ」「も」のどれもが可能ですが、意味合いが少し異なってきます。

(34)　最近は大人ばかりでなく、子供｜まで／(で)さえ／も｜株をやっているようだ。

「まで」「さえ」「も」がどう使い分けられるのかを、あとにどのような文が来るか考えることによって、見ていきましょう。

(35)　A：最近は大人ばかりでなく、子供まで株をやっているようだ。
　　　B：すごい株ブームなんだね。
(36)　A：最近は大人ばかりでなく、子供(で)さえ株をやっているようだ。
　　　B：ええっ、子供が？子供に株がわかるのかな。
(37)　A：最近は大人ばかりでなく、子供も株をやっているようだ。
　　　B：へえー、株が特別のものでなくなってきたんだね。

(35)の「子供まで株をやっている」は、普通ならやるはずのない子供にまで株ブームが及んでいる、「誰もかれも」という意味合いを表しています。(36)の「子供(で)さえ株をやっている」は「誰もかれも」や「何でもかでも」の意味合いはなく、(「株をやること」とは程遠い)極端な例の「子供」に焦点を当てて、意外性を感じさせようとしています。
　「も」は本来、聞き手の共感を得ようとする働きがあり、「も」をどうとるかは聞き手にゆだねられている部分があります。(37)の「も」は単に「大人も子供も」の同類の「も」ともとれるし、「さえ」と同じく「普通はめったに結び付かないもの」ととることもできます。

「学習者の誤用の例」の解説

　1は「さえ」と「だけ」の混同による誤りです。「さえ」はその程度の極端なものに焦点を当て、その状態が、それほどに意外な、異常な状態であることを示します。もし、1の「あなたさえ頼りだ」を「あなたでさえ頼りだ」と解釈すれば、「いつもは絶対に頼りにしないあなたを頼りにするほどの状態だ」という意味になります。しかし、学習者はそういうことを言いたいのではなく、単に「私は1人だから、あなただけが〜」と言いたかったと考えられます。

　2は2文にして、「大学生なのにこの（やさしい）漢字さえ読めない。何と恥ずかしいことだろう。」という流れであれば「さえ」も可能になります。しかし、ここでは条件「〜と」とともに「さえ〜ない」を使っているので、不自然になっています。（条件節（多くは「〜ば」）とともに「さえ」を使うと、「そのことが、事態実現のための唯一の条件である」という意味になってしまいます。）

　3は意味を同じくする「も」と「さえ」の両方を使った例です。訂正文のように「でも」か「でさえ」にすべきです。

　4は2と同様、条件節の中に「さえ」を用いている誤りです。条件節の中の「さえ」は、「彼さえいなかったら、うまく行っていた」のように、「うまく行った」ことの唯一の条件として、「彼がいないこと」が挙げられるという場合にしか使われません。

11 だけ・(しか・だけしか)

店員：いらっしゃいませ。
　　　何をお探しですか。
　客：いえ、ちょっと見せて
　　　もらっているだけです。
店員：あ、どうぞ、ごゆっくり。

学習者はどこが難しいか。よく出る質問。

1．動詞のうしろに来る「だけ」(「見ているだけ」)の使い方がわかりにくい。
2．「だけ」と「ばかり」の違いがわからない。
3．「だけしか」は「だけ」と同じ？それとも、「しか」と同じ？

学習者の誤用の例

1．日本語がよくわかりませんので、書棚には7冊の本がありますだけ。
　→日本語がよくわからないので、書棚には7冊の本があるだけです。
2．お金だけ持っている人が出世するとは言えない。
　→お金を持っている人だけが出世するとは言えない。
3．この大通りにはモダンな建物だけあります。
　→この大通りにはモダンな建物ばかりあります。
4．ほとんどの人が帰ったが、彼だけしか教室に残っている。
　→ほとんどの人が帰って、彼だけしか教室に残っていない。

説 明

●基本的な意味用法

(1) 田中さんだけ(が)来ました。

(1)の文は、「田中さんが来た」ということと、「田中さん以外の(予想・期待されていた)人は来なかった」という意味を持ちます。つまり「〜だけ」の基本的意味は、「〜についてはそうである／あったが、それ以外の(予想・期待される)人・ものはそうではない／なかった」という意味を表します。

取り立て助詞「だけ」は次のように名詞・動詞・形容詞など、いろいろな語に付きます。話しことばとして日常的によく使われます。(⇒初ポ30)

(2) 盆栽だけが私の楽しみです。
(3) ここは景色がいいだけで、楽しめるところは特にありません。
(4) 店員：いらっしゃい。どういったものをお探しで。
　　　客：いえ、ちょっと見せてもらっているだけです。

●作り方・接続の仕方

N 普通形　　　　　　　　　　　　　　　　　だけ [例外　ナadj.ーだ　→　ナadj.ーな]

「だけ」が格助詞「が」とつながるときは、「Nだけ」、または「Nだけが」という形になります。「を」とつながるときは、「Nだけ」、または「Nだけを」になります。「Nをだけ」を用いることもあります。「が・を」以外の格助詞は省略されませんが、格助詞とのつながり方にはa、b2通りあります。

```
1．a．N+が(／を)+だけ
   b．N+だけ+が／を
2．a．N+に／へ／で／と／から+だけ
   b．N+だけ+に／へ／で／と／から
```

(5)　私だけが悪いのではない。
(6)　うちの子はフォークでだけ食べる。／うちの子はフォークだけで食べる。

●いつ使われるか

1．会話の中で

(7)では、「だけ」は動詞の普通形に付いて、「その行動(行為)以外は何もしていない」という意味を表します。

> (7)　A：いらっしゃい。どうぞ、上がってください。
> 　　　B：いえ、近くまで来たので、ちょっとお寄りしただけです。
> 　　　　　お元気でいらっしゃいますか。

次は「〜だけで」の形で使われていますが、「〜ばかりで」と置き換えが可能です。(⇒13)

> (8)　A：彼にやってもらったらどう？
> 　　　B：彼はやってくれないよ。
> 　　　A：だって、彼が言い出したんだから。
> 　　　B：彼は言うだけで、自分では何もしないんだ。

(9)では、「だけ」が動詞の可能形に付いて「できる限度」という意味を表しています。「読めるだけ読んでみる」「荷物を鞄に詰められるだけ詰める」などのように使われます。

(9) A：小林さん、この仕事頼める？
　　B：ええっ……。いつまででしょうか。
　　A：2、3日中に。
　　B：できるかどうかわかりませんが、やれるだけやってみます。

(10)のように、「～たい」に付いて「やりたい限度」という意味を表す用法もあります。

(10) A：洋子さん、試験残念だったね。
　　B：ええ。
　　A：もう大丈夫？
　　B：ええ、ありがとう。ゆうべ泣きたいだけ泣いたら、すっとしたわ。

次は「～だけで」の会話です。「その行動（行為）以外は何もしていないのに、その行動（行為）をするとすぐに、必ず」の意味になります。

(11) A：インターネット通販利用してる？
　　B：うん、ときどき。
　　A：気をつけたほうがいいよ。
　　　クリックしただけで、いきなり料金を請求する手口もあるらしいよ。
　　B：へえ、危ないね。

２．文章の中で（文のつながりの例）

例1　前置きの文［～だけ／だけじゃ（では）ない～が／けれども］、具体的説明の文。

「だけ」や「だけじゃ（では）ない」を使って、前置きをし、具体的説明に続けていくという形をとることがあります。

(12) 私だけかもしれませんが、仲良くなった日本人にそのあとメールを送っても、なかなか返事が来ないということがよくあります。

(13) 男性だけではないと思いますが、自分一人の時間を大切にする人が増え

てきたと思います。

例2　意見・考えの文 [〜と思う]。　結果・結論の文 [(つまり、)〜だけ/だけじゃ(では)ない]。

「〜だけじゃ(では)ない」という形で、先に出した考えをまとめたり、結論付けたりする使い方もあります。

(14) 私は、「自分らしさ」は職場以外のところにも存在すると思います。つまり、自分の人生は仕事だけじゃないという考え方です。
(15) 子供の優劣を点数だけで判断してはいけないと思う。子供の能力は成績だけではないからだ。

例3　条件の文 [〜だけ〜と/ば/たら/なら]、説明の文。

「〜だけ〜と/ば/たら/なら」という形で、条件付けをし、「その範囲でならこうだ」という説明を行う形です。

(16) 特定の人とだけ付き合っていると、考え方もそのようになってくるものだ。
(17) お金の問題だけを考えるなら、子供は産まないでおこうと考えることもできるわけです。

例4　理由の文 [〜ので/から]、条件の文 [〜だけ〜と/ば/たら/なら]、説明の文。

例3が実際の談話の中で使われるときは、まず、理由を言って、条件付けをするという形になることもあります。

(18) 人間は人から影響を受けやすい生き物だから、特定の人とだけ付き合っていると、考え方もそのようになってくるものだ。
(19) 子供の教育費はだんだん増える傾向にあるので、お金の問題だけを考えるなら、産まないでおこうと考えることもできるわけです。

例5　〜だけを見て/読んで/聞いて、評価的判断の文。

「〜だけを見て/読んで/聞いて」、そのあと評価的に判断するという言い方です。

(20) 日本人は外見だけを見て、ああ、この人は白人だと思うと親切にするんだと思いました。
(21) 一方の意見だけを聞いて、どちらが悪いと決め付けることはできない。

●どのような語と結び付きやすいか

「だけ」はいろいろな名詞や動詞などに付きますが、人や数量・時間を表す名詞に付くことが多いようです。

Xだけ
〈Xに来る語〉

◆人を表す名詞：
　私、僕、女性、あなた、など

(22) これは私だけの秘密です。

◆数量・時間を表す副詞など：
　ちょっと、少し、一つ、1度、1人、1日、1分、など

(23) すみません。もうちょっとだけ待ってくれませんか。

●「だけ」のほかの用法

次は「だけ」が従属節として使用される、より高度な例です。参考までに掲げておきます。

1)〜だけに

「〜だけに」の形で、「そういう事実なのだから、こうである(こうなる)のは当然だ」という意味を表します。

(24) 苦労人だけに話がわかる。
(25) 期待していただけに落胆も大きい。
(26) 滑り出しが好調だっただけに、負けてしまうなんて残念です。

2）〜だけあって

「〜だけあって、〜」は「〜だけに、〜」と似ていますが、後件にプラス評価の文が来ます。「そういう事実にふさわしく、さすがに〜」という意味を表します。

⑵⁷　ブランド品は高いだけあって、やっぱり物がしっかりしているよね。
⑵⁸　カナダは大自然の国だけあって樹木の種類が豊富だ。

●類義表現との比較

1．「だけ」と「しか」の比較

「だけ」と「しか」は「限度・範囲」を表すという点で、意味用法がよく似ています。両者の違いは、「だけ」がそのことについて肯定的な見方・述べ方をするのに対し、「しか」は文末に否定形「〜ない」を伴って、否定的・消極的な見方・述べ方をする点です。否定的・消極的というのは、話し手がそのことに対して「不十分である、量的に少ない」という気持ちを含んでいるということです。(⇒初ポ30)

⑵⁹　ａ．田中さんだけ（が）来た。
　　ｂ．田中さんしか来なかった。
⑶⁰　ａ．日本語が少しだけわかる。
　　ｂ．日本語が少ししかわからない。

「しか」は名詞、数量を表す語、動詞などと結び付きます。次に動詞などと結び付いたいくつかの用法を示します。

⑶¹　もうこうなったらやるしかない。（動詞＋しかない）
⑶²　こういう事態では社長に頼むしか方法がない。
　　　　　　　　　　　　　　　　（動詞＋しか＋名詞＋がない）
⑶³　私としてはそうですかとしか言えない。（〜と＋しか＋言えない／思えない）
⑶⁴　彼にとって私は単なる遊び友達でしかない。（名詞＋でしかない）

⑶¹⑶²はそれ以外に方法や選択肢がないからしかたがないという意味を表します。⑶³はそれ以外にほかの可能性がないという主張を、⑶⁴は「でしかない」の前に来る名

詞をあまり評価しない、価値がそれだけに限られるという意味を表します。
(31)〜(34)を「だけ」を使って表してみましょう。

 (31)'　もうこうなったらやるだけだ。
 (32)'　こういう事態では社長に頼む方法が残っているだけだ。
 (33)'　私としてはそうですかと言えるだけだ。
 (34)'　彼にとって私は単なる遊び友達であるだけだ。

　一部分表現を変えれば「だけ」でも言えないこともありませんが、やはり否定的・消極的な気持ちを表す「しか」を使ったほうがぴったり来ます。

２．「だけ」と「しか」「だけしか」の比較

　「だけしか〜ない」は「しか〜ない」の強調した言い方です。意味的には、「しか〜ない」と同じく、「少ない」などの否定的な見方を表します。

 (35)　a．町内には若者が数人だけいます。
   　b．町内には若者が数人しかいません。
   　c．町内には若者が数人だけしかいません。

　次のような、動詞に付く「だけしか〜ない」の使い方もあります。意味的には「しか〜ない」と同じですが、強調された言い方になります。

 (36)　a．あいつは人の足を引っ張るしか能がない。
   　b．あいつは人の足を引っ張るだけしか能がない。

　次のように「から」「まで」が付くと、「だけしか」は少し、落ち着きが悪くなります。

 (37)　あの店は11時から{しか／？だけしか}開きません。
 (38)　オーストラリアのデパートは午後6時まで{しか／？だけしか}やっていない。

「学習者の誤用の例」の解説

　「だけ」は名詞だけでなく動詞のうしろにも付くことがあります。その付け方が学習者にはわかりにくいようで、1は「普通形＋だけだ」という形ができていないことから起きた誤りです。

　2は「だけ」が何を取り立てて（限定して）いるかという問題です。出世するのは「お金」ではなく、「お金を持っている人」ですから、訂正文のようにする必要があります。

　「だけ」は文意によっていくつかの意味を持ちます。3の場合は、「すべてがモダンな建物」という意味で「モダンな建物ばかり」にしたほうが適切と考えられます。

　「だけしか」は、構文的にも意味的にも「しか」とほぼ同じ意味になります。4は「だけしか」が否定と結び付くことがわかっていないために起きた誤用です。

# 12 など・なんか・なんて・(でも)

> A：誰かすてきな人いないかな。
> B：木山君なんかどう？
> A：ええっ、……木山君なんて
> 　　タイプじゃないよ。

学習者はどこが難しいか。よく出る質問。

1. 「なんて」と「なんか」の使い分けがわからない。
2. 「なんか」と格助詞（が・を・に・で、など）との接続がよくわからない。格助詞が落ちてしまう。
3. 「その他」を表す「など」は知っているけど、取り立て助詞の「など」はあまり知らない。

学習者の誤用の例

1. 授業をサボるなどをするわけがないだろう。
　→授業などサボるわけがないだろう。
2. もう疲れたので、あなたと喧嘩するなんか力がない。
　→もう疲れたので、あなたと喧嘩する力なんか／なんてない。
3. コーヒーなんか飲まないか？
　→コーヒーでも飲まないか？
4. 謝る言葉なんて言わないので、その人とは二度とも会いたくない。
　→謝る言葉も／さえ言わないんだから、その人とは二度と会いたくない。

説 明

●基本的な意味用法

「など・なんか・なんて」は「例として取り上げる」ことを表すとともに、軽蔑・軽視・謙遜などの話し手の気持ちを表します。3者において意味用法が微妙に異なります。

1．など

(1)　あの店にはランブータンやドリアンなどの珍しい果物がある。(例示・列挙)
(2)　これなどいかがですか。お似合いですよ。(提案・勧め)
(3)　インターネットなど簡単だ。(軽蔑・軽視の気持ち)
(4)　私などとてもとても……。(謙遜の気持ち)

2．なんか

「なんか」は「など」のくだけた、会話的な言い方です。

(5)　あの店にはランブータンやドリアンなんかの珍しい果物があるよ。

(例示・列挙)

(6)　これなんかどう？似合うと思うよ。(提案・勧め)
(7)　インターネットなんか簡単だ。(軽蔑・軽視の気持ち)
(8)　私なんかとてもとても……。(謙遜の気持ち)

3．なんて

「なんて」は「なんか」よりもっとくだけた言い方になります。上の人に使うと失礼に聞こえることがあるので注意が必要です。「なんて」には「例示・列挙」の用法はありません。

(9)　これなんてどう？似合うと思うよ。(提案・勧め)
(10)　インターネットなんて簡単だ。(軽蔑・軽視の気持ち)

(11) 私なんてとてもとても……。(謙遜の気持ち)

●作り方・接続の仕方

「など・なんて」と「なんか」への接続の仕方は次のように異なります。

```
┌─────────┐
│ N    │など │
│ 普通形 │なんて│
└─────────┘
┌───┐
│ N │なんか
└───┘
```

「など・なんか」が格助詞とつながるとき、「が・を」は省略されるか、「など・なんか」のうしろに来ます。(「なんて」のうしろにはつながりません。)「が・を」以外の格助詞は省略されませんが、格助詞とのつながり方にはa、b2通りあります。

```
1．N＋など／なんか＋(が／を)
2．a．N＋／に／へ／で／と／から＋など／なんか／なんて
   b．N＋など／なんか＋に／へ／で／と／から
```

(12) 生みの母<u>となど</u>／<u>となんか</u>／<u>となんて</u>会いたくない。
(13) 生みの母<u>などと</u>／<u>なんかと</u>／×<u>なんてと</u>会いたくない。

●いつ使われるか

1．会話の中で

「軽蔑・軽視・謙遜」の気持ちを表す点では、「など・なんか・なんて」は共通に使うことができます。(「なんて」は「などと」が変化したものとも言われています。)

「軽蔑・軽視・謙遜」を表すときは否定形、または、意味的に否定的な表現とともに用いられます。

(14)　A：日本語、おもしろいですか。
　　　B：文法が難しいです。
　　　A：そうですか。
　　　B：文法|など／なんか／なんて|好きじゃない／大嫌いです。

しかし、従属節の中では「なんて」は少し落ち着きが悪くなります。これは「なんて」が主節の文末に直接結び付いて話し手の気持ち・感情を直接に出しやすいからだと思われます。

(15)　A：日本語、おもしろいですか。
　　　B：文法が難しいです。
　　　A：そうですか。
　　　B：文法|など／なんか／?なんて|勉強しなくても、日本語は話せるんじゃないですか。

「など・なんか・なんて」には次のような「提案・勧め」の働きもあります。このときは「軽蔑・軽視・謙遜」の気持ちはありません。この場合は初めに状況や目的があって、それを達成するために例を挙げるという形をとります。

(16)　A：どこ行こうか。
　　　B：うん、ちょっとしゃれてネイルサロン|など／なんか／なんて|どう？
　　　A：えっ、ネイルサロン？

2．文章の中で（文のつながりの例）

例1　相手のことば・問いかけ。　　(否定的) 答えの文 [〜など／なんか／なんて〜]。

相手の言ったことや問いかけに対して否定的な答えをするときに、「など・なんか・なんて」が現れます。否定の答えは、軽蔑的に言う場合もあれば、照れ隠しに言う場合などもあります。

(17)は軽蔑的に、(18)は照れ隠しに言っていると理解できます。

(17) A：ふられたんだって？
B：あんな男{など／なんか／なんて}こちらからお断りよ。
(18) A：カメラマンになったんだって？よかったね。
B：うれしく{など／なんか／なんて}ないよ。

例2　 事態・状況の文。　 結局、～なんて～だ。

ある事態・状況に対して批判的な意見を述べる例です。「なんて」を用いて「～だ」やその否定の形で言い切ることが多いようです。

(19) 信頼していた政治家が収賄容疑でつかまった。政治家なんて、結局、私利私欲で動いているのだ。
(20) 1、2月はすごい勢いで高級チョコが売れているそうだ。結局、バレンタインデーなんて製菓会社の商法でしかない。

例3　 事態・状況の文。　 例示・提案の文 [～など／なんか／なんて～]。

何らかの事態・状況があり、そこでの目的を達成するための方法を例示する場合に「など・なんか・なんて」が使われます。

(21) A：ご飯でも食べようか。
B：この間の店{など／なんか／なんて}いいね。
(22) A：川田先生のお見舞い、何がいいだろうか。
B：果物か本{など／なんか／なんて}いいんじゃないだろうか。

●どのような語と結び付きやすいか

インターネットで「なんか・なんて」の語句検索をすると次のような動詞・形容詞が圧倒的に多く現れます。ネットによる語句検索は信頼性の高いものではないかもしれませんが、ある程度の傾向を表しているので、紹介しておきます。

1．XなんかY

〈Yに来る語〉

◆動詞・形容詞などの否定形：

要らない、見たくない、負けない、こわくない、など

(23) 増税なんかこわくない。

(24) コミック雑誌なんか要らない。

(25) 脱毛症なんかに負けない。

2．XなんてY

〈Yに来る語〉

◆決め付ける表現：

知らない、言わせない、認めない、要らない、やらない、こわくない、簡単だ、大嫌い(だ)、絶対ダメだ、嘘だ、など

(26) 愛なんて要らねぇよ。

(27) クリスマスなんて大嫌い。

(28) 献身なんて嘘だ。

● 「など・なんか・なんて」のほかの用法

「など」

1）動詞辞書形＋などする

いろいろあることの中から主なものを取り上げ、例として示す用法です。

(29) 防犯ベルを付けるなどして、泥棒対策をしたほうがいい。

2）〜などと＋言う

発言のおおよその内容を表す用法です。

(30) うちの息子は何も不自由はないなどと言って、結婚しようとしない。

「なんか」
1）名詞＋やなんか
　　そのものや、それに類したものを表す用法です。

　　　　(31)　入場するのに荷物チェックやなんか面倒くさいことがあるのよ。

2）動詞たり＋なんかして
　　いろいろあることの中から主なものを取り上げる用法です。一つのことしかなくても「たりなんかして」を付けて、曖昧なニュアンスを含ませることも多いです。

　　　　(32)　今日はどうしたの。口紅つけたりなんかして。

「なんて」
1）～なんて言う／思う／考える
　　発言のおおよその内容を表すとともに、話し手の意外な気持ちを含みます。

　　　　(33)　仕事をやめるなんて言ってたけどどうしたのかしら。

2）～なんてうらやましい／ひどい
　　意外だと驚く気持ちや強い感情を表します。

　　　　(34)　そんなことを言うなんてひどい。

●類義表現との比較

１．「など・なんか」と「でも」の比較
「例として取り上げる」ことを表すものに次のような「でも」があります。

　　　　(35)　お茶でもいかがですか。
　　　　(36)　和菓子でも買っていきましょう。
　　　　(37)　じゃ、あとで田中さんにでも聞いてみます。

この「でも」と「など・なんか」の違いを考えてみましょう。

⒆　A：田中さん、久しぶりですね。
　　　B：ほんとですね。
　　　A：時間ありますか。
　　　　　お茶｛でも／など／なんか｝いかがですか。

「お茶でも」は「お茶」そのものを取り上げているのではなく、この場合「いっしょに話をする」ということを婉曲に誘っている言い方です。「など・なんか」も可能ですが、「いっしょに話をする」というよりは、具体的に、飲み物の種類の「お茶」を飲むことを誘っている感じがします。

⒆　A：私はわからないんですよ。
　　　　　誰か、事務所の人は知っていると思いますよ。
　　　B：そうですね。
　　　　　じゃ、あとで田中さんに｛でも／？など／？なんか｝聞いてみます。

「田中さんにでも」は、特に田中さんでなくてほかの人でもいいわけで、話し手の「何とかする」という気持ちを表しています。そのため、聞く相手として具体的に「田中さん」を挙げている「など・なんか」が少し不自然になっていると考えられます。

2．「なんか」と「なんて」の比較

次の文を見てください。

⒇　ウィルスなんか怖くない、ウィルスなんて怖くない。

「なんか」が最初に来て、「なんて」があとに来ています。これが「なんて」が先に来て、「なんか」があとに来ると、どんな感じがするでしょうか。

(41)　ウィルスなんて怖くない、ウィルスなんか怖くない。

(41)は少し落ち着かない感じがするのですが、皆さんはどうですか。やはり、話し手の感情をより直接的に出し、強く文末に結び付いていく、したがって、文の完結性を表すという点では、「なんか」より「なんて」のほうが強いようです。

「学習者の誤用の例」の解説

　1は「など」を置く位置に関係する誤りで、「授業をサボるなどする」という形をとっています。「動詞辞書形＋などする」は例示の意味合いを表すので、「軽蔑・謙遜」を表すためには、「授業などサボる（わけがない）」のように名詞に付ける必要があります。(⇒「ほかの用法」)

　2、3は「なんか」に関する誤りです。2は「なんか」の位置ですが、「なんか」は名詞にしか付かないので、「喧嘩する力なんか」とする必要があります。3は「コーヒー」を相手に勧める言い方になっていますが、ここでの学習者の意図は「いっしょに話をする」のを誘うことだと考えられるので、「でも」を使ったほうが適切になります。(⇒「類義表現との比較」)

　4は「なんて」ではなく、「も」か「さえ」にしなければなりません。訂正では「なんて」と「も／さえ」の取り違えと解釈しましたが、もう一つの解釈としては「なんて」の位置を間違ったとも考えられないことはありません。「その人と二度と会いたくない」の気持ちを強く表したいのであれば、次のようにしなければなりません。また、その場合は「その人」より「あんな人」がふさわしくなります。(⇒初ポ11)

　4′　謝る言葉も／さえ言わないんだから、あんな人となんて二度と会いたくない。

13 ばかり

A：おはようございます。
B：おはようございます。
　また、いやな事件がありましたね。
A：本当ですね。
B：このごろはこわい事件ばかり
　ですね。

学習者はどこが難しいか。よく出る質問。

1．「ばかり」は用法が多いので、わかりにくい。
2．「ばかり」をどこに付けていいのかわからない。
3．「ばかり」と「だけ」の違いがわからない。
4．「ばかり」と格助詞（と・を・が、など）との接続の仕方がわからない。格助詞が抜けてしまう。

学習者の誤用の例

1．このごろの若い娘ときたら、寒いのに短いスカートをはいてばかりいる。
　→このごろの若い娘ときたら、寒いのに短いスカートばかりはいている。
2．あのラーメン屋は込んでばかりいる。
　→あのラーメン屋はいつも込んでいる。
3．彼女は何もかも知っていながら、「私は知らない」ばかり言っている。
　→彼女は何もかも知っていながら、「私は知らない」とばかり言っている。
4．最初ショックを受けたばかりだ。なぜかというと、クラスの皆の日本語が上手だから。
　→最初はショックばかり受けていた。／最初はショックを受けてばかりいた。なぜかというと、クラスの皆の日本語が上手だったから。

111

説 明

●基本的な意味用法

 (1) 水泳教室で元気なのはおばさん連中ばかりである。(＝すべて)
 (2) 食べてばかりいると、太りますよ。(＝いつも)

(1)では、「おばさん連中」を取り上げて、元気なのは「すべておばさんだ」という意味を、(2)は「食べること」を取り上げて、「いつもそうしている」という意味を表しています。

「ばかり」は名詞、動詞、形容詞などいろいろな語に付き、話しことばとして日常的によく使われます。「ばかり」の基本的な意味はそれだけという意味の「限定」ですが、(1)(2)のほかにも(3)～(5)のような意味用法を持ちます。

 (3) 疲れたので1時間ばかり昼寝をした。(＝くらい(概数))
 (4) 彼は言うばかりで、自分では何もしない。(＝だけ)
 (5) 日本へ来て、日本が嫌いになっていくばかりだ。(＝一方だ)

(ここでは、「さっきご飯を食べたばかりだ。」のような、「その動作が終了して、あまり時間がたっていないこと」を表す、「～(た)ばかりだ」は取り上げません。(⇒初ポ38))

●作り方・接続の仕方

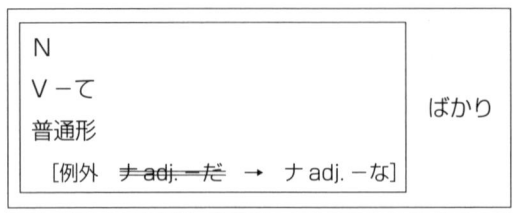

```
N
V －て                         ばかり
普通形
 [例外 ナadj.－だ → ナadj.－な]
```

「ばかり」が格助詞「が」とつながるときは、「Nばかり」または「Nばかりが」という形をとります。「を」とつながるときは、「Nばかり」「Nばかりを」、または、「Nをばかり」になることもあります。「が・を」以外の格助詞は省略されませんが、格助詞とのつながり

方にはa、b2通りあります。

> 1．N+が（／を）+ばかり+（が／を）
> 2．a．N+に／へ／で／と／から+ばかり
>   b．N+ばかり+に／へ／で／と／から

(6) 外でばかり食べないで、たまにはうちで食べよう。
(7) 部屋ばかりに閉じこもってないで、外で遊びなさい。

●いつ使われるか

1．会話の中で

「ばかり」には数量や時間などに付いて概数を表すものがあります。この場合、「くらい・ほど」と置き換えることができます。(⇒8)

> (8) A：1か月｛ばかり／くらい／ほど｝留守をしますので、よろしくお願いします。
> B：はい、わかりました。どちらまで。
> A：ちょっと実家に帰ってこようと思います。

「ばかり」は、どちらかと言えば、否定的、消極的な意味合いを含むことが多いです。「ばかり」が次の(9)のように名詞を取り立てると、ある範囲内に存在するのは「それがすべて」という意味になります。この場合もマイナスの意味合いになることが多いです。

> (9) A：手紙来る？
> B：来るけど、ダイレクトメールばかりだ。
> A：私もよ。きのう10通来たけど、全部ダイレクトメールだったわ。

「いつも(している)」という動作・行為は「名詞＋ばかり」、また、「〜て＋ばかり」の形で表します。

> (10) A：どんなスポーツをしているんですか。
> B：キックボクシングです。
> A：へえー。危なくないですか。
> B：ええ、けがばかり／ばっかりしてます。(=けがをしてばかりです。)
> A：ええっ、大丈夫ですか。

「ばかり」はくだけた話しことばになると、(10)のように「ばっかり」になることがあります。

次の場合、「ばかり」は「だけ」「のみ」の意味を表しています。動詞・形容詞の辞書形に付いて、「それしかない、それしかしていない」という意味を表します。(11)は動詞、(12)は形容詞の例です。

> (11) A：彼にやってもらったらどう？
> B：彼はやってくれないよ。
> A：だって、彼が言い出したんだから。
> B：彼は言うばかりで、自分では何もしないんだ。

> (12) A：歯医者に行った？
> B：行ったよ。
> A：西巻歯科？
> B：そう、でも痛いばかりで、ぜんぜん治ってないの。

「ばかり」の前に変化を表す動詞が来ると、その傾向にだけ傾斜していくという意味合いを持ちます。同じ意味を持つ「〜する一方だ」と同じくマイナスの意味合いを含みます。(⇒31)

(13) A：リーさん、どうしたの。元気がないね。
    B：……。
    A：日本へ来てもうどのくらい？
    B：半年です。
       でも、日本へ来て、日本が嫌いになっていくばかりなんです。
    A：ええっ、どうして？
    B：日本人の考え方がどうしても理解できないんです。

2．文章の中で（文のつながりの例）

例１　条件の文 [〜ばかり〜と]、結果の文。

「いつも（している）」という動作・行為が、条件「〜と」と結び付いて、そればかりしているとよくない結果になるという形をとることがあります。

(14) 毎日ハンバーガーばかり食べていると、栄養が偏ってしまうよ。
(15) テレビばかり見ていると、思考力が低下してしまう。

例２　事態・状況の文。　〜が／けれども、条件の文 [〜ばかり〜と]、結果の文。

例１がディスコースの中で現れるときには、まず、事態・状況説明の文が来て、それをひとまず認めて、よくない結果になるという形をとることが多いようです。

(16) インスタント食品が中心という人が増えています。確かに便利ですが、インスタント食品ばかりだと、植物繊維やビタミンが不足してしまいます。
(17) テレビの視聴時間が増えている。テレビは面白いかもしれないが、テレビばかり見ていると、思考力が低下してしまう。

例３　〜ばかり〜ないで、命令・提案の文。

「そればかりしているとよくない結果になる」という警告が「〜ないで」と結び付いて、命令・提案の形をとることもあります。

(18) 議論や分析ばかりしていないで、実際に行動に移してみろ。

(19) 家の中にばかりいないで、散歩でもしたらどう?

例4　事態・状況の文 [～ばかり～]。　具体的説明の文。

「ばかり」を使ってある事態・状況を導入し、次の文でより詳細な説明を加えるという形もあります。

(20) 町はコンクリートやガラスの建物ばかりだ。このような無機質なものに囲まれ、人は心を通わすことがなくなっていく。

(21) 市場に出回っているのはコピー商品ばかりだ。本物そっくりに作られているが、どこか雑なところがある。

●どのような語と結び付きやすいか

Xばかり
〈Xに来る語〉

◆**動詞辞書形**《「それしかしていない」を表す》：
繰り返す、言う、(謎が)深まる、(関心が)高まる、など

(22) 彼女にいくら尋ねても、同じことを繰り返すばかりだ。

◆**動詞テ形**《「いつもしている」を表す》：
食べる、泣く、寝る、サボる、失敗する、遊ぶ、など

(23) 彼は授業をサボってばかりいる。

この場合、結果を表す動詞「(店が)込む、(おなかが)すく」などには使えません。

(24) ?うちの子はいつもおなかがすいてばかりいる。

◆**名詞**《「それがすべて」を表す》：
効率、外食、変な事件、男性、女性、おばさん、子供、文句、失敗、雨、など

(25) 効率ばかり追っていると、肝心なものが失われる。

◆**形容詞**《「ただそれだけ」という気持ちを表す》：
　痛い、悲しい、つらい、みじめだ、など

　　(26)　スキーは滑れない人にとってはつらいばかりである。

●「ばかり」のほかの用法

「ばかり」のほかの使い方を次に示します。
1)〜ばかりか／ばかりではなく、〜も
　「〜ばかりか／ばかりではなく」は「〜だけではなく」と置き換えられます。

　　(27)　そのニュースが報道されると、国内ばかりか／ばかりではなく、遠く海外にも大きな反響が起こった。

2)〜た＋ばかりに
　「〜たばかりに」は「〜た＋ために」と同じく原因・理由を表します。

　　(28)　彼のことばを信じたばかりにひどい目にあった。

「ばかり」は3)〜5)のように比喩やたとえに使われることがあります。

3)イ形容詞＋ばかり

　　(29)　波はまばゆいばかりの日の光に輝いていた。

4)動詞ナイ形の語幹＋ん＋ばかり

　　(30)　デパートは溢れんばかりの買物客でごった返していた。

5)〜と＋ばかり(に)
　「〜と＋ばかり(に)」は、「まるで〜と言うように」という意味で、後件には勢いや程度が強いという意味の表現が続きます。

　　(31)　今がチャンスとばかり(に)、挑戦者は猛烈な攻撃を開始した。

●類義表現の比較

「ばかり」と「だけ」の比較（⇒11）

　次の文は同じ意味を表していますが、aでは「ハンバーガー」という「もの」に、bでは「食べる」という「行為」に焦点が当たっています。

　　(32)　a．ハンバーガーだけ食べている。
　　　　　b．ハンバーガーばかり食べている。

このように、「だけ」がそのものを限定するのに対して、「ばかり」は「いつもその行為をしている」という意味になります。
　したがって、「食べている」を可能形「食べられる」にすると、ものにのみ焦点の当たっている「だけ」しか使えなくなります。

　　(33)　a．うちの子はハンバーガーだけ（が）食べられる。
　　　　　b．？うちの子はハンバーガーばかり食べられる。

(34)では「だけ」は単に地域のみを取り上げていますが、「ばかり」は広く反響が起こったことを強調しています。

　　(34)　a．ニュースが報道されると、国内だけではなく海外にも大きな反響が起こった。
　　　　　b．ニュースが報道されると、国内ばかりではなく海外にも大きな反響が起こった。

「だけ」と「ばかり」が共通して用いられる場合は、「だけ」のほうがより会話的と言えます。

「学習者の誤用の例」の解説

1で学習者の言いたいことは、長いスカートではなくいつも短いスカートをはいているということなので、対比されるものは「短いスカート」と「長いスカート」になります。「長い・短い」のように対比のはっきりしている場合は、対比される語のうしろに「ばかり」が来やすくなります。したがって「(短いスカートを)はいてばかりいる」ではなく「短いスカートばかり(はいている)」としたほうが適切になります。

2は、学習者は「あの子は食べてばかりいる。」と言うのだから「あの店は込んでばかりいる。」と言えると思ったのでしょう。「込む」という動詞は、ある現象(人が来る)によって引き起こされる結果を表しています。「〜てばかりいる」はその行為・事態の繰り返しに焦点が当たるので、結果を表す「込む、すく、なる」などの動詞に使うと不自然になります。

3は格助詞「と」との接続の問題です。「ばかり」は「が・を」には取って代わることができますが、それ以外の格助詞は省略することができません。

4は、「動詞タ形+ばかり」の形をとっています。「動詞タ形+ばかり」は「それをしてから時間が経っていない」ということを表すので、「いつもそうである」を表すためには「ショックばかり受けていた」、または、「ショックを受けてばかりいた」とする必要があります。

14 まで・(までに)

A：ごちそうさま。
B：おいしかった？
A：おいしかったよ。
　　ほら全部食べちゃった。
B：えっ、魚の骨は？
　　骨まで食べちゃったの？

学習者はどこが難しいか。よく出る質問。

1. 格助詞「まで」と「までに」を混同してしまう。
2. 格助詞「まで」と取り立て助詞「まで」の違いがわかりにくい。
3. 「(医者)まで(来た)。」と「(医者)も(来た)。」の違いは？

学習者の誤用の例

1. 失恋したからといって、自殺するまでの人がいないでしょう。
　　→失恋したからといって、自殺までする／自殺するほどの人はいないでしょう。
2. 寒くなってきたとはいえ、まだその服までは着なくてもいいと思うよ。
　　→寒くなってきたとはいえ、まだその服を着るほどではないと思うよ。
3. 午後3時までレポートを提出してください。
　　→午後3時までにレポートを提出してください。
4. 何時までにこのテストは続くのかな。
　　→何時までこのテストは続くのかな。

説 明

●基本的な意味用法

　(1)　きのうは8時まで待った。

この文は単に時間の限界を示していると言えます。次はどうでしょう。

　(2)　約束の時間は午後3時だった。彼は延々夜の8時まで待ったけれども、約束の相手は現れなかった。

(2)の「8時まで」は単なる時間の限界だけでなく、「長い間待ったなあ」という感じを抱かせます。このような、「普通では考えられない範囲にまで及んでいる」という驚きの意味合いを含む「まで」が、取り立て助詞の「まで」と言われるものです。

　(3)　空巣に入られて、現金はもちろんパソコンまでとられてしまった。
　(4)　仕事が忙しくて、日曜日まで会社に行くことがある。

(3)(4)では「まで」を用いて、ある事柄・行為があらゆるものに及んだり、起こったりする意味合いを表しています。

　ここでは、取り立て助詞「まで」を取り上げますが、格助詞「まで」と取り立て助詞「まで」は連続的につながっており、どこまでが格助詞でどこからが取り立て助詞かは、文脈に因るところが大きいです。(⇒初ポ4・30)

●作り方・接続の仕方

```
┌─────┐
│ N   │ まで
│ V－る│
└─────┘
```

　「まで」が格助詞とつながるとき、「が・を」は省略されたり、されなかったりします。省略されないときは、「Nまでが」「Nまでを」となります。「が・を」以外の格助詞では、「格助詞＋まで」の形をとります。

```
1．N＋まで＋(が／を)
2．N＋に／へ／で／と／から＋まで
```

(5) あなたまで(が)そんなことを言うんですか。
(6) 君は部下にまでお金をせびっていたのか。

●いつ使われるか

1．会話の中で

次の(7)では「場所＋まで」が使われていますが、Aは単に場所的な限界(格助詞)としてとらえ、Bは驚き(取り立て助詞)としてとらえています。

(7) A：先週バイクで北海道に行きました。
　　B：札幌へは行った？
　　A：もちろんです。世界遺産の知床まで行ってきました。
　　B：えっ、バイクで知床まで行ったの。

次の(8)でも、Aはデパートが12時まで(格助詞)開いていることを聞いて、驚いて「12時まで」(取り立て助詞)を使っています。

(8) A：コンビニは24時間営業のところが多いね。
　　B：そうだね。
　　A：でも、デパートは早く閉まるよね。
　　B：遅くまで開いているデパートもあるよ。
　　　　鳥屋デパートは夜12時まで開いているよ。
　　A：えっ、12時まで開いているの。

次の(9)では、「まで」と「さえ」が使われています。「まで」は「普通では考えられない範囲にまで及んでいる」「何でもかでも」という意味合いを、「さえ」は「普通には結び付かないもの」に結び付けることによって、「その事態の尋常でない」ことを強調す

る意味合いを持ちます。BはAがバタフライという難しい泳法もできるということに驚き、自分は基本的な泳法の「クロールもできない」ということを述べています。

(9) A：今スイミングスクールに行ってるんですよ。
　　 B：そうですか。泳げるようになりましたか。
　　 A：クロール、平泳ぎ、それから、バタフライ……。
　　 B：バタフライまで覚えたんですか。
　　 A：ええ。
　　 B：私はクロールさえ満足に泳げません。

2．文章の中で（文のつながりの例）

例1　 原因・理由の文 [～て／ために]、～まで～。

ある原因・理由が起こったため、そうした程度にまで達してしまったということを表す言い方です。因果関係をはっきりさせるときは、「～ために」が使われます。

(10) 仕事が忙しくて、深夜まで仕事をすることがある。
(11) 部下にすべてを任せてしまったために、彼は課長の地位まで脅かされるに至った。

例2　 事態・状況の文。　 (同類の) 事態・状況の文 [(そのうえ、)～まで～]。

「まで」はある事柄・行為があらゆるものに及んだり、起こったりする意味合いを含みます。したがって、ある事態・状況があって、その上に同じような事態が起こるときに「まで」が現れやすくなります。

(12) 今年は自然が猛威を振った。インド洋を津波が襲い、北米はハリケーンが襲った。そのうえ、パキスタンでは大地震まで起こった。
(13) 祖母は礼儀作法に厳しく、朝夕の挨拶を徹底させた。そのうえ、箸の上げ下ろしにまで目を光らせていた。

例3　　事態・状況の文。　　〜ばかりか／ばかりでなく、〜まで〜。

例2と似ていますが、「それだけではなく」の意味を強調する「〜ばかりか／ばかりでなく」を用いる形も使われます。

(14) 戦況が厳しくなった。成人男子ばかりか、15歳の子供まで兵隊にとられた。
(15) テレビに5秒ほど出た。近所の人ばかりでなく、知らない人にまで「テレビに出てましたね」と言われた。

例4　　事態・状況の文。　　ただし書き・反対の文 [(しかし) 〜まで (は) 〜ない]。

ある事態・状況までは到達した、しかし、それ以上は行っていない、また、行く必要がないという文にも「まで」が使われます。

(16) クローンの開発は認められる。しかし、人間の倫理観を犯すところまで行くべきではない。
(17) この小説は若者の考え方や行動がよく描かれている。しかし、彼らの内面の深層心理までは描かれていない。

例5　　条件の文 [〜と／ば／たら]、〜まで〜。

ある条件が整えば、そうした程度にまで及ぶかもしれないという意味合いで、「まで」が使われることがあります。

(18) 一部の人の暴力を許してしまうと、それは全体にまで広がる危険性がある。
(19) このまま開発が進めば、人間の感情を表すロボットまで出現するにちがいない。

●どのような語と結び付きやすいか

ＸまでＹ（取り立て助詞）
〈Ｘに来る語〉
◆**時間・場所・数量以外の名詞：**
　取り立て助詞の「まで」も時間や場所、数量に付きますが、それ以外の名詞に付いたときに取り立ての気持ちが現れやすくなります。

　(20)　雨まで降り出した。
　(21)　私までとばっちりを受けた。

「文章の中で」の例2のような、「ある事態があってその上に同じような事態が起こる」を表す「まで」の文では、「そのうえ・このうえ」などの接続詞が現れやすいと言えます。

　◆接続詞：そのうえ、このうえ、など

　(22)　夫は私の失敗をなじった。そのうえ、過去のことまで持ち出して嫌味を言った。
　(23)　祖父は運動らしきものは何もしない。このうえ散歩にまで行かないとなったら、体が硬直していくばかりだ。

●「まで」のほかの用法

　以下に「まで」のその他の用法を、格助詞・取り立て助詞の区別をせずに挙げておきます。

1）〜まで、〜

　(24)　私が帰るまで、待っていてください。

2）〜までもない
　必要がないという意味を表します。

(25)　言うまでもありませんが、A大学は私学として有数の大学です。

3）〜までして
　目的を達成するために「それほどのことをして」という意味を表します。非難の気持ちが含まれます。

　　(26)　ラーメンの屋台を始めるなんて、脱サラまでしてやることだろうか。

4）〜ば、これ／それまでだ
　「そういうことになれば、それで終わりだ」という意味を表します。

　　(27)　お金がなくなれば、あなたとの関係もそれまでよ。

●**類義表現との比較**

　1．「まで」と「までに」の比較
　「までに」は格助詞ですが、「まで」と「までに」は学習者が混乱しやすいのでここで取り上げておきます。

　　(28)　5時まで勉強します。
　　(29)　5時までに勉強を終わります。

　　(30)　私の仕事が終わるまで、ここで待っていてください。
　　(31)　私の仕事が終わるまでに、これをやっておいてください。

「5時まで」「仕事が終わるまで」はそれまでの時間の幅があります。その幅のあいだ、行為・動作を続けたり、事態が続くことを表します。後件には継続を表す、「〜ている」が現れやすいです。
　一方、「5時までに」「仕事が終わるまでに」はその時点までに、行為・動作、事態が終わることを表します。後件の動詞には「〜し終わる」の意味合いが含まれやすくなります。

2.「まで」と「さえ」の比較

本書の「10 さえ・でさえ」を参照してください。

> **「学習者の誤用の例」の解説**
>
> 　1は「まで」が何を取り立てるかのスコープ（範囲）の問題です。学習者は「自殺する」を「普通では考えられない範囲にまで及んでいる」と理解して「自殺するまで」としたようです。「彼を自殺するまで追い込んだ。」のように「追い込む度合い」が「自殺するほど極端だ」というのであれば「自殺するまで」も可能となりますが、1の主体は「どの程度の人か」というと、いろいろする中で「自殺までする人だ」という意味であるので「自殺までする人」になります。
>
> 　2は誤りとは言えない例かもしれません。しかし、どの程度に寒くなったかを問題にしているので、訂正文のように「ほど」を使ったほうがより適切になります。
>
> 　3、4は格助詞の「まで」と「までに」の混同です。多くの学習者に見られるのでここで取り上げておきました。「3時まで」は3時までの継続の状態を、「3時までに」は3時になる前に動作を終わらせることを表します。4についても同じことが言え、「続く」は継続を表すので「までに」ではなく「まで」が適切になります。

指導法あれこれ〈1〉

3．「に対して」の練習

留学生が行ったディスカッションの一部を示し、使われている「に対して」について考えさせる練習です。

1．学習者をペアにする。
2．練習Aを読ませ、文中の「に対して」の使い方が適切かどうか話し合わせる。

［練習A］
〈自分の呼び方についてのディスカッション（司会も留学生）〉
司会：日本語には、「わたし、わたくし、あたし、ぼく、おれ」などの言い方がありますが、皆さんは自分に対してどのように呼びますか。
　A：自分に対して、最初「ぼく」って呼んでたんですけど、少しずつ「おれ」を使うようになりました。
司会：ほかの皆さんはどうですか。
　B：私は最初「わたくし」と言っていたんですが、「わたくし」は丁寧すぎると言われたことがあります。それで、それからはずっと「わたし」を使っています。
　C：「あたし」に対してお聞きしたいんですが、日本人の女子学生はよく「あたし、あたし」と言いますが、留学生も「あたし」を使っていいんですか。
　D：「あたし」に対して私の経験をお話しします。私が友達に「あたし」を使ったとき、その人は、友達にはいいけれど先生には使わないほうがいいと言っていました。
司会：「わたし、わたくし、あたし」などの使い分けは外国人に対してとても難しいですね。

3．次に、練習Bをさせ、適切と思われるものを選ばせる。（適切なものが複数ある場合もある。）

［練習B］
1）日本語には、「わたし、わたくし、あたし、ぼく、おれ」などの言い方がありますが、皆さんは自分｛について／のことを／を｝どのように呼びますか。

2）自分 {について／のことを／を}、最初「ぼく」って呼んでたんですけど、少しずつ「おれ」を使うようになりました。
3）「あたし」{について／のことを／を} お聞きしたいんですが、……。
4）「あたし」{について／のことを／を} 私の経験をお話しします。
5）「わたし、わたくし、あたし」などの使い分けは外国人 {について／にとって／に} とても難しいですね。

４．「について」の練習

学習者に「について」を使ってショートスピーチをさせる練習です。
　スピーチの出だしに「今日は○○についてお話しします」を、終わりに「これで○○についての話を終わります」を使わせてください。
　まず、学習者に一つのテーマを与え、それについて３分ほどのスピーチを準備させてください。スピーチ練習の順序は次のようです。

１．学習者を４人ずつのグループに分ける。
２．与えられたトピックについて、学習者Aはまず３分間学習者Bに話す。
３．次に相手を変えて、学習者Aは学習者Cに同じトピックで２分間話す。
４．次にまた、相手を変えて、学習者Dに同じトピックで１分半話す。
５．話を聞いている学習者は聞き役に徹し、そのときには意見や質問はしない。
６．何度も話すことによって、自分で話し方（フィラー（えーと、あのう、など）、言いよどみ、繰り返し）や内容を徐々に改善させるようにする。話す時間を減らしていくのは、学習者が主体的に不要な部分や言い直しなどを少なくし、簡潔なスピーチにするためである。

７．「を通じて・を通して」の練習

よく似た意味用法を持つ「を通じて・を通して」の違いを見つけさせる練習です。

1．まず、「を通じて・を通して」のもととなる動詞「通じる（通ずる）」と「通す」の意味や例文を辞書で調べさせる。
2．辞書で調べたことをクラスで発表させる。

　　例：通じる（通ずる）：ローマに通じる、電話が通じる、話が通じない
　　　　通す：A市からB市に国道を通す、針に糸を通す、筋を通して話させる

3．教師が「通じる（通ずる）」と「通す」の意味の違いをまとめる。

　　例：「通す」は「を」をとることが多いが、「通じる（通ずる）」は「が」が多い。
　　　　つまり、「通す」は他動詞、「通じる」は自動詞。
　　　　したがって、「通す」は働きかけが強くなるようだ、など。

4．次に、学習者に「を通じて」と「を通して」を使って、3文ずつ文を作らせ、ノートに書かせる。
5．クラスで発表させる。

8．「ほど」の練習

「ほど」を使って「程度表現」を考える練習です。

1．教師は学習者に次のような説明をし、質問をする。
　　「日本語ではたくさん食べたり、食べ過ぎたような状態を「死ぬほど食べた」と言います。皆さんの国では何と言いますか。」
2．1の質問に対して、学習者にいろいろ答えさせる。
　　クラスに同じ国の学習者が複数いる場合は、学習者同士で話し合わせる。
3．学習者に次のような場合は自分の国ではどう言うか考えさせる。
　　文の形としては、「～ほど～」で表すように指導する。
　　（参考までに（　）の中に日本語での場合を示します。あくまでも一例です。）
　　１）とても疲れた。→（立ち上がれないほど疲れた。）
　　２）とても嫌いだ。→（胸がむかつくほど嫌いだ。鳥肌が立つほど嫌いだ。）
　　３）とても好きだ。→（胸が苦しくなるほど好きだ。）

4）とてもかわいい。→（目に入れても痛くないほどかわいい。）
5）とても憎い。→（殺してやりたいほど憎い。）
6）とても恋しい。→（死ぬほど恋しい。）
7）とても暑い。→（水に飛び込みたいほど暑い。）
8）とても寒い。→（身が縮むほど寒い。泣きたいほど寒い。）
9）とてもびっくりする。→（飛び上がるほどびっくりした。）
10）？？？？（学習者に考えさせる）→

10.「さえ」の練習

練習はAとBの2種類あります。

[練習A]
1．学習者に、自分が今やりたくて、でも、できないでいることを考えさせる。
2．それを「〜さえ〜ば／たら」を使って、文を作らせ、ノートに書かせる。
　　文末の表現の仕方に注意させること。

　例1：漢字さえできれば、博士の試験を受けられるのに。
　例2：博士号さえあれば、就職できるのだが。
　例3：謝りさえすれば、許してもらえるんです。

3．クラスで発表させる。

[練習B]
1．学習者に今まで起こった事件や事故を思い出させ、みんなでそれについて
　　少し話させる。
2．それを「〜さえ〜ば／たら、〜（た）のに」を使って、文を作らせ、ノートに書
　　かせる。

　例1：あの飛行機にさえ乗らなければ、助かったのに。
　例2：あのとき山にさえ行かなかったら、事故は起こらなかったのに。

３．クラスで発表させる。

11.「だけ」の練習
教師が準備したストーリーの中から「だけ」の部分を聞き取る練習です。

1．教師は「だけ」を使った文がいくつか含まれているストーリー、または、会話を準備する。
2．学習者にストーリーの全体を一度聞かせる。
3．もう一度聞かせる。
　今度は「だけ」が出てくるかどうか、注意して聞かせる。
　学習者に「○○だけ」の部分を書き取らせる。
4．3度目の聞き取りでは「だけ」の入った文全体を書き取らせる。
5．4度目で書き取った文を確認させ、完成文にさせる。
6．学習者に「だけ」の含まれた完成文を発表させる。
　ほかの学習者にそれが正しいかどうか確認させる。
　この練習はグループでやらせてもいい。

14.「まで」の練習
「だけ」のときと同じく、教師がストーリーを準備しますが、それを読ませて、「まで」の部分を見つけさせる練習です。

1．教師は「まで」を使った文がいくつか含まれているストーリー、コラムを準備し、学習者に配布する。
2．各自に読ませる。
3．学習者にストーリー、コラムの中の「まで」の部分を見つけさせる。
4．それぞれの文の「まで」の意味を考えさせる。
5．クラスで、または、ペアになって、それらが単なる格助詞の「まで」か、話し手の気持ちを表している取り立て助詞の「まで」かを話し合わせる。

15 〜つつある

A：このゲームおもしろい？
B：うん、最初はそうでも
　　なかったんだけど。
A：ふーん。今は。
B：今は、はまりつつあるね。

学習者はどこが難しいか。よく出る質問。

1．「〜つつある」の使い方がわからない。
2．「〜つつある」と「〜ている」は同じ？両者の違いがわからない。
3．「〜つつある」は書きことば？

学習者の誤用の例

1．あの問題をほっておくと悪化しつつあると思う。
　　→あの問題をほっておくと悪化していくと思う。
2．夏の末に至るまで雨が降りつつある。
　　→夏の終わりまで雨が降っている。
3．長い間に日本語を勉強しているので、日本語の新聞を読めつつある。
　　→長い間日本語を勉強しているので、日本語の新聞が読めるようになってきた。
4．温暖化の問題が深刻化しつつあろう。
　　→温暖化の問題が深刻化しつつあるようだ。

説 明

●基本的な意味用法

「〜つつある」は「読みつつある」「書きつつある」など動作の進行を表すと考えられがちですが、そうではありません。「変化が起こって、それが完成(終了)する方向に向かっている」という意味を表します。

(1) 日本でも海外投資に対する関心が高まりつつある。
(2) 大阪に70階の高層ビルが完成しつつある。

(1)では、「海外投資に対する関心が高まり始める」、(2)では、「70階の高層ビルの建設が始まる」という変化が起こり、それが完成(終了)の方向に向かっていることを表しています。

「〜つつある」は主に書きことばで使われます。

●作り方・接続の仕方

| V－マス形の語幹 | つつある |

●いつ使われるか

1．会話の中で

「〜つつある」は書きことばなので、会話で使われることはほとんどありませんが、動作や作用がある方向に向かって続いている状態(ここでは成長過程)が顕著なとき、強調して使われることがあります。

(3) A：ウエット社なんて聞いたことがないよ。
    B：知らないんですか。
    A：うん。
    B：人材派遣会社として、今まさに成長しつつある会社ですよ。

ここでの「(成長し)つつある」は「(成長し)ている」に置き換えることができます。

　　　B′：人材派遣会社として、今まさに成長している会社ですよ。

しかし、「〜つつある」のほうが、「今まさに成長の過程にある、変化している」という感じがよく出ています。

(4)　A：早く帰ったほうがいいよ。台風が来つつあるよ。
　　　B：えー、本当？
　　　A：テレビで言ってたよ。

ここでの「(来)つつある」を「(来)ている」にすると、どうなるでしょうか。

　　　A′：早く帰ったほうがいいよ。台風が来ているよ。

この場合は「台風が来つつある」という意味にも「台風がすでに来て吹き荒れている」という意味にもとれてしまいます。

(5)　A：テレビおもしろい？
　　　B：どのドラマも今風のものばかりだね。
　　　A：そうね。大人が楽しめる番組がなくなりつつあるわね。
　　　B：残念だね。

ここで下のA′のように「〜ている」を使うと、もうすでになくなってしまっているという意味を表し、「今まさに変化が起こっている」という意味はありません。

　　　A′：そうね。大人が楽しめる番組がなくなっているわね。

２．文章の中で（文のつながりの例）

例1　　原因・理由の文 [〜ので／ために]、結果の文 [〜つつある]。

「〜つつある」は物事に変化が起こって、完成（終了）に向かっていることを表します。例1は、原因・理由が前件に来て、後件（主節）の結果の文の中で「〜つつある」が使われる例です。

(6) 新しい駅ができたので、周辺の地価が上昇しつつある。
(7) 個人投資家が買い控えているために、株価が下がりつつある。

例2　事態変化の文［～つつある］。　具体的説明の文。

「～つつある」で物事・事態の変化を導入し、次の文でそれについての具体的な説明を加える形です。

(8) 少年犯罪が低年齢化しつつある。これは家族制度の崩壊と軌を一にしている。
(9) コンピュータと会話できるシステムが実現しつつある。エキスパート・システムと呼ばれるもので、それらは問題解決能力を持つものである。

例3　事態変化の文。　（更なる）事態変化の文［～つつある］。

まず、事態や状況について変化してきたことを述べ、次の文でそれと関連した変化を「～つつある」で強調的に説明する形です。

(10) 世界的に地域連合が進んできている。更には、国際的に活動するNPOなども現れつつある。
(11) ソフトウェア工学はさまざまな成果を生み出している。人工知能の研究についても、実用化が現実のものとなりつつある。

例4　事態変化の文。　（更なる）事態変化の文［～つつある］。　まとめの文［(つまり)～］。

例3のうしろには、次のようにまとめの文が来ることがあります。

(12) 世界的に地域連合が進んできている。更には、国際的に活動するNPOなども現れつつある。つまり、世界的な人的ネットワークができてきているのである。
(13) ソフトウェア工学はさまざまな成果を生み出している。人工知能の研究についても、実用化が現実のものとなりつつある。つまり、ロボット化の時代に突入したと言えよう。

例5　事態・状況の文。　しかし、事態変化の文［～つつある］。　具体的説明の文［たとえば、～］。

まず事態・状況説明があって、しかし、一方でほかの変化が起こっていることを「～つつある」を用いて表し、次の文で、具体的な説明を行う形です。

(14)　お笑い番組が増えている。しかし、番組そのもののおもしろさが失われつつあるようだ。たとえば、視聴率の低下にそれが現れている。

(15)　新政権が誕生した。しかし、国民の間の政治への不満は高まりつつある。たとえば、先週のタクシードライバーのストライキがそれだ。

●どのような語と結び付きやすいか

Xつつある

〈Xに来る語〉
「～つつある」は完成（終了とも解釈できる）に向かう動詞に付いて、完成（終了）の方向に変化しているという意味を表します。「完成（終了）に向かう動詞」の例は次のようです。

◆**完成（終了）動詞：**
　完成する、変化する、変わる、消える、調査する、終わる、増える、決まる、など

(16)　足入れ婚のような風習は消えつつある。

一方、完成（終了）に向かわない「非完成（非終了）動詞」には「～つつある」はあまり使われません。「非完成（非終了）動詞」の例は次のようです。

◇**非完成（非終了）動詞：**
　食べる、見る、話す、思う、歩く、驚く、寝る、など

(17)　？子供がアイスクリームを食べつつある。
(18)　？今歩きつつあるんだよ。

「～つつある」は完成（終了）過程に向かう意味を表すため、次のような副詞をとることがあります。

◆副詞：徐々に、少しずつ、次々と、今、まさに、今まさに、など

(19) 町全体がオリンピックに向けて徐々に変わりつつある。
(20) IT分野ではユニークな研究者が次々と生まれつつある。
(21) 世界のどこかで新しいヒーローが今まさに誕生しつつあるのかもしれない。

●「〜つつ」のほかの用法

「〜つつ」は「悪いと知りつつ、悪事に手を出す。」のように、2文をつなぐ用法があります。
1) 同時動作を表す。

(22) 去年を振り返りつつ、写真の整理をした。

「去年を振り返りながら、写真の整理をした」のように「〜ながら」と置き換えることができます。
2) 逆接を表す。

(23) 返事を書かなければと思いつつ、今日に至ってしまった。

前件と後件(主節)が相反する事柄を表し、「〜が／けれども」「〜のに」と同じ意味合いを持ちます。強調した形として「〜つつも」を用いることもあります。

(24) 悪いと知りつつも、また母の財布からお金を失敬した。

従属節「〜つつ」は1)の場合も2)の場合も、主として書きことばに用いられます。

●類義表現との比較

「〜つつある」と「〜ている」の比較

完成(終了)動詞の中で、瞬間的変化を表す瞬間動詞(⇒初ポ33)(変わる、決まる、開く、閉まる、死ぬ、つく、消える、など)では、「〜つつある」と「〜ている」は次のような意味を表します。

「～つつある」　→　変化が生じて、それが完成(終了)に向かっているという意味。
「～ている」　→　ある変化が生じて、その結果が残存している状態。
　⑳　町全体が少し変わりつつある。(変化の最中)
　㉖　町全体が少し変わっている。(もうすでに少し変わってしまった)

　完成(終了)動詞の中の継続動詞(書く、作る、調査する、など)では、ほとんど同じ意味になります。

「～つつある」　→　完成(終了)に向かって動作を行っている。
「～ている」　→　動作の進行。
　㉗　展示会に向けて、新作を作りつつある。
　㉘　展示会に向けて、新作を作っている。

「来る、行く」などの瞬間動詞と継続動詞の両面を持つ動詞では、次のようになります。

「～つつある」　→　完成(終了)に向かって動作を行っている。
「～ている」　→　動作の進行、または、結果が残存している状態。
　㉙　台風が来つつある。
　㉚　台風が来ている。

「学習者の誤用の例」の解説

　1は現在の状態を言っているのではなく、将来的な予測を述べているので、「悪化しつつある」ではなく、将来への変化（状態変化の進展）を表す「～ていく」を使う必要があります。(⇒初ポ35)

　「～つつある」は「完成する、変化する、消える」などの「完成（終了）に向かう動詞」と結び付きます。2で使われている「(雨が)降る」は完成（終了）動詞ではないので、「つつある」とは結び付きにくくなります。3では「読める」という可能動詞を使っています。可能動詞も「つつある」とは結び付きません。

　4は「深刻化しつつある」の「ある」を推量の形にしたものですが、「～つつあろう」という言い方はありません。「～つつあるだろう」も少し無理で、客観的な推量を表す表現「ようだ・らしい」などを使う必要があります。

16

～(よ)うとする

A：遅いじゃないの。
B：ごめんごめん。家を出ようとしたとき、電話がかかってきて。
A：……。
B：仕事関係の電話だったから、長引いちゃって。

学習者はどこが難しいか。よく出る質問。

1．「～(よ)うとする」はいつ使うの？「～(よ)うと思う」とどう違うの？
2．「～(よ)うとする」は「～(よ)うとすると」「～(よ)うとしたとき」など従属節の中で使うことが多いが、従属節の中でうまく使えない。

学習者の誤用の例

1．(私は)これからもっとがんばろうとする。
　→これからもっとがんばろうと思う。
2．(私は)韓国に帰っても日本語を忘れないように、続けて勉強しようとしている。
　→韓国に帰っても日本語を忘れないように、続けて勉強しようと思っている。
3．(私は)明日のピクニックにはぜひ参加しようとしたが、明日まで終わらなければならない仕事があって本当にすみません。
　→明日のピクニックにはぜひ参加しようと思っていましたが、明日までに終わらせなければならない仕事があって。本当にすみません。
4．寝ようとすると、友人から電話がかかってきた。
　→寝ようとしたとき、友人から電話がかかってきた。

説 明

●基本的な意味用法

「～(よ)うとする」は意志動詞に付いて、その動作や行為を実現しようと努力したり、試みたりすることを表します。また、ある行為が行われる「直前」であることを表すこともあります。(⇒初ポ41)

(1) 節約のために少しでも電気代を減らそうとしている。(試み・努力)
(2) 出かけようとしたとき、携帯が鳴った。(直前)

「～(よ)うとする」はまた、無意志動詞に付いて、自然現象など無意志的な出来事を表すこともあります。この場合は「直前」の意味になります。

(3) 今まさに夕日が沈もうとしている。

「～(よ)うとする」は言い切りの形で用いられることは少なく、(2)のように「とき・ところ・のに・が／けれども」などほかの語と結び付いて使われることが多いです。

●作り方・接続の仕方

| V－(よ)う形 | とする |

●いつ使われるか

1．会話の中で

「～(よ)うとする」がどんな状況・場面で使われるかを考えてみましょう。
(4)では、画像を取り込み始めたが、実際にはできなかったことを表しています。

(4) A：パソコンがフリーズしてしまいました。
　　B：何をしたのかね。
　　A：データに画像を取り込もうとしたんですが。
　　B：……じゃ、私がやってみよう。

　次のように、「～(よ)うとしている」は現在の試みつつある状況を説明するときに使われます。

(5) A：会社、首になるかもしれない。
　　B：どうして？
　　A：会社は規模縮小で人を減らそうとしているんだ。
　　B：……そうか。大変だね。

　次の「～(よ)うとしたとき」も、よく使われる言い方です。

(6) A：どうしたの。包帯なんかして。
　　B：足を捻挫してしまったんです。
　　A：どこで？
　　B：階段から下りようとしたとき、踏み外してしまって。
　　A：……まあ、大変。

(6)はもう終わったことを話しているので、「～(よ)うとしたとき」「～(よ)うとしていたとき」となりますが、過去の事柄でない場合は、「～(よ)うとするとき」「～(よ)うとしているとき」、または、「～(よ)うとすると」になります。

(7) A：どうしたの。
　　B：階段から落ちて。
　　A：また？
　　B：そうなんだ。階段から下りようとするとき、いつも踏み外してしまうんだ。
　　A：しょうがないわね。

2．文章の中で（文のつながりの例）

例1　 主題・話題の文 [～（よ）うとしている]。　 具体的説明の文。

「～（よ）うとしている」の言い切りの形は、話の主題やテーマを導入するときに使われることが多いです。そのあとには、主題についての具体的な説明が来ます。

(8) 今大学はどう地域に結び付いていくかという取り組みを始めようとしている。大学が自治体や産業界との連携を図るパートナーシップはどんどん具体化されていくだろう。

(9) 欧米の巨大資本がアジア地域を取り込もうとしている。日本での企業の統合はその現れの一つである。

例2　 事態・状況の文 [～（よ）うとする／したが／けれども]、結果の文。

出来事や事態・状況の過程を説明するとき、「～（よ）うとする」のうしろに、「が／けれども」が付いて、後文に続いていきます。

(10) 新宿で『ALWAYS 三丁目の夕日』の最終回を見ようとしたが、満席で入場できず、帰ってきた。

(11) クマに襲われた50歳女性、鼻を殴って逃げようとしたが、クマは動じず、腕をかまれて1か月の怪我。

例3　 事態・状況の文 [～（よ）うとする／した]「人・もの」が結果の文。

例2のような出来事や事態の過程を説明するとき、名詞修飾の形をとることも多いようです。

(12) 喧嘩を止めようとした人が逆に殺されてしまった。

(13) 29日未明、一時停止を怠ったクルマを制止しようとした巡査部長が、このクルマにはねられて軽傷を負うという事故が起きた。

例4　 （逆接）条件の文 [～ても／のに]、～（よ）うとしない。

否定の形「～（よ）うとしない」はその行為を行う意志や気配が全くないことを表し

ます。否定の場合は、前件に逆接の条件を表す「〜ても／のに」が来やすくなります。

(14) うちの子供は親がいくら言っても、言うことを聞こうとしない。
(15) 父はタバコは体に悪いとわかっているのに、一向にやめようとしない。

例5 原因・理由の文 [〜(よ)うとしないので／から]、結果の文。

また、否定の形「〜(よ)うとしない」が「ので／から」を伴って理由を表し、後文に結果の文が来ることもあります。

(16) 子供が言うことを聞こうとしないので、厳しく説教をした。
(17) なかなかおもちゃを片付けようとしないから、おもちゃを取り上げてしまった。

●どのような語と結び付きやすいか

1．X(よ)うとする
〈Xに来る語〉
◆**意志動詞**：
食べる、待つ、入る、帰る、寝る、思い出す、など

(18) ちょっと待って、今思い出そうとしているんだから。
(19) お風呂に入ろうとしたとき、地震が起こった。

◆**無意志動詞**：
溢れる、暮れる、なくなる、消える、沈む、昇る、など

(20) 大雨で川の水が溢れようとしている。
(21) 日が暮れようとしたとき、突然爆発が起こった。

2．X(よ)うとしない
〈Xに来る語〉
◆**意志動詞**：
やめる、行く、帰る、寝る、話す、食べる、見る、読む、など

(22) いくら言っても彼はタバコをやめようとしない。

◆**無意志動詞**：
降る、やむ、など

(23) 日照りが続いているのに、一向に雨は降ろうとしない。

「～(よ)うとしたとき」「～(よ)うとしたところ」などは、後文に事態の変化の文が来やすくなります。事態の変化の文では次のような表現が多くなります。

～(よ)うとしたとき／ところ、 { ～てきた(例：電話がかかってきた。)
～てしまった(例：電話を切ってしまった。)
～が起こった(例：地震が起こった。) }

●類義表現との比較

1．「～(よ)うとする」と「～(よ)うと思う」の比較

「～(よ)うと思う」は、意志はあるけれども、行動には移していません。一方、「～ようとする／ようとした」は、実際にはしなかったものの、一応は動作を試みかけています。次の発話は、電話しなければいけなかった人から電話がかかってきたとき、決まり文句のように言う言い方です。

(24) 　A：もしもし、森ですが。
　　　B1：ああ、森さん。今お電話しようと思っていたところでした。

これがB2のようになると、受話器を取り上げて電話をかける動作をし始めたことになります。

B2：ああ、森さん。今お電話しようとしていたところでした。

2．「〜(よ)うとする」と「〜てみる」の比較

「〜(よ)うとする」と同様に「〜てみる」も英語のtryに訳されることがあるので、「〜(よ)うとする」と似ていると言えるかもしれません。しかし、「〜てみる」は「ある動作をして、その結果をみる」が基本の意味なので、動作をしない「〜(よ)うとする」とは異なります。

(25)　a．私は息子の持ち物を調べようとしました。(調べていない)
　　　b．私は息子の持ち物を調べてみました。(調べた)

「学習者の誤用の例」の解説

「〜(よ)うとする」と「〜(よ)うと思う」の混同が目立ちます。1〜3はすべて「〜(よ)うと思う」にすべき誤りです。「〜(よ)うとする／(よ)うとした」は実際にはしなかったけれど、一応は動作を試みかけていることを表します。「〜(よ)うと思う」と比較しながら、両者の違いを正確に把握させてください。1と3は「これから」また「明日」のことであり、また2はまだ帰国していないので、動作を試みる「〜(よ)うとする」は使えません。

4は「〜と」と「〜とき」の使い分けの問題ですが、「寝る」という時点に焦点が当たっているので、「〜と」ではなく「〜とき」のほうが適切になります。「〜(よ)うとする」はそれで言い切ることは少なく、「〜と・〜とき・〜ので・〜て」などの従属節につながっていくことが多いので、それらを複数個つなげる練習が重要になってきます。

17

～始める・～出す・（～かける）

A：雪が降り出したわ。
B：でも、大したことないね。
A：降り始めは小降りでも、
　　だんだんひどくなってくるのよ。
B：そうだね。きのうもそうだったね。

学習者はどこが難しいか。よく出る質問。

1．「～始める」と「～出す」は同じ？どう違うの？
2．「～始まる」を使っても大丈夫？
3．いつの時点が「雨が降り始める」時点なのか。
4．動詞を正しく「始める・出す」に接続できない。

学習者の誤用の例

1．あの人は数学の問題を考えたら、解決するまでやめない。
　　→あの人は数学の問題を考え始めたら、解けるまでやめない。
2．関東地方では朝から雪が降り始まった。
　　→関東地方では朝から雪が降り出した／降り始めた。
3．では、本を読み出してください。
　　→では、本を読み始めてください。
4．（空を見て）あ、雨が降り出している。
　　→あ、雨が降り出した。

説 明

●基本的な意味用法

「〜始める・〜出す」はいずれも動詞マス形の語幹に付いて、動作・行為や事態・変化の開始を表します。しかし、両者において意味用法が少し異なります。

１．〜始める

1)動作・行為の意志的な開始

「〜始める」は物事の開始について全般的に使用できますが、(1)のように意志動詞に付いて「動作・行為の意志的な開始」を表すことが多いです。

(1) 彼は遅れるようだから、先に食べ始めましょう。

2)事態・変化の開始

「〜始める」が無意志動詞に付くと、「事態や変化の開始」を表します。

(2) 先週からの大雨で土砂が流れ始めた。

２．〜出す

「〜出す」は意志動詞や無意志動詞に付いて、動作・行為が突然開始したり、その事態が突然起こったことを表します。

(3) 話の途中で、父は急に怒り出した。
(4) 今まで這い這いをしていた子供がきのうから歩き出した。

●作り方・接続の仕方

V－マス形の語幹	始める 出す

●いつ使われるか

1．会話の中で

「～出す」は開始の時点に焦点が当たるので、突発的な事態の開始に対しては、「～始める」より自然になります。次の「泣き始める」は誤りではありませんが、急な事態ということで「泣き出す」のほうが自然になります。

> (5) A：翔君、どうしたの。
> B：さっき急に泣き{？始めて／出して}……。
> A：おなかがすいているんじゃない？
> B：ミルクをやっても飲まないし。

「～始める」は文末に命令・依頼・意向などの意志表現をとることができますが、「～出す」はできません。

> (6) A：西村さんがまだ来ないんですが。
> B：ああ、そうですか。
> A：先に食べ{始めて／？出して}もいいですか。
> B：ええ、食べ{始めて／×出して}ください。

許可伺いの「食べ出してもいいですか」は「食べ出してください」よりは言えそうですが、やはり意志的な表現には「～出す」は不向きなようです。

「～始める」が無意志動詞に付くと、事態や変化の開始を表します。「～出す」が開始時点に焦点が当たるのに対し、「～始める」はその先の事態・変化の進展、時には到達点まで示唆することがあります。

> (7) A：まだ5時なのに暗くなり始めましたね。
> B：そうですね。
> A：10月半ばですからね。
> B：これから寒くなり始めますね。

２．文章の中で（文のつながりの例）

例１　きっかけ・理由の文 [〜て]、〜始める／出す。

物事の開始にはきっかけ・理由があることが多いです。きっかけ・理由が「〜て」で導かれて「〜始める・〜出す」に結び付いていく例です。

(8)　ネット経由で仕事が来たりして、収入が安定し｛始めた／出した｝。
(9)　いろんな国の留学生の考え方を聞いて、日本人学生も自分の国を意識し｛始めた／出した｝ようだ。

例２　〜始めた／出したが／けれども、ただし書き・反対の文。

物事が開始したけれども、それに対して修正を加えたり、反対または逆のことを述べる形です。

(10)　各社とも採用枠を広げ｛始めた／出した｝が、高卒者は採用しない方針だ。
(11)　何だか知っているような気がし｛始めた／出した｝けれども、はっきりとはわからない。

例３　事態・状況の文 [〜始めた／出した]。　具体的説明の文。

事態・状況を物語風に説明するときに、まず、物事が始まったことを宣言して、次に、具体的に説明する形もあります。

(12)　人々はうごめき｛始めた／出した｝。「どこだ、何だ、だれだ。」彼らは口々にそう叫んだ。
(13)　渋滞が緩和し｛始めた／出した｝。全く動かなかった車が少しずつ進むようになった。

例４　〜始めた／出したのは〜。

「〜始めた／出したのは」で始まる強調構文で用いられる例です。

(14)　インターネットが普及し｛始めた／出した｝のは、1995年以降のことです。

(15) 彼女と付き合い{始めた／出した}のは2年前からだ。

● どのような語と結び付きやすいか

1．「動作・行為の意志的な開始を表す」X始める
〈Xに来る語〉
◆意志動詞：
食べる、飲む、買う、など

(16) 先週この長編小説を読み始めた。

2．「事態・変化の開始を表す」X始める
◆無意志動詞：
崩れる、流れる、なる、変わる、など

(17) 10月になると、一雨ごとに寒くなり始める。

3．X出す
〈Xに来る語〉
◆無意志動詞：
(雨が)降る、(風が)吹く、流れる、崩れる、こわれる、泣く、怒る、など

(18) 地震で壁が崩れ出した。

◆副詞：急に、突然、とうとう、ついに、など

(19) 急におなかが痛くなり出した。

● 類義表現との比較

「〜始める・〜出す」と「〜かける」の比較
「〜かける」は「〜始める・〜出す」と同じく、動作・事態の開始を表します。

(20) ご飯を食べ{かけた／始めた／出した}とき、急に雷が鳴って停電になった。

しかし、「〜かける」はその動作を途中までして、または、その動作をしようとして、途中でやめることを表します。

⑵1　12時に食べ{×かけて／始めて／出して}、3時に食べ終わった。

「〜かける」のマス形の語幹「〜かけ」は名詞として使われます。
・食べかけのお菓子、読みかけの本、やりかけの仕事、など

⑵2　この肉は腐りかけだ。

名詞としての「〜かけ」の場合は動作が途中までなされて、外観に途中までの状態が見られるのが普通です。

「学習者の誤用の例」の解説

　1は「始める」が脱落している誤りです。「考え始める→考え終わる（＝解決する）」という構図になるので、「始める」が必要になります。
　2は「〜始める」と「〜始まる」の混同ですが、「〜（し）始まる」という言い方はありません。学習者は「降る」が自動詞なので自動詞である「始まる」を使いたいようですが、複合動詞としては「〜（し）始める」にしなければなりません。
　3は「読み出す」を依頼の形にしています。「〜出す」は突然の事態を表す表現なので依頼の形にすることはできません。
　4はなかなか難しい問題で、学習者は雨が降り出して雨粒が落ち始めている状態を表現したかったようですが、日本語では「雨が降り出す」現象を瞬間的にとらえ、その状態が続く「雨が降り出している」という言い方はしません。

18 〜きれない・〜えない・〜かねる・
（〜きれる・〜える／うる・〜かねない）

A：学校帰りの子供の誘拐が増えているね。
B：そうなんだよ。
A：子供は誰にでもついて行ってしまいかねないからね。
B：そうなんだよ。学校でいくら注意しても子供を守りきれないんだよ。

学習者はどこが難しいか。よく出る質問。

1．「理解しきれない」「理解しえない」「理解しかねる」は同じ？どう違うの？
2．「〜きれない・〜えない・〜かねる」と「できない」はどう違うの？
3．「〜かねる」は可能を表すが、「〜かねない」もそう？「〜かねる」と「〜かねない」を混同する。

学習者の誤用の例

1．ゴールデンウィークのに、山のような宿題に対して、書きれない。
　→ゴールデンウィークなのに、山のような宿題があって終わらない。
2．これは今晩までは やりきれない 分量ですね。
　→これは今晩までには終わらない分量ですね。
3．5才の子供は車があっても、運転しえない。
　→5才の子供は車があっても、運転できない。

4．急に天気が変わって、大雨が降ったのは予想しえない。
　→急に天気が変わって、大雨が降るなんて予想しえないことだ／予想しえなかった。
5．どちらでもすごくいい条件なので、すぐには決めかねません。
　→どちらもすごくいい条件なので、すぐには決めかねます。
6．君を駅まで連れて行きかねてすみません。
　→君を駅まで連れて行けなくて、すみません。

説 明

●基本的な意味用法

　「〜きれない・〜えない・〜かねる」はニュアンスの違いはありますが、「できない」という不可能を表しています。

　　(1)　彼の言うことは理解し｛きれない／えない／かねる｝。

「〜きれない」は話しことばで用いられますが、「〜えない」「〜かねる」はややかたい表現で、主に書きことばに用いられます。それぞれの基本的な意味用法は次のようです。

1．〜きれない
　「量が多くて、完全にできない、十分にできない」ことを表します。したがって、(1)の「理解しきれない」では「一応の理解はしているが、完全には理解できない」の意味を表します。数量・程度を表す事柄や動詞とともに使われることが多いです。漢字では「切れない」が使われます。

　　(2)　あまり多くて数えきれない。

2．〜えない
　「事柄が状況に合致しないので、可能性が少ない、可能性がない」という意味を

表します。(3)のような意志的な行為は「できない」という意味に、また、(4)のような無意志的な事柄は「(ある)はずがない」の意味になります。漢字では「得ない」が使われます。

 (3) 彼女が職場に復帰することは期待しえないことだ。
 (4) 仕事に雑用など存在しえない。

3．〜かねる

「気持ちとしてはそうしたいところだが、諸所の条件が十分に整わない(状況が許さない)ので、できない」という意味を表します。

 (5) 私の口からは説明しかねるから、田村さんから聞いてください。

●作り方・接続の仕方

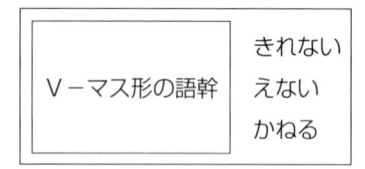

V－マス形の語幹	きれない えない かねる

●いつ使われるか

1．会話の中で

「〜きれない・〜えない・〜かねる」は不可能を表しますが、能力的な事柄に使えるかどうかを見てみましょう。

> (6) A：日本に来てどのくらいですか。
>   B：半年です。
>   A：日本語はどの程度話せますか。
>   B：まだ十分話し{?きれません／×えません／×かねます}。

単に能力的にできないことを述べる場合は「〜きれない・〜えない・〜かねる」は使えません。ただし、「〜きれない」は「量が多くて、また、難しくて、完全にできない、十分にできない」の意味なので、量や程度を問題にしている場合は、可能になります。

(7)　A：これ日本語に訳せますか。
　　　B：完全には訳しきれませんが、ある程度ならできます。

　「〜きれない・〜えない・〜かねる」はそれぞれ使用できる動詞に制約があるので、3者を並べて比較するのは難しいですが、次の会話で意味的な違いを見てください。

(8)　A：彼が犯人だと断定できましたか。
　　　B1：いえ、彼が犯人だとは断定できません。
　　　B2：いえ、彼が犯人だとは断定しきれません。
　　　B3：いえ、彼が犯人だとは断定しえません。
　　　B4：いえ、彼が犯人だとは断定しかねます。

B1は「断定することは不可能だ」と客観的に断言しています。B2の「断定しきれない」は少しは怪しいが100％クロとは言えないことを表しています。
　B3の「〜えない」は「〜得る（うる・える）」の否定形ですが、「〜得る」は単なる客観的な可能を表すのではなく、<u>事柄が状況に合致していく自発的発想</u>（「それは起こり得ることだ。」「彼ならなし得るだろう。」「それは予期し得ることだ。」）が根底にあります。（下線部分は森田（1989）より）
　「〜えない」は否定形ですが、「事柄が自然な形で状況に合致していかない」という意味合いを含むと考えられます。したがって、B3は周りのいろいろの状況から推して自然な形で「犯人とは断定できない」という意味を表します。
　B4は話し手の気持ちとして、今の段階でははっきり言うことを憚られるという気持ちを示しています。

　「〜かねる」は「気持ちとしてはそうしたいところだが」という意味合いが入るので、丁寧な言い方になり、物事を断るのに使われることがあります。

(9)　A：この物件をお引き受け願いたいんですが。
　　　B1：いろいろ考慮しましたが、お引き受けしかねます。

これは「〜きれない・〜えない」では表せません。

B2：？いろいろ考慮しましたが、お引き受けしきれません。
B3：×いろいろ考慮しましたが、お引き受けしえません。

２．文章の中で（文のつながりの例）

例1　(～のか)～のか～きれない／えない／かねる。

どちらがどうであるかが判断できないときに使われます。また、「～きれない・～えない・～かねる」のうしろには「ところがある」のような表現が来やすくなります。

(10)　生徒が本当にわかっているのかどうか判断し{きれない／えない／かねる}。

(11)　この学校の校則は厳しいのか厳しくないのか理解し{きれない／えない／かねる}ところがある。

例2　原因・理由の文[～て／ので／ために]、～きれない／えない／かねる。

原因・理由があるために、それができない、できにくいという流れの形です。

(12)　問題があまりに大きすぎて、把握し{きれない／えない／かねる}ところがある。

(13)　複雑すぎるために、ことばで表現し{きれない／えない／かねる}。

例3　前置きの文[～が／けれども]、～きれない／えない／かねる。

前置きの文「～が／けれども」のあとに、それとは反対のことを述べる形です。

(14)　対策をとらなければならないが、すぐには対処し{きれない／えない／かねる}。

(15)　彼の言っていることは信じたいけれど、信じ{きれない／えない／かねる}ところがある。

例4　〜きれない／〜えない／〜かねるが／けれども、ただし書き・反対の文。

「〜きれない・〜えない・〜かねる」で不可能であると言っておいて、次に修正を加えたり、反対の事柄を述べる形です。

(16) 彼の本心ははかり|きれない／えない／かねる|が、言っていることは筋が通っている。

(17) 全面的な支援はし|きれない／えない／かねる|けれども、できる範囲の協力はするつもりだ。

●どのような語と結び付きやすいか

１．Xきれない
〈Xに来る語〉
◆**数量・程度に関わる動詞**：
数える、覚える、押さえる、把握する、対応する、対処する、抱える、カバーする、我慢する、伝える、返す、など

(18) 彼は彼女への押さえきれない思いを酒で紛らわせようとした。

◆**認識や決断などに関わる意志動詞**：
納得する、理解する、あきらめる、断る、など

(19) 彼女のアリバイ説明で納得しきれないところがある。

２．Xえない
〈Xに来る語〉
「〜えない」がとる動詞は限られていて、次のような動詞に結び付きやすくなります。単なる動作を表す「食べる、飲む、見る、勉強する、運転する」などに使うと不適切になります。

◆**認識や発言・達成に関わる意志動詞**：
予測する、予期する、期待する、理解する、断定する、表現する、証明する、成

す、達成する、到達する、など

(20) 今の状況では1か月先の経済情況は予測しえない。

◆無意志動詞：
　ある、存在する、起こる、など（「あるはずがない」の意味を表す）

(21) そんなことありえないでしょう。

◆副詞〈～きれない・～えない〉：とうてい、完全に、十分に、もう、とても、など

(22) 彼の偉大さはありきたりのことばではとうてい説明しきれない。

3．Xかねる
〈Xに来る語〉
　使われる動詞の範囲は狭いですが、「理解する、判断する」が比較的多く使われます。また、慣用的な言い方が多く見られます。

◆判断や同意に関わる意志動詞：
　理解する、判断する、賛成する、お答えする、同意する、保障する、など

(23) その問題についてはこの場ではお答えいたしかねます。

◆慣用的な表現：
　ご希望に沿いかねます、腹にすえかねる、（いじめ・苦しさ）に耐えかねて、見かねて、決めかねて、など

(24) 子供の動作がのろいので、見かねてつい手を出してしまう。

◆副詞：簡単には、すぐには、など

(25) 一通りわかったが、すぐには決めかねる。

●類義表現との比較

「〜きれない・〜えない・〜かねる」と「〜きれる・〜える／うる・〜かねない」の比較

「できない」の意味を持つ「〜きれない・〜えない・〜かねる」について見てきましたが、ここでは、「〜きれない」「〜えない」の肯定形、そして、「〜かねる」の否定形について少し触れたいと思います。

1)〜きれる

㉖〜㉘のように、「〜きれる」は「完全に終わらせることができる」という意味を表します。

　　㉖　人間が理解しきれる範囲はそこまでだ。
　　㉗　A：彼が犯人じゃないと言いきれますか。
　　　　B：はい、言いきれます。
　　㉘　A：こんなにたくさん食べきれるんですか。
　　　　B：この分量なら、5分で食べきれると思います。

2)〜える／うる

「〜える／うる」は「できる」の意味になります。漢字では「〜得る」を用います。

　　㉙　私には彼の気持ちは理解し得ます。

3)〜かねない

　　㉚　A：私には彼の気持ちは理解しかねる。
　　　　B：×そうですか。私は理解しかねません。

肯定の「〜かねる」は「できない」の意味になりますが、否定形の「〜かねない」は可能・不可能には関係なく、「そうしてしまう」「そうなってしまうかもしれない」「そういう危険性がある」の意味になります。

(31) 彼の説明はほかの人に誤解を与えかねない。
(32) 放っておくと、このビルは崩壊しかねません。

(31)(32)のように「～かねない」はマイナスの事柄にしか使えません。

「学習者の誤用の例」の解説

　1については、まず「宿題を書く」という言い方が不自然です。言いたいことは「宿題を終える」ことができないということなので、「終わらない」と表せばいいことになります。

　2は「まで」と「までに」の混同から来る誤りもありますが、「やり終えられない」の意味で使った「やりきれない」が、別の意味（「やりきれない気分だ」など）を持つので、単に「終わらない」としたほうがいいと思われます。

　「～えない」は「事柄が自然な形で状況に合致していかない」という自発的発想の意味合いを含みます。3は「運転できない」という客観的な、技術上の可能・不可能を問題にしているので、「～えない」は不適切になります。

　4は「予想しえない」は適切に使えていますが、「～えない」の前に来る表現は「～のは」ではなく、「～なんて」が自然になります。学習者は文を次につなぐとき、すぐ名詞化の「ことは」「のは」を使いたがりますが、「～なんて」「～とは」などを使ってのつなぎ方も指導したいものです。

　「～かねる」は肯定の形をとっていながら「～できない」という意味を表します。学習者は「できない」だから「かねない」ではないかと思ってしまって、5のような文を作りがちです。「～かねない」は「そうしてしまう、そうなってしまう」という意味で、「できる・できない」とは関係のない意味を表します。

　「～かねる」は「気持ちとしてはそうしたいところだが、諸所の条件が十分に整わない」ことを表します。相手に対して使うときには断りを表すので、6では、謝りを表すために「連れて行けなくて、すみません」とする必要があります。

19 〜にくい・〜づらい・〜がたい

A：西村先生のゼミ、やめようと思ってるの。
B：先生に話した？
A：まだ。ちょっと話しづらくて……。

学習者はどこが難しいか。よく出る質問。

1．「〜にくい」と「〜づらい」「〜がたい」は同じ？ 3者の違いがわからない。
2．「にくい」イコール「難しい」と理解して「日本語の勉強はしにくい」としてしまう。
3．「がたい」の前にはどんな動詞が来るの？

学習者の誤用の例

1．この料理は味が悪くて、食べにくい。
　→この料理は味が悪くて、おいしくない。
2．日本語の勉強はしにくい。
　→日本語の勉強は難しい。
3．田中さんのことばは信じづらい。
　→田中さんのことばは信じられない。
4．彼女はどんな好きでも、シャイで自分の気持ちは表しづらい。
　→彼女はシャイな人なので、どんなに好きでも、自分の気持ちは表しづらいようだ。
5．彼はそんなひどいことをしたのは信じがたい。
　→彼がそんなひどいことをしたとは／なんて信じがたい。

6．彼は忙しくて、連絡しがたい。
　→彼は忙しそうで、連絡を／がとりにくい。

説　明

●基本的な意味用法

「〜にくい」「〜づらい」「〜がたい」はいずれも動詞マス形の語幹に付いて、「〜するのが難しい」という意味を表します。それぞれの特徴の主なものは次のようです。

1．「〜にくい」

話しことばでも書きことばでも用いられます。(1)のように主に物理的、生理的に困難なことを表します。

　(1)　この靴は形が悪くて、はきにくい。

2．「〜づらい」

「〜づらい」は話しことばにも用いられますが、やや書きことば的な言い方です。感情形容詞の「つらい」から来ており、話し手が心情的に「そうするのがつらい、難しい、申し訳ない」の気持ちを含むことが多いです。

　(2)　ちょっと言いづらいことなんですが。

3．「〜がたい」

「〜がたい」は書きことばに用いられます。「〜にくい」「〜づらい」と異なり、「実現することは難しくてめったにない」という意味を表します。そこから「できない、不可能だ」という意味になることが多いです。使われる動詞に制限があり、また、慣用句として使われる場合が多いです。

　(3)　あの人は偉すぎて、近寄りがたい。

●作り方・接続の仕方

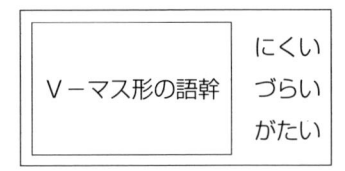

| V－マス形の語幹 | にくい
づらい
がたい |

●いつ使われるか

1．会話の中で

(4)では、「割れる」という物理的なことを扱っています。物理的な事柄は「〜づらい」「〜がたい」は不適切で、「〜にくい」のみが適切になります。

> (4) A：このコップ、ガラス？
> 　　B：いや、プラスティックだよ。
> 　　A：ふーん、プラスティックは割れ{にくくて／×づらくて／×がたくて}いいね。

(5)では、Aは西村先生に話すことに困難を感じています。「〜にくい」「〜づらい」が可能ですが、「〜づらい」のほうが精神的に苦痛を感じているという意味合いを含みます。「〜がたい」は「話す」や「食べる」「使う」などの実現がすぐ可能な場合には不自然になります。

> (5) A：西村先生のゼミ、やめようと思ってるの。
> 　　B：先生に話した？
> 　　A：まだ。ちょっと話し{にくくて／づらくて／×がたくて}……。

(6)は、物理的・生理的な難しさではないので、「〜にくい」は不適切になります。また、精神的苦痛は伴わないので「〜づらい」も不適切になります。「信じがたい」は「信じられない」に通じ、そんなことはありえないという意味で、「〜がたい」が適切になります。また、「信じる」のような認識を表す動詞には、「〜がたい」が付きやすくなり

ます。

> (6) A：富田さん、万引きしたんですって。
> B：えっ、うそだろ。
> A：警察に連れて行かれたみたい。
> B：それは信じ{?にくい／?づらい／がたい}話だ。

２．文章の中で（文のつながりの例）

例１　　原因・理由の文 [〜ので／から／て]、〜にくい／づらい／がたい。

あることをするのが難しいというとき、多くの場合原因・理由があります。そのときは、「〜ので／から／て」などが前件に来ます。

(7) 声が小さいので、聞き取りにくい。
(8) 突然のことで、急には信じがたい。

例２　　前置きの文 [〜が／けれども]、〜にくい／づらい／がたい。

前置きの文が「が／けれども」を伴って先行し、次の文で、そういう状況だが「〜するのが難しい」と述べる形です。

(9) わかってはいるが、どう考えても納得しがたい。
(10) 私が言わなければならないのだけれども、どうも本当のことは言いづらい。

例３　　〜にくい／づらい／がたいが／けれども、ただし書き・反対の文。

先に「〜するのが難しいが／けれども」と述べておいて、修正をしたり、反対または逆の文を述べる形です。

(11) すぐには信じがたいかもしれないけど、本当の話なんです。
(12) 望月の作品も捨てがたいが、今回は後藤の作品を採用することにする。

| 例4 | ～にくい／づらい／がたいが／けれども、～うちに／ば～。 |

例3の後文に「ある条件を入れると、難しいこともできる」という意味を持たせるために、「～うちに／ば」が入ることがあります。

(13) 最初は近寄りがたかったが、付き合っているうちに彼の人柄がわかってきた。
(14) 文字が小さくて読みづらいけれども、慣れればそれほど難しくはない。

| 例5 | ～にくい／づらい／がたい「名詞」が／は／も～。 |

「～にくい／づらい／がたい」が名詞を修飾する用法も多く見られます。

(15) 5月10日ごろより、電話回線に接続しにくい状況が発生しております。
(16) 足の向くままの旅というのも捨てがたい魅力があります。

●どのような語と結び付きやすいか

1．Xにくい

〈Xに来る語〉

◆意志動詞：
　歩く、食べる、使う、読む、覚える、見分ける、育てる、生きる、連絡をとる、など

(17) 砂利道で足がとられて歩きにくい。

◆無意志動詞：
　治る、つく、(電話が)かかる、つながる、太る、わかる、手に入る、こわれる、など

(18) 癌は治りにくい病気だ。

２．Ｘづらい
〈Ｘに来る語〉
◆**意志動詞**：
　話す、言う、断る、聞く、頼む、答える、説明する、理解する、など

　(19)　以前一度断られたので、頼みづらい。

３．Ｘがたい
〈Ｘに来る語〉
◆**認識や発言に関わる動詞**：
　理解する、認める、受け入れる、信じる、許す、説明する、表現する、など

　(20)　彼女の行動は常人では理解しがたい。

◆**慣用的な言い方**：
　筆舌に尽くしがたい、動かしがたい事実、近寄りがたい人物、得がたい人材、許しがたい行為、耐えがたい屈辱、など

　(21)　森山博士は威厳のある、我々にとっては近寄りがたい人物である。

「〜にくい・〜づらい・〜がたい」の共通の意味は「〜するのが難しい」ことから、難しさの程度を表す副詞が用いられることが多くなります。
◆**副詞**：ちょっと、少し、なかなか、とうてい、全く、非常に、など

　(22)　ちょっとここでは話しにくいので、あちらでよろしいですか。
　(23)　そういう質問はなかなか答えづらいですね。
　(24)　彼の言動はとうてい許しがたいものだ。

「学習者の誤用の例」の解説

　「〜にくい」は物理的に困難なときに用いられます。1では「肉がかたい」であれば「食べにくい」は可能ですが、「味が悪い」と「食べにくい」は結び付きにくいです。

　2は「難しい」と「しにくい」を混同した誤りです。「しにくい」は方法的に難しいの意味で、この場合は内容的な難しさを問題にしているので、「難しい」とすべきです。

　3の「〜づらい」は心情的に「そうするのがつらい、申し訳ない」という話し手の気持ちを表します。「信じる」のような認識を表す動詞には「づらい」は結び付きにくいようです。

　4は「彼女」という第3者の気持ちについて述べています。「〜づらい」は言い切りの形では話し手の気持ちしか表さないので、第3者の気持ちを表すときには、うしろに「ようだ・らしい」などが必要になります。

　5では「信じがたい」の前に「のは」が来ていますが、「とは」「なんて」にしたいところです。学習者は文を次につなぐとき、すぐ名詞化するための「ことは」「のは」を使いがちですが、「とは」「なんて」のほうが自然になります。

　「〜がたい」は結び付く動詞（認識・発言に関わる動詞など）が限られます。6の「連絡する」は「〜がたい」ではなく、「〜にくい」が適切になります。しかし、「連絡する」は「彼に連絡したいことがある」のように内容を伝えるという意味があるので、物理的な行為を問題にする場合は「連絡をとる」がより適切になります。

20
〜ことだ

A：若い人に注意したら、殴られたんです。
B：えっ、どこで。
A：電車の中で。
B：若い人には関わらないことですね。
　　今どきの人はすぐキレるから。

学習者はどこが難しいか。よく出る質問。

1．「〜ことだ」と「〜ものだ」の使い分けが難しい。
2．気持ちを表す「〜ことだ」の使い方が難しい。
3．「〜ことだ」は若い人も使うの？
4．「〜ことだ」の否定の形は「〜ことではない」「〜ことはない」？

学習者の誤用の例

1．時間がたつのは早いことですね。
　　→時間がたつのは早いものですね。
2．子供がいつもいたずらをすることだ。
　　→子供はいたずらをするものだ。
3．学生時代にはよく友達と議論したことだ。
　　→学生時代にはよく友達と議論したものだ。
4．あの人は頭がいいから、医者になれないことではないでしょう。
　　→あの人は頭がいいから、医者になれないことはないでしょう。

説 明

●基本的な意味用法

次のような、文を名詞化する「こと」については初級レベルで勉強しました。(⇒初ポ53)

(1) 学生がしなければならないことは勉強することだ。

最初に出てくる「こと」は「学生がしなければならない」を名詞にし、あとの「こと」は「勉強する」を名詞にしています。「学生がしなければならないこと」=「勉強すること」という論理的な関係にあって、話し手の気持ちは含まれていません。

ここで取り上げる「～ことだ」は話し手の気持ち(ムード(モダリティ))を表す「ことだ」です。(⇒初ポ32)

話し手の気持ちを表す「ことだ」の意味用法は、大きく次の二つに分かれます。

(2) テニスが上達したかったら、一にも二にも練習することだ。

（間接的な忠告・命令）

(3) A：あの選手、年に1回少年達にただで野球を教えてるそうよ。
　　B：へえ、それは感心なことだ。

（驚き・感動・皮肉・感慨・あきれる気持ち）

「練習しろ」のように直接相手に向かって発する命令とは異なり、「～ことだ」は間接的な忠告・命令になります。

●作り方・接続の仕方

「ことだ」への接続は意味用法によって異なります。「忠告・命令」は動詞の、「感慨・感心」は形容詞の非過去に接続します。前者は肯定形・否定形に接続しますが、後者は主に肯定形に接続します。

```
┌─────────────────────────────────────┐
│  V－る／V－ない   ことだ〈忠告・命令〉 │
│                                     │
│  イadj.－い                          │
│  ナadj.－な    ことだ〈感慨・感心〉   │
└─────────────────────────────────────┘
```

● **いつ使われるか**

1．会話の中で

「～ことだ」は話しことばで使われますが、「～ものだ」と同じく、どちらかというと年配者に使われることの多い表現です。

(4)ではBが忠告していますが、BはAより年齢的にも立場的にも上と考えられます。

> (4) A：成績が上がらないんです。
> B：毎日どのくらい勉強しているの。
> A：1時間ぐらい。
> B：それは少な過ぎる。
> 　　ゲームばかりやっていないで、もっと勉強することだ。

次もBは忠告・助言しています。丁寧形を使っていますが、やはり年齢的にも立場的にもAより上と考えられます。

> (5) A：若い人に注意したら、殴られたんです。
> B：ええっ、どこで。
> A：電車の中で。
> B：そんなときは黙っていることですね。
> 　　変な正義感を出さないで……。

次は話し手の驚きや感動・皮肉・感慨を表す「～ことだ」を使った会話です。「～ことだ」は主に他人の行為や事態に対しての、話し手の気持ちを表します。また、使

われる形容詞も(6)(7)のように限られてきます。

(6)では、Bは現代の高齢者の状況を感慨の気持ちを込めて「さびしいことだ」と言っています。

> (6) A：老人ホームに入るお年寄りが増えているそうね。
> B：昔は家庭で世話していたんだが。
> A：老人のお世話も大変だし。
> B：それはそうだけど、さびしいことだね。

Bが「ことだ」を付けずに、単に「さびしい(です)ね」と言ったとすると、話し手自身の感慨の気持ちは弱くなります。

(7)では、Bは相手の高級住宅街への引っ越しをうらやましく思って「けっこうなことだ」と言っています。

> (7) A：来月引っ越すことになりました。
> B：どちらへ。
> A：田園調布のほうへ。
> B：まあ、それはけっこうなことですね。

２．文章の中で（文のつながりの例）

例1　　条件の文 [～たかったら／たければ／たいなら]、～ことだ。

願望を表す「～たい」に「たら／ば／なら」が付いて、そういう条件や状況を望むのであれば、「こうしたほうがいい」「こうしろ」などの忠告・助言を表します。

(8) 小遣いがほしかったら、自分で稼ぐことだ。
(9) 成功したかったら、人の3倍働くことだ。

この「～たかったら／たければ／たいなら」は条件の形をとっていますが、目的を表しているとも考えられます。

(8)' 小遣いを得る(ため)には自分で働くことだ。

(9)′ 成功する(ため)には、人の3倍働くことだ。

例2　忠告・助言の文 [〜ことだ]。　理由の文 [〜から]。

はじめに「ことだ」を用いて忠告・助言を行い、そのあとで理由を述べる形もあります。

(10) 何も言わないことだ。悪いようにはしないから。
(11) まじめに働くことだ。必ず誰かが見ているから。

例3　〜て／連用中止形、〜ことだ。

話し手の驚き・感動・皮肉・感慨・あきれる気持ちを表す「ことだ」では、そうした気持ちが起こる原因・理由をテ形や連用中止形で出し、後件に「ことだ」が来ることもあります。

(12) 先生がいらっしゃらなくて、残念なことです。
(13) 救援物資が無駄になり、もったいないことだ。

例4　〜なんて、〜ことだ。

例3の場合、会話などでは、テ形や連用中止形の代わりに取り立て助詞「なんて」を使うこともあります。

(14) 僕がやるなんて、いやなことだ。
(15) 2度も空巣に入られるなんて、あきれたことだ。

●どのような語と結び付きやすいか

話し手の驚き・感動・皮肉・感慨・あきれる気持ちを表す「ことだ」には次のような形容詞が来ます。

Xことだ
〈Xに来る語〉

◆**感情を表す形容詞：**

つらい、羨ましい、悲しい、痛ましい、情けない、恥ずかしい、など

(16) 親が子供を虐待するのは本当に痛ましいことだ。

◆**評価を表す形容詞：**

いい、結構だ、大変だ、ご苦労だ、情けない、など

(17) 言われっぱなしで言い返せないなんて、情けないことだ。

なお、「程度を表す形容詞」「感覚を表す形容詞」には「ことだ」は付きにくくなります。

「程度を表す形容詞」　？大きいことだ。　？高いことだ。
「感覚を表す形容詞」　？痛いことだ。　？かゆいことだ。

●「こと」のほかの用法

「〜ことだ」の否定の形

「〜ことだ」の否定の形は「〜ないことだ」のように「ことだ」の前を否定形にするものと、「〜ことはない」の2通りあります。ムード（モダリティ）を表す意味では「ことではない」の形はありません。

(18) そんなことで腹を立てないことだ。
(19) そんなことで腹を立てることはない。

「〜ないことだ」が否定の忠告・命令を表すのに対して、「〜ことはない」はそうする必要がないことを表します。

(20) A：間違ったけど、どうしよう。
　　　B：もう終わったんだから、気にしないことだ。それより、次の作業をやりなさい。
(21) A：間違ったけど、どうしよう。
　　　B：気にすることはないよ。これは難しい作業で誰でも間違えやすいんだ。

次のような「〜ことはない」は「〜ほど〜ことはない」の形で「非常に〜である、一番〜である」という意味を表します。(⇒8)

(22)　親友に裏切られるほど悲しいことはない。

そのほかの用法
次に「こと」が用いられるいくつかの例を挙げておきます。
1) 命令を表す「〜こと。」
次のように掲示板などの書かれたものの形で、規則や守るべき指示に使われます。

(23)　3月3日までにレポートを提出すること。
(24)　飲料水ではないので、この水は飲まないこと。

2) 〜ことに
「驚く・あきれる」などの動詞や、感情を表す形容詞に付いて、話し手の気持ちを前もって示すのに使われます。

(25)　驚いたことに、彼は獲得賞金を全部寄附した。
(26)　悲しいことに、我が家の老犬はあの世に行ってしまった。

3) (どんなに)〜ことか／ことだろう
動詞や感情・感覚・評価を表す形容詞に付いて、話し手の気持ちの程度が非常に高いことを表します。

(27)　無事に帰ってきてくれればどんなにうれしいことだろう。
(28)　息子に知らせればどんなに喜ぶことか。

●類義表現との比較

「〜ことだ」と「〜ものだ」の比較（⇒27）
「ことだ」は、話し手の個別的な判断や気持ちを表し、その点では、一般的、社会的なものと照らし合わす「ものだ」と異なります。

㉙　A：成績が上がらないんです。
　　B：毎日どのくらい勉強しているの。
　　A：1時間ぐらい。
　　B1：それは少な過ぎる。高3になれば、もっと勉強するものだ。
　　B2：それは少な過ぎる。ゲームばかりやっていないで、もっと勉強することだ。

B1は「高校3年生」という受験勉強をする時期を取り上げ、一般的な方向から忠告しています。B2はAについての個人的な行動を取り上げ、その面から注意しています。

「学習者の誤用の例」の解説

　1～3は「ことだ」と「ものだ」の混同による誤りです。「ことだ」と「ものだ」の一番大きな違いは、「ことだ」が個別的な判断や気持ちを表すのに対し、「ものだ」は一般的、社会的なものと照らしての判断、気持ちを表す点です。1は「時間の経過の早さ」という一般的な事柄を対象にしているので「ものだ」が適切ですが、1を個人的な強い気持ちとしてとらえると、「何と時間のたつのは早いことか。」という感嘆の文へと移行していきます。

　2は子供の「本性・あり方」について述べているので、「ことだ」ではなく「ものだ」になります。「本性・あり方」を表す「ものだ」には「常に」という意味合いが含まれているので、「いつも」はないほうがいいでしょう。3も過去の回想は「ことだ」ではなく「ものだ」で表す必要があります。

　4は「～ないことはない」の使い方の誤りです。学習者は「頭がいいから、場合によっては医者になれる」ということを言うために、「～ないことはない」の代わりに「～ないことではない」と言ってしまったようです。

21

〜(せ)ざるをえない・
(〜ほかはない・〜しかない)

A：うちの主人、北海道へ転勤になりそうなの。
B：まあ。
A：困ったわ。
B：でも、会社の命令だから、ご主人も行かざるをえないんじゃない？

学習者はどこが難しいか。よく出る質問。

1. 「〜(せ)ざるをえない」と「〜(し)なければならない」の使い分けがわからない。
2. 「〜(せ)ざるをえない」はどんな気持ちのときに使うの？
3. 第三者の考えを表すときも「〜(せ)ざるをえない」が使えるの？
「〜(せ)ざるをえない」の主語は誰？

学習者の誤用の例

1. この問題はもう一度検討しざるをえない。
　→この問題はもう一度検討せざるをえない。
2. 今度はどんなにすばらしい彼と言っても、全部終わらずにはえない。
　→どんなにすばらしい彼でも、今度はもうおしまいだろう。

3．地球のため、もっとやさしい生き方をせざるを得ない。
　　→地球のためには、もっとやさしい生き方をしなければならない。
4．先生に感謝せざるを得ない。
　　→先生に感謝しなければならない。

説 明

●基本的な意味用法

　「〜(せ)ざるをえない」は「そうするよりほかに選択肢がない」という消極的な意味を表します。「そうするよりしかたがない」という判断は、(1)のように、上からの命令や圧力の場合もあるし、また、(2)のように話し手自身が総合的に判断して「そうしたほうがいい」という意味合いを含む場合もあります。いずれの場合も「意に反して」という意味合いが入ります。

(1)　A：転勤いやだなあ。
　　　B：でも、会社の命令だから行かざるをえないんじゃない？
(2)　こういう状況では俺がやらざるをえないだろう。

　「〜(せ)ざるをえない」は、「〜(する)よりしかたがない」「〜(し)なければならない」「〜(し)ないわけにはいかない」「〜(する)ほかはない」などと重なる部分がありますが、どちらかというと、外的な圧力を感じ、社会的、客観的な見地に立って判断をするときに使われます。
　主に書きことばで使われますが、かたい言い方として話しことばでも使われることもあります。書かれたものでは「〜(せ)ざるを得ない」と漢字が使われることが多いです。

●作り方・接続の仕方

```
┌─────────────────────┐ ┌──────────────┐
│ V－ナイ形の語幹      │ │ ざるをえない │
│   ［例外　する　→　せ］│ │              │
└─────────────────────┘ └──────────────┘
```

「来る」のナイ形の語幹は「来」なので、「来ざるをえない」となります。

●いつ使われるか

1．会話の中で

(3)～(5)に見られるように、「～(せ)ざるをえない」が会話などで用いられる場合は、うしろに「だろう」「んだ」「(ん)じゃないか」「と思う」などが付くことが多いです。

(3)では、父親としての社会的立場から「～(せ)ざるをえない」が使われています。

> (3)　妻：翔太、お隣の子をけがさせちゃったのよ。
> 　　　夫：ええっ。
> 　　　妻：奥さんカンカンなの。あなた、謝ってきてくれる？
> 　　　夫：うーん、わかった。
> 　　　　　俺が行かざるをえないだろう。

(4)では、状況から判断して、そう思うよりしかたがないという意味を表しています。

> (4)　A：僕が盗んだんじゃありません。
> 　　　B：そんなことを言っても、ポケットから財布が出てきたんだから、君がやったと思わざるをえないんだ。
> 　　　A：……。

(5)では、ほかに選択肢がないという意味で「～(せ)ざるをえない」が使われています。

> (5) A：どうしてその仕事を引き受けてきたの。
> B：だって、やる人がいないんだから、僕が引き受けざるをえないじゃないか。

2．文章の中で（文のつながりの例）

例1　条件の文[～と／ば／たら]、～(せ)ざるをえない。

ある事態・状況があって、話し手の判断として、「そういう事態・状況であれば」、「そうせざるをえない」という言い方をすることが多いようです。

(6) 海外旅行に行くと、自分が日本人であることを意識せざるをえない。
(7) 部下が失敗をすれば、上司は責任をとらざるをえない。

例2　条件の文[～と／ば／たら]、～(せ)ざるをえない。　ただし書き・反対の文[しかし、～]。

例1は「～(せ)ざるをえない」で終わっていますが、「しかし」とただし書きや反対の文がうしろに続くこともあります。

(8) 海外旅行に行くと、自分が日本人であることを意識せざるをえない。しかし、どれだけの人が日本人として責任ある行動をとっているだろうか。
(9) 部下が失敗をすれば、上司は責任をとらざるをえない。しかし、最終的にはトップの責任問題へと発展していくケースが多い。

例3　原因・理由の文[～ので／から]、～(せ)ざるをえない。

ある原因・理由のために「そうせざるをえない」という言い方もよくします。

(10) 上司からの命令なので、やらざるをえない。
(11) 幹部が不祥事を起こしたのだから、社長が責任をとらざるをえない。

> 例4　事情・前提の文[〜が／けれども]、原因・理由の文[〜ので／から]、〜(せ)ざるをえない。

　事前に事情・前提があったけれども、ある原因・理由のために、そうするよりほかにないということを表す形です。例3の文頭に「〜が／けれども」の文が来ます。

　⑿　やりたくなかったのだが、上司からの命令なので、やらざるをえない。
　⒀　社長は知らなかったかもしれないが、幹部が不祥事を起こしたのだから、社長が責任をとらざるをえない。

●どのような語と結び付きやすいか

X(せ)ざるをえない
〈Xに来る語〉
　「〜(せ)ざるをえない」は、意志動詞に付くことが多いです。意志動詞では、「判断を表す動詞」「行為を表す動詞」などに付きます。「変化を表す表現」では、無意志動詞に付くこともあります。

◆判断を表す動詞：
　みなす、思う、断定する、決断する、判断する、納得する、解釈する、意識する、など

　⒁　この契約書の内容からは、著作権を放棄していると解釈せざるをえない。

◆行為を表す動詞：
　やる、する、行う、断行する、(責任を)とる、など

　⒂　業績が悪くなった今となっては、大幅なリストラも断行せざるをえない。

◆変化を表す動詞など：
　変わる、なる、〜てくる、〜ていく、など

　⒃　指導方法については、学年によってかなり変わってこざるをえないのではないか。

◆副詞：結局は、いや応なく、最終的には、など

(17) やる人がいないのだから、結局は旧役員が引き受けざるをえないだろう。
(18) この仕事をしていると、いや応なく生徒の人生に関わらざるをえない。

●類義表現との比較

1.「～(せ)ざるをえない」と「～(し)なければならない」の比較

(19) A：来年卒業ですね。
　　　B：ええ、でもその前に論文を書かなければならないんです。
　　　A：ああ、大変ね。
　　　B：ええ、院生は全員論文を提出しなければならないんです。

　ここでは単に、論文を書くこと、提出することが義務であるということを「～(し)なければならない」を用いて述べています。

(20) A：来年は卒業、大丈夫ですか。
　　　B：そうだね。もう3年も遅らせてるからなあ。
　　　A：論文は？
　　　B：いやだけど、今度は書かざるをえないよ。
　　　　　でないと、退学させられちゃうから。

Bはもうすでに3年も留年していて、来年卒業できなければ退学になります。卒業するためには論文を書くしか選択肢はありません。このように、ほかに方法がないときに「～(せ)ざるをえない」が使われます。

2.「～(せ)ざるをえない」と「～(する)ほかはない」「～(する)しかない」の比較

　「～(せ)ざるをえない」と「～(する)ほかはない」は「そうするしか方法がない」という点では似ていますが、「～(せ)ざるをえない」には外からの圧力や状況から判断する観点が入っているのに対し、「～(する)ほかはない」は話し手自身の判断によ

ります。

 (21) A：どうしよう。失敗するかもしれないね。
    B：うん、でも、ここまできたんだから。
    A：そうだね。やるほかはないね。

「〜(する)ほかはない」は書きことばでよく用いられますが、より会話的になると、「〜(する)しかない」となります。

 (22) A：どうしよう。失敗するかもしれないね。
    B：うん、でも、ここまできたんだから。
    A：そうだね。やるしかないね。

3．「〜(せ)ざるをえない」と「〜ないわけにはいかない」「〜ないではいられない・〜ずにはいられない」の比較

本書の「23 〜ないではいられない・〜ずにはいられない」の「類義表現との比較」を参照してください。

「学習者の誤用の例」の解説

　1は形の問題です。「ざるをえない」は動詞のナイ形の語幹に接続しますが、「する」の場合は「せざるをえない」となります。2についても、学習者は形の誤りとして、「〜ざる」の代わりに同じく否定を表す「〜ず」を用いたと考えられます。しかし、「終わらざるをえない」としただけでは意味が通じないので、訂正文では「今度はもうおしまいだろう」というふうに直しました。

　3は「〜(せ)ざるをえない」と「〜(し)なければならない」の混同です。「〜(せ)ざるをえない」は諸条件から「そうするよりほかに選択肢がない」という消極的選択を表しますが、3は「地球のために」積極的にやさしい生き方を推し進めていくという意味なので、義務・必然を表す「〜(し)なければならない」にする必要があります。4も3と同じ理由による誤りです。「そうするよりほかに選択肢がない」から感謝するというのは、一般的には不自然と言えるでしょう。

22

～てならない・～てたまらない・～てしかたがない・(～てしようがない)

A：きのう洋子さんと話したんだけど。
B：洋子さんと？
A：彼女はパリへ行きたくてたまらないようね。パリの話ばかりしていたから。
B：パリが好きでしかたがないんだろう。

学習者はどこが難しいか。よく出る質問。

1．「～てならない・～てたまらない・～てしかたがない」はみな同じ？
　3者の違いがわからない。
2．「てならない・てたまらない・てしかたがない」の前に動詞を置いていいのか、形容詞を置くべきなのかよくわからない。
3．第三者の考え・気持ちを表すときも「～てならない・～てたまらない・～てしかたがない」が使えるの？

学習者の誤用の例

1．つまらない本を読むと眠くなってならない。
　→つまらない本を読むと眠くてならない／眠くなってしかたがない／眠くなってしまう。
2．今回の文法の試験は難しくてならない。
　→今回の文法の試験はとても難しい。
3．彼は日曜日寝なかったので、今日は寝てたまらない。
　→彼は日曜日寝なかったので、今日は眠くてたまらないようだ。

4．彼は3日間何も食べなかったので、今日は食べずにはたまらないだろう。
　　→彼は3日間何も食べなかったので、今日は食べずにはいられないだろう。
5．親友が日本に来るので、成田まで迎えに行ってしかたがない。
　　→親友が日本に来るので、成田まで迎えに行きたくてしかたがない。

説 明

●基本的な意味用法

　「～てならない・～てたまらない・～てしかたがない」はいずれも、話し手の感情や感覚、欲求が非常に高くて、自分でコントロールできない状態を表します。

1．～てならない
「そういう気持ちを、また、そう思ったり、感じられるのを禁じえない」という意味を表します。「～てならない」はやや古めかしい言い方で、書きことばに用いられることが多いです。

　（1）　不思議に思えてならない。
　（2）　毎日さびしくてならない。

2．～てたまらない
「ある感情・感覚・欲求を抑えられない」という気持ちの高まりの強い言い方です。「～てたまらない」は主に話しことばとして使われます。

　（3）　国へ帰りたくてたまらない。
　（4）　寒くてたまらない。

3．～てしかたがない
「しかたがない」は、本来、「(克服する)方法がない、(我慢する)方法がない」の意味を持ち、「～てしかたがない」は、ほかに方法がないと思いながら、しかし、我慢できない気持ちを表す言い方です。話しことばとして使われます。

(5)　腹が減ってしかたがない。
　(6)　いやでいやでしかたがない。

「～てしかたがない」の「が」が抜けて「～てしかたない」になることも多いです。

　(7)　抽選にもれたなんて、残念でしかたない。

●作り方・接続の仕方

V－て	ならない
イadj.－くて	たまらない
ナadj.－で	しかたがない

「てならない・てたまらない・てしかたがない」は動詞・形容詞の肯定形と結び付き、否定形とは結び付きにくくなります。

　(8)　夜になっても眠くなく{?てならない／?てたまらない／?てしかたがない}。

●いつ使うか

１．会話の中で
次の(9)では、「心配だ」と「痛い」が感情や感覚を表しています。

> (9)　A：お互いにいよいよ受験ですね。
> 　　　B：ええ、子供のことを考えると、心配{でならない／でたまらない／でしかたがない}のよ。
> 　　　A：私も先週からずっと頭が痛く{てならない／てたまらない／てしかたがない}んです。

「～てならない・～てたまらない・～てしかたがない」は話し手の気持ちを表します。第三者の気持ちを表すときは、うしろに「ようだ・そうだ・らしい」などが必要です。次は欲求を表す「ほしい」を用いた会話です。

(10) A：きのう洋二と話したんだけど。
    B：洋二と?
    A：うん、あいつバイクがほしく|てならない／てたまらない／てしかたがない|みたいだよ。バイクの話ばかりしていたよ。

(11)は「思える」という自発を表す動詞です。

(11) A：あの人は嘘をついていますよ。
    B：そうでしょうか。
    A：私にはそう思え|てならない／×てたまらない／てしかたがない|んですよ。

「思える・思われる・思い出される・見える・聞こえる」などの自然に起こってくる自発の気持ちには「～てたまらない」は使えません。

一方、客観的な程度を表す形容詞では、「～てならない」が不適切に、「～てしかたがない」がやや不自然になります。

(12) A：東京はどうですか。
    B：便利ですけど、物価が高く|×てならない／てたまらない／?てしかたがない|ですね。
    A：そうですか、大変ですね。

次に自発や感情を表さない動詞の場合を考えてみましょう。「〜てならない・〜てたまらない」が不適切になるようです。

> (13) A：ゆうべはほとんど寝られなかったんです。
> B：どうしたんですか。
> A：子供が泣い｛×てならなかった／？てたまらなかった／てしかたがなかった｝んですよ。
> B：そうですか。大変でしたね。

２．文章の中で（文のつながりの例）

例1　原因・理由の文 [〜て／から／ので]、〜てならない／てたまらない／てしかたがない。

ある原因・理由があって、気持ちがコントロールできなくなることを表します。原因・理由の表現として「〜て／から／ので」などが来ることが多いです。

(14) 朝早くからカラスが鳴くので、うるさく｛てならない／てたまらない／てしかたがない｝。

(15) 彼は予習をしてこなかったので、先生に当てられないかと授業中不安｛でならなかった／でたまらなかった／でしかたがなかった｝そうだ。

例2　原因・理由の文 [〜てならない／てたまらない／てしかたがないから／ので]、〜。

気持ちがコントロールできなくなったことが原因・理由になって、次の事態や行為が行われることを示す場合もあります。

(16) 病気の妻のことが気になっ｛てならなかった／てたまらなかった／てしかたがなかった｝から、会社を早退して病院に駆けつけた。

(17) 書類が無事着いたかどうか心配｛でならない／でたまらない／でしかたがない｝ので、確認の電話を入れた。

例3　原因・理由の文 [～て／から／ので]、～てならない／てたまらない／てしかたがない。　　それで／そこで～。

例3は、例1と2を合わせた形と言えるでしょう。

(18) 2階の住人が夜遅くまで騒ぐので、うるさく{てならない／てたまらない／てしかたがない}。それで、大家さんに注意してもらうように頼んでみた。

(19) 朝ご飯を食べてこなかったので、授業中お腹がすい{てならなかった／てたまらなかった／てしかたがなかった}。そこで早弁をすることにした。

例4　きっかけの文 [～と]、～てならない／てしかたがない。

あるきっかけがあると必ず気持ちが高まってしまうということを表すために、「～と」を使うこともあります。自然にそうなるという意味で「～てならない」が、次に「～てしかたがない」が現れやすいと言えます。

(20) あいつの顔を見ると、胸がむかつい{てならない／てしかたがない}。

(21) アナウンサーが敬語を間違っていると、気になっ{てならない／てしかたがない}。

●どのような語と結び付きやすいか

１．Xてならない／てしかたがない
〈Xに来る語〉

◆感情を表す形容詞・動詞：

さびしい、楽しい、かわいい、いやだ、腹が立つ、など

(22) 夕方になると国の家族のことを思って、さびしく{てならない／てしかたがない}。

◆感覚を表す形容詞：

痛い、かゆい、暑い、寒い、眠い、など

(23) 蚊にさされた。かゆく|てならない／てしかたがない|。

◆**欲求を表す表現**：
〜たい、ほしい、〜てほしい、など

(24) 明子さんが持っているハンドバッグがほしく|てならない／てしかたがない|。

◆**自発を表す動詞**：
気がする、気になる、思える、思われる、思い出される、見える、聞こえる、など

(25) 彼が言うと、私を非難しているように聞こえ|てならない／てしかたがない|。

2．Xてたまらない

〈Xに来る語〉

「〜てならない・〜てしかたがない」と同様、「感情を表す形容詞・動詞」「感覚を表す形容詞」「欲求を表す語」は来ますが、「自発を表す動詞」は来にくくなります。

(25)' ？彼が言うと、私を非難しているように聞こえてたまらない。

「〜てならない・〜てたまらない・〜てしかたがない」では、感情・感覚・欲求を表す形容詞や動詞の前に副詞の「もう」が来たり、また、形容詞や動詞を繰り返すことがあります。そうすることによって、話し手の感情や感覚が非常に高い状態であることを表します。

(26) もう残念でしかたがない。
(27) 腹が立って、腹が立ってたまらない。
(28) もうほしくてほしくてならない気持ちだ。

●類義表現との比較

1.「とても／すごく～だ」などとの比較

「～てならない・～てたまらない・～てしかたがない」が表そうとする意味は、次のように「とても・すごく」を使って表すことができます。

 (29) a．腹が立って、腹が立ってたまらない。
    b．とても腹が立つ。
 (30) a．もう残念でしかたがない。
    b．すごく残念だ。
 (31) a．もうほしくてほしくてならない気持ちだ。
    b．すっごくほしい。ものすごくほしい。

bの表現はaを簡略化した言い方とも考えられます。

2.「～てしかたがない」と「～てしようがない・～てしょうがない」の比較

「～てしかたがない」よりくだけた言い方として「～てしようがない」「～てしょうがない」があります。

 (32) 子供が夜泣きをしてしようがない。
 (33) いくら着込んでも寒くてしょうがない。

「～てしょうがない」のほうが「～てしようがない」より、よりくだけた言い方になります。

「学習者の誤用の例」の解説

　1、2は「～てならない」に関する誤用です。1は「眠くなる」という動詞に「てならない」が結び付くかどうかという問題です。「てならない」は、感情・感覚・欲求を表す形容詞と結び付きます。感覚を表す形容詞の「眠い」は接続しますが、「眠くなる」は自然に起こる現象・事態なので、「てならない」には接続しにくくなります。同様に2の「難しい」は状態・程度を表す形容詞なので、不適切になっています。

　3と4は「～てたまらない」の誤用です。3は「てたまらない」に「寝る」という動詞を使った文です。「～てたまらない」は「腹が立つ」などの感情を表す動詞との接続は可能ですが、「寝る」のような動詞とは不可になります。

　4は「～てたまらない」「～(せ)ずにはいられない」を混同した誤りです。「～てたまらない」は自分の意志でコントロールできない感情・感覚の状態を表します。「～(せ)ずにはいられない」はコントロールできないところまでは同じですが、「～てたまらない」との違いは、「自然にそうしてしまう」と行動に移してしまう点です。意志の力及ばす「食べる」という行動に移してしまうことを表すために、「～(せ)ずにはいられない」が適切になります。

　5は「～てしかたがない」の誤用です。5は「行って」ではなく願望を表す「行きたくて」にすべきです。

23 〜ないではいられない・〜ずにはいられない

A：暖かくなってきましたね。
B：そうですね。春ですね。
A：何かやらないではいられないですね。
B：そうですね。うずうずしてきましたね。

学習者はどこが難しいか。よく出る質問。

1．「〜ないではいられない」は二重否定なので、意味がつかみにくい。
2．「〜ないではいられない」と「〜なければならない」を混同する。
3．「〜てしまう」を使うべきところを「〜ないではいられない」としてしまう。

学習者の誤用の例

1．明日試験があるので、今晩勉強しないではいられない。
　→明日試験があるので、今晩勉強しなければならない。
2．3歳の弟の笑顔を見ると、自分が笑わないではいられなくなる。
　→3歳の弟の笑顔を見ると、自然と笑ってしまう。
3．成績をもらいたかったら、学校に行かずにはいられない。
　→単位をもらいたかったら、学校に行かなければならない。
4．この授業は難しいので、勉強しないと、変な成績をとらずにはいられない。
　→この授業は難しいので、勉強しないと変な成績をとることになる／とってしまう。

説 明

●基本的な意味用法

「～ないではいられない・～ずにはいられない」は、自分の意志の力では抑えられないで、そうしてしまうという話し手の気持ちを表します。しかし、そこには「そうするのはもっともだ」という話し手の気持ちが入ることが多いです。

「～ずにはいられない」はやや書きことば的な言い方になります。

(1) 困っている人を見ると、声を{かけないでは／かけずには}いられない。
(2) 失恋した。{飲まないでは／飲まずには}いられない。

●作り方・接続の仕方

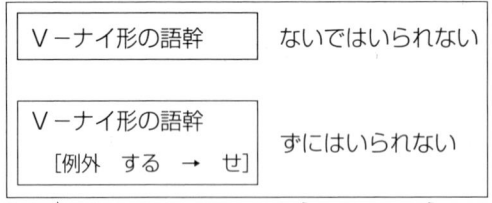

| Ｖ－ナイ形の語幹 | ないではいられない |

| Ｖ－ナイ形の語幹
［例外　する　→　せ］ | ずにはいられない |

「来る」のナイ形の語幹は「来」なので、「来ずにはいられない」となります。

●いつ使われるか

1．会話の中で

次の(3)では、酔っ払いが女性にからんでいたという事情があって、そうしてしまったという場合です。しかし、そこには「そうする、そうしたのはもっともだ」というBの気持ちが含まれています。

(3) A：どうしたの、その顔。
　　B：酔っ払いが女の子にからんでたんだ。
　　A：それで？
　　B：僕としては、その男に注意｛しないでは／せずには｝いられなかったんだ。
　　A：ふーん、それで、逆に殴られたってわけ。

(4)では、夫が「会社でいやなことがあった」ことを飲まずにいられなかったことの理由としているのに対し、妻のほうは、条件「～と」を使って、いつもそうなのかと責めている会話です。夫は「飲むのはもっともだ」という気持ちを込めています。

(4) 妻：また飲んできたんですか。
　　夫：会社でいやなことがあって、｛飲まないでは／飲まずには｝いられなかったんだ。
　　妻：いやなことがあると、いつも｛飲まないでは／飲まずには｝いられないんですか。
　　夫：まあ、そう言うなよ。

次は実際にあった話についての会話です。(3)(4)の「～ないではいられない・～ずにはいられない」に比べて、自然にそういう気持ちになるという意味合いが強くなっています。

(5) A：勇太君ってすごかったね。
　　B：ああ、山崩れで4日間生きていた子のことだね。
　　A：ああいう子供の姿を見ると感動｛しないでは／せずには｝いられないわね。
　　B：本当だね。

２．文章の中で（文のつながりの例）

例1　　きっかけの文 [〜たら／ば／と]、〜ないでは／ずにはいられない。

「〜ないではいられない・〜ずにはいられない」は、あるきっかけがあると自然にそうしてしまうという状況で用いられます。したがって、条件を表す「〜たら／ば／と」が先行することが多いです。話し手自身の気持ちを表す場合は、「〜いられない」の言い切りの形でいいですが、第三者の気持ちを表す場合は文末に「だろう・ようだ・らしい」が必要です。次の(6)は話し手自身の気持ちを、(7)は第三者の気持ちを表しています。

(6)　若い女の子に勧められれば、(私だったら、)買わずにはいられません。
(7)　その話を聞いたら、いくらやさしい彼女でも怒らずにはいられないだろう。

例2　　原因・理由の文 [〜て／に／ので／から]、〜ないでは／ずにはいられない。

例1とよく似ていますが、条件「〜たら／ば／と」ではなく、原因・理由の表現「〜て／に／ので／から」などが来る場合もあります。

(8)　山崩れの映像を見て、被災者の人たちに同情しないではいられなかった。
(9)　選手の真剣な姿に、世界中の人々は感動せずにはいられなかった。
(10)　あまりにもきれいなので、ため息をつかずにはいられなかった。

例3　　〜が／けれども／ても、〜ないでは／ずにはいられない。

例3のように、実際はそうしないほうがいいのだが、自然にそうしてしまうという流れの形をとることもあります。

(11)　黙っていたほうがいいとは思ったが、どうしても一言言わずにはいられなかった。
(12)　情報はオープンにとはいっても、個人情報の管理のあり方に疑問と不安を感じないではいられない。

●どのような語と結び付きやすいか

Xないではいられない・ずにはいられない
〈Xに来る語〉
◆思考・感情を表す動詞：
　泣く、思う、感動する、感じる、怒る、心配する、感謝する、など

(13)　あの俳優には将来性を{感じないでは／感じずには}いられないのである。

◆動作を表す動詞：
　言う、話しかける、〜かける、(酒を)飲む、など

(14)　店のサービスが悪いと、一言文句を{言わないでは／言わずには}いられない。

自分の意志の力では押さえられずに自然にそうするという意味から、次のような副詞が来ることが多いようです。
◆副詞：どうしても、なぜか、つい、思わず、など

(15)　困っている人を見るとなぜか{話しかけないでは／話しかけずには}いられない気持ちになる。

●類義表現との比較

1．「〜ないではいられない・〜ずにはいられない」と「〜てしまう」の比較

「〜ないではいられない・〜ずにはいられない」は、自分の意志の力では抑えられないで、そうしてしまうという話し手の気持ちを表します。その点では「〜てしまう」と共通性を持ちます。(16)を見てください。

(16)　a．困っている人を見ると、声を｛かけないでは／かけずには｝いられない。
　　　b．困っている人を見ると、声をかけてしまう。

(16)は「～ないではいられない・～ずにはいられない」と「～てしまう」の置き換えが可能です。
　しかし、(17)は「～ないではいられない・～ずにはいられない」で表しにくくなります。

(17)　a．？欠点を指摘されると、つい｛かっとならないでは／かっとならずには｝いられない。
　　　b．　欠点を指摘されると、ついかっとなってしまう。

(17)の「かっとなる」のように、自然発生的(生理的)に起こる動作や事態では、「～ないではいられない・～ずにはいられない」より「～てしまう」のほうが自然になります。
　【学習者の誤用の例】2は「～ないではいられない・～ずにはいられない」と「～てしまう」の混同の例ですが、学習者の文「3歳の弟の笑顔を見ると、自分が笑わないではいられなくなる。」では、自然発生的(生理的)に起こる「笑う」という事態を取り上げているので、「～てしまう」が適切になります。(⇒初ポ36)

２．「～(せ)ざるをえない」「～ないわけにはいかない」との比較

　「病気でも仕事に行かざるをえない」「会社を辞めざるをえない」などの「～(せ)ざるをえない」は、「そうするよりしかたがない」という消極的判断を表します。消極的判断という点では、意志の力でなく自然にそうしてしまう「～ないではいられない・～ずにはいられない」(「病気でも仕事に行かないではいられない。」「会社を辞めずにはいられない。」)と似ています。
　また、それが一般常識・社会通念的要素を含むと、「その動作をしないことは道理に合わないから、そうする」という意味を持つ「～ないわけにはいかない」(「病気でも仕事に行かないわけにはいかない。」「会社を辞めないわけにはいかない。」)とも共通点があることになります。

(18)　A：どうしたの、その顔。
　　　B：酔っ払いが女の子にからんでたんだ。
　　　A：それで？
　　　B1：男に注意 |しないでは／せずには| いられなかったんだ。
　　　B2：男に注意せざるをえなかったんだ。
　　　B3：男に注意しないわけにはいかなかったんだ。
　　　A：ふーん、それで、逆に殴られたってわけ。

話し手の意識・理性やコントロールの大小から見た3者、および、「類義表現との比較」1の「〜てしまう」の位置付けは次のようになると考えられます。(⇒21、初ポ27)

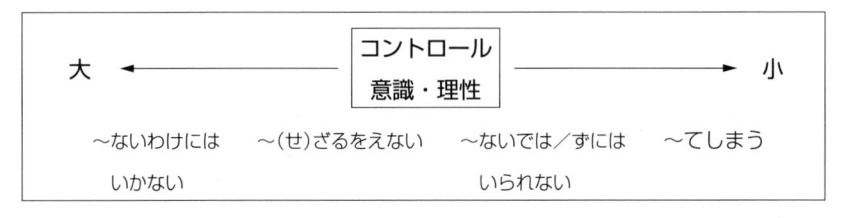

大 ←	コントロール 意識・理性	→ 小
〜ないわけには いかない	〜(せ)ざるをえない	〜ないでは／ずには いられない　〜てしまう

「学習者の誤用の例」の解説

　1、2は「〜ないではいられない」、3、4は「〜ずにはいられない」の誤用例です。1は「自分の意志の力では抑えられない」ことを表す「〜ないではいられない」の意味用法がはっきりわからなくて、義務を表す「〜なければならない」と混同した例です。
　2は「笑い」を意志では抑えられないと考えて、「〜ないではいられない」を使ったと考えられますが、「類義表現との比較」1でも述べたように、3歳の弟を見て話し手自身に起こる自然の事態・状況の描写を表しているので、「自然と笑ってしまう」としたほうがいいでしょう。
　3は「〜ずにはいられない」を「〜なければならない」と混同、4は「勉強しないと、結果としてそういうことになる」「そういうことになってしまう」という意味を「自分の意志では抑えられない」ととらえて、「〜ずにはいられない」を使った誤りです。

24 〜にちがいない・〜に相違ない

A：この卵、何の卵？
B：青いしまがあるね。
A：ヘビの……。
B：そうだ、これは青ヘビの卵にちがいない。

学習者はどこが難しいか。よく出る質問。

1．「にちがいない」の前に来る動詞・形容詞を正しく接続できない。
2．「〜にちがいない」と「〜だろう」の使い分けがわからない。
3．「〜にちがいない」は書きことば？ いつ使うの？
4．「〜にちがいない」と「〜に相違ない」はどう違うの？
5．「〜にちがいない」に「と思う」を付けてもいい？

学習者の誤用の例

1．この人のやることだから、よくできることにちがいない。
　→この人のやることだから、よくできるにちがいない。
2．李さんがこれを見たら、きっとほしがるだろうにちがいない。
　→李さんがこれを見たら、きっとほしがるにちがいない。
3．日本の工業は自分の国より発達しているにちがいないと思います。
　→日本の工業は自分の国より発達しているにちがいありません。
4．考えないで宿題することはしないことに相違ない。
　→機械的に宿題することはしないことと同じだ。
5．こんな噂は彼が作ったことに相違ない。
　→こんな噂は彼が立てたに相違ない。

説 明

● 基本的な意味用法

1．〜にちがいない

「〜にちがいない」は、客観的な証拠や論理的な推量からではなく、話し手自身の経験などに基づく、直感的な推量や確信を表します。そしてそれはかなり強い推量・確信になります。話し手が自分の思案していること、推量を自分自身に確かめるような、独り言的に使われることが多いです。

(1) 今朝から下痢が続いている。ゆうべの鯖にあたったにちがいない。

2．〜に相違ない

「〜に相違ない」は「〜にちがいない」と同じく、直感的な推量や確信を表しますが、よりかたい、改まった言い方です。「それに間違いない」という意味合いも含むため、「〜にちがいない」より確信的な言い方になります。

(2) あんなことを言っているが、あいつがやったに相違ない。

● 作り方・接続の仕方

「にちがいない・に相違ない」は次のように動詞・形容詞・「名詞＋だ」の普通形に接続します。

```
普通形
[例外  ナadj.─だ  →  ナadj.／ナadj.である     にちがいない
       Nだ        →  N／Nである              に相違ない
```

● いつ使われるか

1．会話の中で

「きっと」は「〜にちがいない」とともに使われることが多いですが、「〜に相違ない」

では少し落ち着きが悪くなります。これは、「～に相違ない」が確定的な判断なので話し手の推量の入り込んだ「きっと」とそぐわないためと考えられます。

> (3) A：金庫に入れておいたお金がなくなっている。
> B：あのとき山田さんがいたね。
> A1：きっと犯人は山田にちがいない。
> A2：犯人は山田に相違ない。

「～にちがいない」は話しことばに用いられる終助詞的な「から」とも結び付きますが、「～に相違ない」は結び付きにくくなります。「～に相違ない」がより書きことば的であることを示しています。

> (4) A：この絵、すばらしいね。
> B：ほんとだね。
> A：ほしいわ。……でもやめとく。高い{にちがいない／?に相違ない}から。

(5)の「～にちがいない」「～に相違ない」は、ともに独り言のような言い方になっています。両方可能ですが、「～に相違ない」は年配の男性の言い方を想像させます。

> (5) A：林さん、遅いね。
> B：いつも時間に正確な人なのにね。
> A：……。
> B：何かあった{にちがいない／に相違ない}。電話してみよう。

２．文章の中で（文のつながりの例）

例1　事態・状況の文。　～にちがいない／に相違ない。

「～にちがいない」は、冒頭の会話や(1)のように、一つの事態・状況があったとき、それに対して自分の強い推量を述べるときに用います。したがって、次のような形をとると考えられます。

(6) 青いしまがある。青ヘビの卵｛にちがいない／に相違ない｝。

(7) 鍵がこわされている。泥棒が入った｛にちがいない／に相違ない｝。

例2　事態・状況の文。　条件の文［〜たら／ば／なら］、〜にちがいない／に相違ない。

「〜にちがいない・〜に相違ない」は条件の文を伴うことも多いようです。(8)は未定のことを、(9)は過去の反事実を表しています。いずれの場合も、事態・状況があり、それに関連して、推量・確信をしている形です。

(8) パソコンが故障した。山口さんなら何とかしてくれる｛にちがいない／に相違ない｝。

(9) あの本は40万部売れたという。著者が女優でなかったら、これほどのベストセラーにはならなかった｛にちがいない／に相違ない｝。

例3　〜にちがいない／に相違ない。　結果・結論の文［(だから、)〜］。

まず話し手の推量・確信を述べ、それを理由として、次の文で結果・結論を述べる場合もあります。

(10) あんな失敗をするなんて、皆はあきれている｛にちがいない／に相違ない｝。だから、もうやめてしまいたい気持ちだ。

(11) 彼は今度の仕事に不安を感じている｛にちがいない／に相違ない｝。あしたきちんと説明することにしよう。

例4　〜にちがいない。　ただし書き・反対の文［しかし、〜］。

話し手の推量・確信を述べて、そのあとで訂正したり否定したりする形をとる場合もあります。この形は「〜に相違ない」には不向きです。その理由は、「〜に相違ない」はそこで断定しているので、うしろに、その断定を訂正する（反対する）文は来にくいためと考えられます。

(12) かなりの土砂崩れだったから多くの死者が出た｛にちがいない／？に相違ない｝。しかし、今のところ詳しいことは何もわからない。

(13) 人は誰でもほめられるとうれしい{にちがいない／?に相違ない}。しかし、現実には人をほめたり、ほめられたりする機会は意外に少ないものだ。

●どのような語と結び付きやすいか

「～にちがいない」は書きことば的な「おそらく」、また、話しことばで用いられるときは「きっと」や「絶対に」とともに用いられます。一方、確信の強い「～に相違ない」は「絶対に」「確かに」などと結び付きます。

◆副詞〈～にちがいない〉：おそらく、きっと、絶対に、など

(14) 近い将来、これらの動物はおそらく絶滅してしまうにちがいない。

◆副詞〈～に相違ない〉：絶対に、確かに、～の通りに、など

(15) 上記の通りに相違ありません。

●類義表現との比較

「～にちがいない」と「～かもしれない」「～だろう」の比較

推量や確信を表す表現には、「～かもしれない」「～だろう」のほかに「～ようだ」「～らしい」などがあります。

「～にちがいない」に比べると、「～かもしれない」「～だろう」は確信の度合いが低くなります。

(16) 今朝から下痢が続いている。ゆうべの鯖にあたった{のかもしれない／のだろう／にちがいない}。

一方、「ようだ」「らしい」は客観的根拠に基づいた言い方なので、「鯖にあたった」ことが客観的な現実味を帯びています。

(17) 今朝から下痢が続いている。ゆうべの鯖にあたった{ようだ／らしい}。

客観的根拠を基準にして推量表現のいくつかを比べると、次の図のようになりま

す。左に行くほど根拠に基づかない直感的、主観的な推量・確信と言えます。

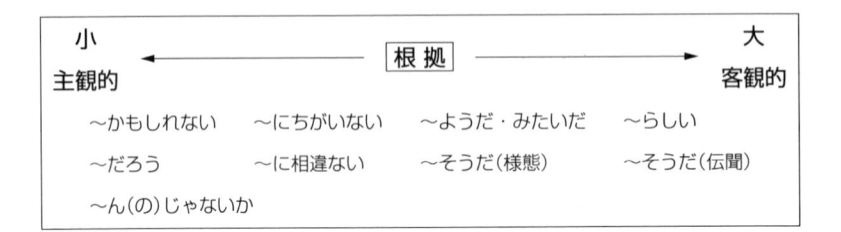

```
  小                    ←── 根 拠 ──→              大
  主観的                                              客観的
   ～かもしれない    ～にちがいない    ～ようだ・みたいだ    ～らしい
   ～だろう          ～に相違ない      ～そうだ(様態)        ～そうだ(伝聞)
   ～ん(の)じゃないか
```

「学習者の誤用の例」の解説

　「にちがいない」は動詞・形容詞などの普通形に接続します。1は学習者に時々見られる誤用で、「こと」を用いて名詞化してしまっています。

　2は推量を表す「だろう」を「にちがいない」の前に持ってきている例です。「～にちがいない」は話し手の強い推量・確信を表すので、「だろう」とは結び付きません。

　3は「～にちがいない」に「と思う」を付けている例です。強く推量・確信しておいて、そのあとで「と思う」を付けるのは矛盾しているので、「～にちがいないと思う」は誤りになります。「～にちがいない」を丁寧に言うときには「～にちがいありません」となります。

　4と5は「～に相違ない」の誤用です。4は「～に等しい、～に同じだ」という意味で「～に相違ない」を使っています。「～に相違ない」は「等しい・同じだ」ではなくて、そのものであると断定する表現なので4は不自然になっています。また、「考えないで」は「機械的に」「頭を使わないで」としたほうがいいでしょう。5は使い方としては正しいですが、接続の仕方が間違っています。「～にちがいない」と同様、「こと」は不必要になります。

25

〜べきだ

A：劇団四季の「オペラ座の怪人」見た？
B：ううん、まだ。
A：あれはいい芝居だ。絶対見るべきだよ。

学習者はどこが難しいか。よく出る質問。

1．「〜べきだ」は書きことば？ いつ使うの？
2．「〜べきだ」と「〜なければならない」の使い分けがわからない。
3．「〜べきだ」と「〜はずだ」の使い分けは？
4．「〜べきだ」の否定形は？

学習者の誤用の例

1．大学生はもう成人なのだから、もっと自立しべきだ。
　→大学生はもう成人なのだから、もっと自立する／すべきだ。
2．私は論文を書くべきだ。
　→私は論文を書かなければならない。
3．あの人は2年間も日本語を勉強してきた。もっとしゃべられるべきだ。
　→あの人は2年間も日本語を勉強してきた。もっとしゃべれるはずだ。
4．この時期はコスモスが咲くべきだ。
　→この時期はコスモスが咲くはずだ。
5．香港の学校には規則がたくさんある。高校生達は制服を着るべきだ。
　→高校生達は制服を着なければならない。

説 明

●基本的な意味用法

「～べきだ」は、相手、または、第三者の行為・事柄に対して、「(そうではなくて)～するのが当然だ／正しい、～であるのが当然だ／正しい」と忠告をしたり、助言を行ったりするときに使います。「～なければならない」のような義務・当為を表す強い意味合いを持つ場合もあります。

「～するのはよくない」「～しないのが正しい」のような否定の意味は、「～べきでは／じゃない」で表されます。

　(1)　A：この仕事もうやめたいな。
　　　　B：どうして。もっと続けるべきだよ。
　(2)　A：この仕事もうやめたいな。
　　　　B：やめたい気持ちはわかるけど、今やめるべきじゃないよ。

非過去の「～べきだ」は話し手自身の事柄や行為には用いられないので注意が必要です。

　(3)　×成績が下がっている。私はもっと勉強するべきだ。

「～べきだ」は文語の助動詞「～べし」から来ています。少しかたい言い方ですが、書きことばだけでなく、話しことばでも用いられます。

●作り方・接続の仕方

「い形容詞」「な形容詞・名詞」に接続するときは、それぞれ、「くある」「である」が必要になります。

```
V-る
イadj.-くある
ナadj.-である         べきだ
Nである
  [例外 する → す／する]
```

(4) 車は環境にやさしくあるべきだ。また、人に対して安全であるべきだ。
(5) 機械類のマニュアルは簡潔であるべきだ。何を言おうとしているのかわからないものも多い。

●**いつ使われるか**

1．会話の中で

「〜べきだ」がどんな状況・場面で使われるかを考えてみましょう。

(6)は、世話になった人に挨拶に行くことについての会話です。ここでは「学生として当然のこと」として、忠告・勧めを表しています。

(6) A：小林先生に帰国の挨拶に行ったほうがいいでしょうか。
　　B：そりゃ行ったほうがいいよ。お世話になったんだから。
　　A：でも、忙しくて……。
　　B：行くべきだよ。学生として当然の礼儀だよ。

次は忠告というより、「いいチャンスだ」という助言の気持ちが強くなっています。

(7) A：この仕事、引き受けようかどうか迷っているんだ。
　　B：そりゃ引き受けるべきだよ。いいチャンスじゃないか。
　　A：うん、そうなんだけど……。
　　B：絶対断るべきじゃないよ。

(8)は忠告・勧め・助言よりはるかに意味合いが強くなって、義務・当為(当然すべき)という意味になっています。

> (8) A：借りた自転車、こわしちゃった。
> B：弁償したほうがいいよ。
> A：でも……。
> B：あなたがこわしたんだから、自分で弁償すべきよ。

2．文章の中で（文のつながりの例）
例1　　事態・状況の文。　　～べきだ。

「～べきだ」は突然会話や文章の初めには現れにくいです。通常は、何か事情や事態・状況があって、それに対する話し手の気持ちの表出として現れます。

> (9) このごろの子供は家の中でゲームなどをすることが多い。子供はもっと外で遊ばせるべきだ。
> (10) 公共料金を納めたがらない若者が増えている。国は早急に対策を講じるべきだ。

例2　　事態・状況の文［～が／けれども（～ので／から）］、～べきだ。

例1と同じですが、「～が／けれども」、また、理由「～ので／から」を用いて1文で表すことも多いです。例文に見られるように、「べきだ」、また、その丁寧な形の「べきです」はそれで言い切るとやや語調が強く感じられるので、うしろに「と思う」を付けて使われることもあります。

> (11) このごろの子供は家の中でゲームなどをすることが多いが、子供はもっと外で遊ばせるべきだと思う。
> (12) 公共料金を納めたがらない若者が増えているので、国は早急に対策を講じるべきだ。

例3　　事情・前提の文 [〜ではなく]、〜べきだ。

既にある事情や前提を否定して、その代案を「〜べきだ」で提出することもあります。

(13) 歴史を知らない日本人をしかるのではなく、教えて説得するべきだと思います。
(14) 国と地方は、決して「対立関係」ではなく、「対等な関係」であるべきだと考えます。

例4　　〜べきだが、ただし書き・代案の文。

「〜べきだ」の文が前提になり、後件でただし書きを加えたり、代案を述べたりする場合もあります。前提文が「〜べきだと言われている」になることもあります。

(15) 年金改革は優先して議論するべきだが、若者達にとって働き甲斐のある社会作りを常に基本に据える必要がある。
(16) 本来なら、社長がご挨拶すべきところですが、副社長の私が代わってご挨拶申し上げます。

● どのような語と結び付きやすいか

Xべきだ

〈Xに来る語〉

忠告・助言・義務などを表す「べきだ」の前には意志動詞が来ることが多く、無意志的な表現は来にくくなります。特に動詞の中では可能動詞は不適切になります。

(17) ?大学生なんだから、もっと漢字が書けるべきだ。

しかし、「そういう状態であるべきだ」ということを表す場合は、ごく限られた無意志動詞が来ることができます。

◆意志動詞：
　　頑張る、仕事する、勉強する、改善する、明確にする、謝罪する、強化する、など

(18) 謝罪するべきところは潔く謝罪するべきだ。

◆無意志動詞：

ある、なくなる、受身動詞（作られる、導入される、除外される）、など

(19) 最近は物騒になってきた。もっと近くに交番があるべきだ。
(20) 高額所得者はその規定枠からは除外されるべきだ。

◆形容詞：

やさしい、楽しい、平等だ、誠実だ、丁寧だ、簡単だ、など

(21) 公共の施設は、もっと老人にやさしくあるべきだ。

「べきだ」が肯定形をとるか否定形をとるかによって、結び付く副詞も異なってきます。

◆副詞〈～べきだ（肯定）〉：絶対に、ぜひ、ただちに、きちんと、など

(22) ただちに謝罪すべきだ。

◆副詞〈～べきでは／じゃない（否定）〉：決して、絶対に、二度と、など

(23) 同じ過ちは二度と繰り返すべきではない。

● 「～べきだ」のほかの用法

「～べきだ」は次のように「～べきだった」という過去の形で使われることがあります。

(24) 試験に落ちてしまった。もっと真面目に勉強しておくべきだった。
(25) 彼女が自殺したなんて、あのときもっと親身になって相談にのってあげるべきだった。

「～べきだった」は、やらなかったことに対して、そうしておけばよかったとあとで後悔の気持ちを抱く場合に用いられます。「～べきだ」が話し手自身の行為や事柄に用

いられないのに対し、「〜べきだった」は(24)(25)のように話し手自身の行為や事柄にも用いられます。

● 類義表現との比較

1.「〜べきだ」と「〜なければならない」「〜(た)ほうがいい」の比較

(6)(7)を使って、「〜べきだ・〜なければならない・〜(た)ほうがいい」の違いを考えましょう。

(6)′　A：小林先生に帰国の挨拶に行ったほうがいいでしょうか。
　　　　B：そりゃ行ったほうがいいよ。お世話になったんだから。
　　　　A：でも、忙しくて……。
　　　　B1：行かなければならないよ。学生として当然の礼儀だよ。
　　　　B2：行くべきだよ。学生として当然の礼儀だよ。
　　　　B3：行ったほうがいいよ。学生として当然の礼儀だよ。

B1、B2は、「学生としての礼儀」という社会常識を出して、忠告・勧めを行っています。義務・当為(当然)を表す「〜なければならない」は強い忠告を、「〜べきだ」も「〜なければならない」ほどの強制的な意味合いはありませんが、忠告・勧めを表しています。一方、「〜(た)ほうがいい」を使ったB3は助言にとどまっています。

(7)′　A：この仕事、引き受けようかどうか迷っているんだ。
　　　　B1：?そりゃ引き受けなければならないよ。いいチャンスじゃないか。
　　　　B2：そりゃ引き受けるべきだよ。いいチャンスじゃないか。
　　　　B3：そりゃ引き受けたほうがいいよ。いいチャンスじゃないか。

ここでは、義務・当為(当然)の意味合いより、「いいチャンスだ」という助言の気持ちが強くなっています。「〜べきだ」「〜(た)ほうがいい」は使えますが、「〜なければならない」を使ったB1は不自然になります。

このように「〜べきだ」は助言・勧めから義務・当為(当然)までを表しますが、「〜なければならない」よりはやや弱く、「〜(た)ほうがいい」よりは強く主張する場合に使われます。「〜べきだ」は自分の考え・意見としてははっきり主張するけれど、それ

をするかどうかは相手の選択に任せるという余地を残した言い方だと言えるでしょう。

2．「〜べきだ」と「〜はずだ」の比較 (⇒初ポ26)

「〜べきだ」も「〜はずだ」も物事に対する話し手の「(そうする、そうあるのは)当然である」という気持ちや判断を表します。

人間の意志によって行われる事柄に対する当為や当然さに対しては「〜べきだ」が使われます。

　⑶　もう10時になったんだから、彼は来るべきだ。
　⑵　10年も習っているんだから、英語をしゃべるべきだ。

一方、その当為や当然さを推量的確信・期待としてとらえたとき、「〜はずだ」が使われます。

　⑻　もう10時になったんだから、彼は来るはずだ。
　⑼　10年も習っているんだから、英語をしゃべるはずだ。

また、人間の意志を超えた事態には、「〜べきだ」ではなく「〜はずだ」が使われます。

　⑽　最新の治療を受けているのだから、彼の病気は治る{×べきだ／はずだ}。
　⑾　いい天気の日には、ここからは富士山が見える{×べきだ／はずだ}。

「どのような語と結び付きやすいか」でも触れたように、「べきだ」の前に意志動詞でなく、無意志動詞や可能動詞を用いた場合は、「べきだ」が不適切になる場合が多いと考えられます。

　⑿　10年も習っているんだから、英語がしゃべれる{?べきだ／はずだ}。
　⒀　もっといい結婚相手が見つかる{×べきだ／はずだ}。

一方、「はずだ」を忠告・助言などの意志的な表現に使うと、不適切になります。

(34) 何かをする前には、もっとよく考える{べきだ／×はずだ}。
(35) 年寄りをもっと尊敬する{べきだ／×はずだ}。

3．「〜ものだ・〜ことだ」との比較
本書の「27 〜ものだ」を参照してください。

「学習者の誤用の例」の解説

　1は「自立する」と「べきだ」の接続の問題です。「する」は「するべきだ」または「すべきだ」になります。

　2は「〜べきだ」を自分自身の行為について用いていますが、「〜べきだ」は相手、または、第三者に対して忠告や助言をする表現で、話し手自身の行為については使いません。(「〜べきだった」は「ほかの用法」のところにもあるように、話し手自身の行為についても使えます。)

　3は「〜べきだ」と「〜はずだ」の混同です。「2年間日本語を勉強してきた」ことと「もっとしゃべれる」ことが因果関係を示しています。そのため、「勉強してきた」結果として当然「しゃべれるはずだ」という期待に結び付きます。「〜するのは当然だ」という意味で、学習者は「〜べきだ」を使ったと考えられますが、「〜べきだ」を使いたければ、意志動詞「しゃべる」を用いるべきです。

　4も「〜するのは当然だ」という意味で「〜べきだ」を用いたと考えられます。しかし、「〜べきだ」は意志的な事柄を表すので、4のような人間の意志を超えた自然現象には不適切になります。(3、4については「類義表現との比較」2を参照してください。)

　5は、単に規則の内容を述べているのであり、高校生達に忠告・助言をしているのではないので、「〜べきだ」の使用は不適切になります。

26 〜まい

A：また何か言ったの？
　　山田さん怒ってたよ。
B：もう言うまいと思っていた
　　んだけど、我慢できなくて……。
A：何て言ったの。
B：のろまって。

学習者はどこが難しいか。よく出る質問。

1. 「〜まい」のうしろに「だろう」を付けてもいいのか。
2. 第三者の考えを表すときも「〜まい」が使えるの？「〜まい」の主語は誰？
3. 「行くか行くまいか」のような「〜か〜まいか」の使い方が難しい。
4. 「彼は来るまい。」「もう酒は飲むまい。」など、「〜まい」文の中の「は」の使い方が難しい。

学習者の誤用の例

1. 食欲がないので、晩ご飯を食べるまい。
　　→食欲がないので、晩ご飯は食べないでおこう／食べたくない。
2. 彼が来たら、私は行くまいだろう。
　　→彼が来るなら、私は行くまい／行かないだろう。
3. 頭があまりよくないけど、小学校ぐらいの数学はできないことはあるまいだろう。
　　→頭はあまりよくないけど、小学校ぐらいの算数はできないことはあるまい。／できないことはないだろう。
4. 日曜日に釣りに行くか行くまいかは天気次第だ。
　　→日曜日に釣りに行く／行けるかどうかは天気次第だ。

説 明

●基本的な意味用法

　動詞の辞書形に付く「まい」は大きく分けて二つの意味用法があります。一つは、話し手の否定の意志を表すもの、もう一つは他者や事柄に対する、話し手の否定の推量を表すものです。

　　(1)　あんな店には二度と行くまい。(否定の意志)
　　(2)　この苦しみはほかの人にはわかるまい。(否定の推量)

否定の意志を表す「まい」は意志動詞と結び付きます。一方、否定の推量を表す「まい」は意志動詞・無意志動詞のほかに、形容詞・「名詞＋だ」とともに使われることもあります。

　　(3)　彼の言っていることはまんざら嘘ではあるまい。

どちらに使われても、「～まい」は書きことば的なかたい言い方になります。

●作り方・接続の仕方

```
V　五段　　V－る
　　一段　　V－る／ナイ形の語幹
イadj. －くはある
ナadj. －では(じゃ)ある　　　　　　　　まい
Nでは(じゃ)ある
 ［例外　する　→　する／し／す
 　　　　来る　→　来る／来（こ）／来（く）］
```

　「まい」の動詞への接続はゆれている部分があります。五段（Ⅰグループ）動詞は辞書形に、一段（Ⅱグループ）動詞は辞書形、または、ナイ形の語幹（食べ、起き、見）

に接続します。「する」「来る」は表に示したように、複数の言い方が可能です。「すまい」「来まい／来まい」はやや古い言い方に感じられます。

●いつ使われるか

１．会話の中で

　強い否定の意志を表す「〜まい」がどんな状況・場面で使われるかを考えてみましょう。「〜まい」は会話では年配の男性が使うことが多いようです。

> （4）　A：頭が痛い。
> 　　　B：二日酔いですよ。きのうあんなに飲むんだから。
> 　　　A：あー、もう二度と酒は飲むまい。

　しかし、「〜まいと思う」という形をとると、男女を問わず、話しことばで用いられることもあります。

> （5）　A：杉田さん、お金返した？
> 　　　B：ううん、まだ。
> 　　　A：私も早く返すように言ったんだけど。
> 　　　B：ありがとう。人にはもう二度とお金を貸すまいと思っている。

　次は否定の推量を表す場合です。「〜ないだろう」の意味になりますが、それより強い否定になります。これも年配の男性が使うことが多いです。

> （6）　A：ゆうべの雨はすごかったですね。
> 　　　B：１年分が降ったみたいだね。
> 　　　A：本当に。
> 　　　B：あれだけ降ったんだから、今日はもう降るまい。
> 　　　A：そうだといいんですけどね。

　「そんなこともない」「それほどでもない」の意味で「そうでもあるまい」という言い方もあります。これも年配の男性が使うことが多いです。

(7)　A：大道芸人の人達は大変ね。
　　　B：そうでもあるまい。自分のやりたいことがやれるんだから。

２．文章の中で（文のつながりの例）

例1　　原因・理由の文。　　～まい。

　何か原因・理由があり、そのために否定の意志を表す「～まい」という形をとることがあります。この場合、「ので／から」を使わず、原因・理由の文はそこで一度切れて、その次に別の文として「～まい」を含む文が来ることが多いようです。

(8)　きのうは飲みすぎて皆に迷惑をかけた。もう二度とお酒は飲むまい。
(9)　あの店の店員の態度は失礼きわまりない。あんな店にはもう行くまい。

例1の場合は「～まいと思う」という言い方もできます。

(10)　きのうは飲みすぎて皆に迷惑をかけた。もう二度とお酒は飲むまいと思う。
(11)　あの店の店員の態度は失礼きわまりない。あんな店にはもう行くまいと思っている。

例2　　～まいと思う／思った／思っていたが／けれども、きっかけの文 [～と]、結果の文 [(つい) ～てしまう／しまった]。

　そうしないという決意をしたのに、その決意が崩れる場合の言い方です。文末はしかたなくそうなったという意味合いが含まれ、「～てしまう／しまった」が来ることが多いようです。きっかけを表す「～と」が入る場合が多いです。

(12)　彼女とはもう会うまいと思ったが、電話がかかってくると、うれしくなってしまう。
(13)　保証人にはなるまいと思うが、頼まれるとつい引き受けてしまう。

例3　原因・理由の文 [〜から／ん(の)だから]、〜まい。

それだけの理由や根拠があるから、そういうことは起こらないだろうという否定の推量を表す形です。例3のように、「〜から／ん(の)だから」を伴う理由節を用いる場合と、次の例4のように2文になる場合があります。

　(14)　彼は責任者だから、遅れることはあるまい。
　(15)　あれだけ言ったん(の)だから、もう二度と嘘はつくまい。

例4　原因・理由の文。　〜まい。

例3が2文になった形です。2文になる場合は、前文の原因・理由の文が「〜ん(の)だ」で終わることが多いようです。

　(16)　彼は責任者なんだ。遅れることはあるまい。
　(17)　あれだけ言ったん(の)だ。もう二度と嘘はつくまい。

例3、4は、次のように原因・理由とまでははっきり言えない事態・状況の場合にも使われます。

　(18)　ゆうべあんなに大雨が降ったん(の)だから、今日は降るまい。
　(19)　冬山は温度が下がる。彼らは助かるまい。

●どのような語と結び付きやすいか

「〜まい」は次のような副詞とともに用いられることが多いです。
　◆副詞〈否定の意志を表す「まい」〉：二度と、絶対に、もう、など

　(20)　二度と過ちは犯すまい。

　◆副詞〈否定の推量を表す「まい」〉：きっと、たぶん、まず、もう、など

　(21)　そんなことはまずあるまい。
　(22)　もう来ることもあるまい。

● 「～まい」のほかの用法

~(よ)うと～まいと・～(よ)うが～まいが

「～(よ)うと～まいと」は「してもしなくても関係ない」という意味を表します。

⑵3 引き受けようと引き受けまいと、私の自由だ。

「～(よ)うと～まいと」「～(よ)うが～まいが」はやや古い言い方ですが、「～(よ)うが～まいが」は、より強調した、突き放した言い方になります。

⑵4 あいつが死のうが死ぬまいが、俺の知ったことではない。

「学習者の誤用の例」の解説

　「～まい」は話し手の否定の意志、および、否定の推量を表しますが、1では、食欲がないために結果として「晩ご飯を食べない」のであって、話し手の意志を表す「まい」とは結び付きません。
　2では「行くまい」に「だろう」を付けています。「～まいだろう／でしょう」という接続の形はありません。単に「行くまい」とするか、「行かないだろう」とする必要があります。3も「～まいだろう」という接続をしている誤りです。
　4については、肯定と否定を並べた形としては、「行こうと行くまいと」「行こうが行くまいが」のように意志表現を並べる言い方はありますが、「行くか行くまいか」という言い方はあまり使いません。訂正文のように「行くかどうか」、または、「行けるかどうか」にしたほうがいいでしょう。

27 〜ものだ

〈電車の中で〉
A：ほら、おばあさんが来たよ。
B：うん。
A：さあ、立って。
B：うん。
A：お年寄りには席をゆずるものだよ。

学習者はどこが難しいか。よく出る質問。

1．「〜ものだ」の正しい使い方がわからない。いつ使うの？
2．「〜ものだ」は意味用法が多くて混乱する。
3．「〜ものだ」と「〜ことだ」の使い分けがわからない。

学習者の誤用の例

1．このたぐいの話はよく聞くものだ。
　　→このたぐいの話はよく聞く。
2．彼は食いしん坊で、何でも食べるものだ。
　　→彼は食いしん坊で、何でも食べる。
3．毒ガスが作られたとはなんと恐ろしいものだろう。
　　→毒ガスが作られたとはなんと恐ろしいことだろう。
4．おじが優しくしてくれたことをいつも思い出すものです。
　　→おじはいつも優しくしてくれたものです。

説 明

●基本的な意味用法

　文末にあって、話し手の気持ち（ムード（モダリティ））を表す「〜ものだ」の主な意味用法は次のようです。

　　(1)　人の性格はなかなか変わらないものだ。（本性・あるべき姿）
　　(2)　学生はもっと勉強するものだ。（訓戒・忠告）
　　(3)　人生はすばらしいものだ。（感慨・感心の気持ち）
　　(4)　あのころは、どこの家でも酒を作っていたものだ。（回顧・懐かしさ）

「〜ものだ」に共通する意味は、話し手の「感慨を伴った気持ち」ですが、その気持ちは、個別的というより、一般的、社会的なものと照らし合わせてのものと言えます。
　次の(5)aは自分の孫について、(5)bは孫一般について述べていますが、aのほうがやや落ち着きが悪くなります。

　　(5)　a．？孫の花子はなかなか可愛いものだ。
　　　　 b．　孫というものはいつ見ても可愛いものだ。

「〜ものだ」は書きことばにも話しことばにも使われますが、時に訓戒めいた言い方になることもあるので、どちらかと言うと年配の人に使われやすいようです。また、話しことばでは「ものだ」が「もんだ」になることもあります。

●作り方・接続の仕方

「ものだ」への接続の仕方は、次のように意味用法によって異なります。

V－る／V－ない イ adj. －い／イ adj. －くない ナ adj. －な／ナ adj. －では(じゃ)ない	ものだ〈本性・忠告〉
V－普通形 イ adj. －普通形 ナ adj. －普通形 　［例外　~~ナ adj. －だ~~　→　ナ adj. －な］	ものだ〈感慨・感心〉
V－た／V－なかった イ adj. －かった／イ adj. －くなかった ナ adj. －だった／ナ adj. －では(じゃ)なかった	ものだ〈回顧・懐かしさ〉

●いつ使われるか

1．会話の中で

「～ものだ」がどんな状況・場面で使われるかを考えてみましょう。

(6)では、人というものの本性について話しています。

> (6)　父：そんなところにゴミを捨てるな。
> 　　　子：だって誰も見ていないよ。
> 　　　父：人っていうのは見ていないようで、案外見ているものだよ。
> 　　　子：……。

次の会話は電車の中で見かけるシーンです。Aの訓戒・忠告めいた気持ちを表しています。

(7) 　　A：君、そこをもう少し詰めてあげなさい。
　　若者：……（少し詰める）
　　　　A：さあ、おばあさん、どうぞ。
　おばあさん：ありがとうございます。
　　　　A：（心の中で）若者はもっと年寄りを大切にするものだ。

次の(8)で、Aは単に「さびしい」と言っていますが、Bは「さびしいもんだ」と「ものだ」を付けています。「ものだ」が付くことによって、個別的な気持ちだけでなく、「一般的、社会的なものと照らし合わせて」、「（子供のいない正月というのは）そういうものだ」というような「感慨を伴った気持ち」を表しています。

(8) 　A：お正月は子供さんは戻られないんですか。
　　 B：ええ、誰も帰ってきません。
　　 A：子供がいない正月はさびしいですね。
　　 B：ええ、さびしいもんですね。

「〜ものだ」は次のようにあきれた気持ちを表すこともあります。

(9) 　A：ここにあったケーキは？
　　 B：食べちゃった。
　　 A：えー、三つもあったんだよ。
　　 B：だって……。
　　 A：よくもケーキを三つも食べられたもんだ。

次は学生の会話です。ここでは、Bは子供時代のことを思い出しています。

(10) A：君は根っからの勉強家だね。
　　 B：いや、子供のときは勉強をしなくて、母を怒らせたものだよ。
　　 A：本当？今と大違いだね。

「母を怒らせたものだよ」は、「母を怒らせたよ」でも意味的に違いはありません。「ものだ」を付け加えることによって「感慨を伴った気持ち」を付け加えています。

２．文章の中で（文のつながりの例）
例1　　～は～ものだ。　　意見・考えの文［だから、～べきだ／必要がある］。

初めに「本来そういうものである」と言っておいて、あとで意見・考えを述べる形で、文末には「べきだ、必要がある」などの表現が来やすくなります。

(11) 薬は命にかかわるものだ。だから、公の機関がきちんと安全性を調べ、品質を保証するべきだ。
(12) 子供は弱いものだ。だから、社会全体が見守っていく必要がある。

例2　　事情・前提の文［～ものだ］が、ただし書き・反対の文［(～ものだ)］。

「～ものだ」の文が事情・前提になり、後件でただし書きを加えたり、反対のことを述べたりする場合もあります。

(13) 入社当初は新鮮な気持ちで頑張れるものだが、仕事に慣れてくると、そんなに頑張れなくなるものだ。
(14) 人はほめられるとうれしいものだが、うぬぼれ過ぎて傲慢になることもある。

例3　　事態・状況の文［～が／けれども］、意見・考えの文［～ものだ］。

「～が／けれども」を用いて、前置き的に事態・状況の文を述べ、続いてそれについて意見・考えを述べる形です。

(15) このごろの子供は家の中でゲームなどをすることが多いが、子供は本質的には外遊びが好きなものだ。
(16) 空巣が増えているが、近所での声のかけ合いによってある程度防げるものだ。

例4　　感慨・感心の文 [〜ものだ]。　　具体的説明の文 [〜から]。

「感慨・感心」を表す「〜ものだ」について見てみましょう。例4は、まず、初めに「感慨・感心」の文を出して、次に理由や詳細を説明する形です。「〜から」で終わることが多いです。

(17) 彼の活躍は大したものだ。彼のホームランが試合を決めたようなものだから。
(18) 便利な生活になったものだ。コンピュータでお金の決済ができるのだから。

例5　　感慨・感心の文 [〜ものだ]。　　（だから、）〜べきだ／〜ばいい。

「感慨・感心」の文を提出して、うしろで「だから、こうあるべきだ」「こうすればいい」と述べる形です。

(19) たとえどうであろうと、人生はよいものだ。生きているだけでも感謝すべきだ。
(20) 自然はすばらしいものだ。我々はもっと自然な形で自然と関わっていければいい。

例6　　回顧の文 [〜(た)ものだ]。　　具体的説明の文。

「回顧・懐かしさ」を表す文では、まず「〜(た)ものだ」と一つの思い出を提出して、それについて、説明を加えて話を展開していく形があります。

(21) 京都に住んでいたころは、よく近くの古本屋に売りに行ったものだ。あるとき古典を30冊ほどこの本屋へ売ったことがあった。
(22) 子供のころは一日中野原を駆けめぐったものだ。いなごをとって食べたりもした。

●**どのような語と結び付きやすいか**

「ものだ」の前に意志動詞が来ると「訓戒・忠告」を、無意志動詞が来ると「本性・

あるべき姿」を表します。

1．「訓戒・忠告を表す」Xものだ
〈Xに来る語〉
◆**意志動詞：**
　勉強する、働く、励む、尊敬する、いたわる、など

　(23)　年寄りには優しくするものだ。

◆副詞：もっと、もう少し、できる限り、など

　(24)　人にはもっと丁寧に接するものだ。

2．「本性・あるべき姿を表す」Xものだ
〈Xに来る語〉
◆**無意志動詞：**
　死ぬ、こわれる、倒れる、変わる、など

　(25)　人の心は変わるものだ。

◆副詞：なかなか、あまり、そんなに、それほど、決して、いつかは、など

　(26)　金持ちはあまりお金を使わないものだ。

3．「回顧を表す」Xものだ
◆副詞：よく、しょっちゅう、しばしば、など

　(27)　学生時代はしょっちゅう駅前の喫茶店に入りびたってたものだ。

●「〜ものだ」のほかの用法

「〜ものだ」の否定形
　「〜ものだ」の否定の形には「〜ないものだ」と「〜ものでは／じゃない」の2通りあります。

(28) 教養人はそんなことはしないものだ。
(29) 教養人はそんなことはするものではない。

(28)の「～ないものだ」は本性を表す意味にも、訓戒・忠告を表す意味にもとれますが、(29)の「～ものではない」は訓戒・忠告の意味のみを表します。

「～もの(だ)」の用法は今まで述べた以外に多岐にわたります。次にそのいくつかを紹介します。

1）～もの／もん

文末に付けて理由を表したり、自分を正当化するときに使います。若い女性や子供が使うことが多いです。

(30) A：秋ちゃんもおいでよ。
B：私は用事があるから、行かないもん。

2）～ものか

文末に付けて、強い否定を表します。

(31) あいつの言っていることなんか本当なものか。

3）～ものなら、～

動詞の可能形に付いて、実現する可能性の低いことが「もし万一実現したら」という仮定を表します。

(32) 子供が病気で苦しんでいる。代われるものなら代わってやりたい。

4）～ものの、～

「～が／けれども」の意味を表しますが、前件で当然起こると述べられたことが起こらない、または、そうであろうと予測される事柄がそうならない場合に用いられます。後件（主節）には、自分の行為が実現されない、うまくいかないことに対する後悔めいた文が来ることが多いです。

(33) やれると言ったものの、だんだん自信がなくなってきた。

次は学習者の誤用文ですが、単なる状態・程度を述べているのであれば「〜が／けれども」が使われ、話し手の予測・期待に対する失望を表すのであれば、「〜ものの」が使われると言えるでしょう。

(34) ？1年間日本に住んでいたものの、日本語があまり上手じゃない。
→ 1年間日本に住んでいたが／けれども、日本語があまり上手じゃない。
1年間日本で日本語を勉強したものの、あまり上手にならなかった。

「〜ものだから」については「40 〜（の）ことだから・〜ものだから（わけだから）」を参照してください。

● **類義表現との比較**

1．「もの」と「こと」の比較

ここでは、「〜ことだ」と「〜ものだ」の基本的な違いについて考えてみましょう。

一昔前「大きいことはいいことだ」というコマーシャルがありました。もし「こと」を「もの」に変えると、「大きいものはいいものだ」となりますが、両文を比べると「こと」と「もの」の違いがはっきりわかります。「大きいこと」は「大きいということ」という抽象的な事柄を表し、「大きいもの」は具体的な物体を表しています。

「こと」が抽象的な事柄を表すということは正しいですが、「もの」は本当に具体的な物体だけを表すのでしょうか。

(35) お金というものはおそろしい。
(36) 人間が一番望むものは自由ですよね。
(37) 仕事ってものはそんな甘いものじゃありません。
(38) 宗教とは人間にとって必要不可欠なものだ。

(35)の「もの」はお金ですから、具体的な物体を表しています。(36)はどうでしょうか。人間が望むものの中には、お金や家や車のようなものも含まれるし、自由・愛・平和などのように抽象的なものも含まれます。(36)の「もの」は物体を表す「もの」よりも広い意味で使われています。(37)(38)では仕事・宗教が「もの」になっています。仕事や宗教は抽象的なものです。したがって、「もの」は具体的な物体のほかに、抽象的な事物も

表すと言えます。

では、(37)(38)の「もの」を「こと」に変えても成り立つでしょうか。

(37)'　？仕事ってことはそんな甘いことじゃありません。
(38)'　？宗教とは人間にとって必要不可欠なことだ。

(37)'(38)'は少し変ですね。自然な文にするためには次のようにする必要があります。

(37)''　働くってことはそんな甘いことじゃありません。
(38)''　信じるということは人間にとって必要不可欠なことだ。

つまり、「もの」は「宗教」や「仕事」そのものは表せるけれど、それらの概念は「こと」でしか表せないということになるようです。

２．「～ものだ」と「～ことだ」「～べきだ」「～なければならない」の比較

「～ものだ」と「～ことだ」「～べきだ」「～なければならない」の意味用法の違いをまとめると、おおよそ次のようになります。

	～ものだ	～ことだ	～べきだ	～なければならない
用法	訓戒・忠告 本性・感慨・回顧	忠告・命令 感慨	助言・勧め 義務・当為	義務・必要性
意味	一般的・ 社会的判断	個人的判断	個人的判断・ 社会的判断	一般的・ 社会的判断
文体	かたい、年配者	かたい、年配者	ややかたい	ややかたい
否定	～ないものだ ～ものではない	～ないことだ ～ことはない	～べきではない	

「～べきものだ」という形もあります。「～べきだ」と個人的な判断をしておいて、なおかつ、一般的、社会的な判断を加えたものと考えられます。

(39)　しつけというものは家庭教育の中でなされるべきものだと思う。
(40)　化粧は人のいないところでするべきものだ。

> ### 「学習者の誤用の例」の解説
>
> 　「〜ものだ」の使い方で一番難しいのは、どういう文に「ものだ」を付ければ自然な文になるかということでしょう。1、2は「ものだ」を付ける必要がないところに用いている例です。「ものだ」は「本性・あるべき姿」を表します。1もその意味で用いたと思われますが、「このたぐいの話はよく聞く」ということは「本性・あるべき姿」を表していません。「このたぐいの話はよく聞く」は、この文を作った学習者個人が「よく聞く」という意味なので、一般的なことを表しにくいと考えられます。もし、「このたぐいの話はよくある」であれば、「このたぐいの話はよくあるものだ」とつながります。2は「感慨・感心の気持ち」を表すために「ものだ」を使ったようですが、「ものだ」を使うためには「その場に居合わせて感心する」、または、そのことを実感しているかのように生き生きと描く必要があります。2は「ものだ」を削除するか、次のように表現すると自然になります。
> 　2'　彼は食いしん坊だとは聞いていたが、本当によく食べるものだ。
> 　3は「なんと〜だろう」の形で感嘆文になっています。この場合は「ものだ」でなく、「ことだ」が使われます。
> 　4は回顧を表す「ものだ」を使った文ですが、ここでも、どういう表現を「ものだ」と結び付けるかが問題になります。「よくいたずらをしたものだ。」「よく飲み明かしたものだ。」という回顧の表現は、「[以前やったこと]＋ものだ」の形をとります。4の「思い出す」のは現在思い出すのであって、「以前やったこと」ではありません。

28

～(し)ようがない・
～(し)ようで・～(し)ようによって

A：お隣の息子さん、大学入試、また落ちたんですって。
B：これで……3回目だね。
A：そう、お気の毒で、声のかけようがないんですよ。

学習者はどこが難しいか。よく出る質問。

1．「～(し)ようがない」の正しい使い方がわからない。いつ使うの？
2．意志を表す「～(よ)う」と混同してしまう。
3．「しかたがない」の意味を表す「しようがない」と混同してしまう。

学習者の誤用の例

1．こんな難しい問題は解けようがない。
　→こんな難しい問題は解きようがない。
2．うちのチームはその大会には勝とうがない。
　→うちのチームはその大会には勝ちようがない／勝ち目がない。
3．あのクラスつまらなくて出ようがない。
　→あのクラスつまらないから出たくない。
4．あんなに大きな牛丼の特盛りは、食べきりようがない。
　→あんなに大きな牛丼の特盛りは、どうやっても食べきれない。

説 明

●基本的な意味用法

　ここで取り上げる「ほかに言いようがない」「やりようでどうにでもなる」「考えようによっては今回のことはよかったかもしれない」の「よう」は、「動詞マス形の語幹」に付く接尾辞で、意志を表す「食べよう・しようと思う」などの「よう」とは別のものです。「言い方」「やり方」「考え方」のように、その「仕方」や「方法」を表します。

　　(1)　鍵がなければ、ドアの開けようがない。
　　(2)　こんな状態になってしまったら、これ以上進めようがない。

「～(し)ようがない」は「方法がない、どんな方法をとっても不可能だ」という意味を表します。

　　「～(し)ようで」「～(し)ようによって(は)」は「その仕方によって」という意味を表します。

　　(3)　説明のしようで何とでも説得できますよ。
　　(4)　メールの書きようによっては相手を怒らせることもある。

いずれも話しことばで使われる表現です。

●作り方・接続の仕方

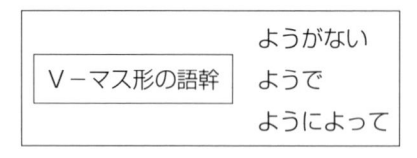

V－マス形の語幹	ようがない ようで ようによって

　1)「名詞＋を＋動詞」が「～(し)よう」と結び付くと、「を」は「の」になることが多いです。ただし、「～(し)ようがない」の言い切りの形では「を」を使うこともあります。

　　　　　返事を書く　→　返事の書きようがない。／返事を書きようがない。
　　　　　　　　　　　　返事の書きようによってうまくいくかもしれない。

2)「説明する」などの「名詞＋する」動詞が「〜(し)よう」と結び付くと、「名詞＋の＋しよう」になるようです。

　　　　説明する　→　説明のしようがない。
　　　　　　　　　　　説明のしようでわかってもらえるはずだ。

●いつ使われるか

１．会話の中で

まず、「〜(し)ようがない」の使われる会話を考えましょう。

「〜(し)ようがない」は「ほかに可能な手段が何もない」というような悲観的な意味合いで使われることが多いです。

> (5)　A：財布がない。
> 　　　B：探したの？
> 　　　A：思いつくところは全部探したよ。
> 　　　　　これ以上、探しようがないよ。

> (6)　A：今回の事件についてご意見をお願いします。
> 　　　B：今聞いたばかりで、コメントのしようがありません。

「〜(し)ようがない」は強く方法・可能性を否定する言い方なので、そのうしろに「んじゃないか」「んじゃないでしょうか」「んじゃないかと思う」が来て、主張をやわらかくすることも多く見られます。

> (7)　A：この大根は辛いですね。
> 　　　B：ええ、いつものと種類が違うから。
> 　　　A：どうやって食べるのが一番いいですかね。
> 　　　B：そうですね。やっぱり煮て食べるしか使いようがないんじゃないでしょうか。

次は、「〜(し)ようで」「〜(し)ようによって(は)」が使われている例です。

(8) A：株で損をしてしまったんです。
　　B：まあ、それはそれは。どのくらい？
　　A：30万ばかり。
　　B：30万も。でも、ものは考えようで、これからのためにいい勉強をしたと思えばいいですよ。

(9) A：学園祭の出し物だけど、素人ビデオの上映会ってのはどう。
　　B：なんかおもしろくないなあ。
　　A：そんなことないよ。やりようによってはおもしろくなるよ。

2．文章の中で（文のつながりの例）

例1　　原因・理由の文［～ので／から］、結果の文［～（し）ようがない／なかった］。　　　（まとめの文）。

「～（し）ようがない」は原因・理由があって、結果として方法がない／なかったという形で続くことが多いようです。

(10)　全く初めての事態だったので、対策の立てようがなかった。
(11)　過去に前例がないので、何ともお返事のしようがないのです。とにかく、やってみますが。

(11)は「～（し）ようがない」と言っておいて、しかし、「とにかく、やってみますが。」と言っています。(11)のようにまとめを表す言い方が続くこともあります。

例2　　条件の文［～ないと／なければ］、結果の文［～（し）ようがない］。　　　（まとめの文）。

例1と似ていますが、原因・理由ではなく「そういう状況・条件がなければ」という形で前件に「～と／ば」が来ることがあります。

(12) 病人は食事がとれなくなると、手の施しようがなくなってしまう。今のうちに何とかしなければならない。

(13) 社員一人一人が意識を変えなければ、会社なんて変わりようがない。会社の盛衰は社員のやる気にかかっているのである。

例3　(逆接)条件の文[〜ても／のに]、結果の文[〜(し)ようがない／なかった]。

逆接「〜ても／のに」を伴った文が前件となって、条件はそろっていても結果として方法がない／なかったことを表します。例2と逆の意味を表すと言えます。

(14) 祖母はちゃんと食事がとれていたのに、手の施しようがなくなってしまった。

(15) 社員の意識が変わっても、会社なんて変わりようがない。

●どのような語と結び付きやすいか

Xようがない

〈Xに来る語〉

◆意志動詞：
言う、救う、考える、(対策を)とる、手を打つ、手を施す、救う、変わる、など

(16) これだけ考えたんだから、もうほかに考えようがないよ。

◆副詞など：何とも、〜としか、〜しか、〜ぐらいしか、これ以上、これ以外に、もはや、ほとんど、どうやっても、など

(17) 何とも言いようがない。

(18) これ以上頑張りようがないじゃないか。

●類義表現との比較

「〜(し)ようがない」と「可能表現」の比較

可能表現の「〜ことができない」や「書けない、答えられない」は、能力的に、また

は状況的にそうすることが不可能であることを表します。これに対し、「〜(し)ようがない」は、状況的に不可能なことを表し、「方法がない、どんな方法をとっても不可能だ」という場合に用いられます。

次の(19)は能力的なことを問題にしているので、「〜(し)ようがない」は不適切になります。

(19) 質問を受けたが、不勉強で｛答えることができない／？答えようがない｝。

(20)は状況的な事柄ですが、「5冊以内ということ」は規則として決まっていることで「方法がない、どんな方法をとっても不可能だ」とは結び付かないので、不適切になります。

(20) 図書館では一度に5冊以上｛借りられない／？借りようがない｝。

(20)は、次のような「方法がない」という状況を作れば「〜(し)ようがない」も可能になってきます。

(21) どうしても7冊借りたかったが、係の人が取り合ってくれないので借りようがなかった。

「学習者の誤用の例」の解説

　仕方・方法を表す「〜(し)ようがない」は基本的には意志動詞に付きます。1の「解ける」は無意志動詞なので、文として不自然になっているように感じられます。「〜(し)ようがない」は一部の無意志動詞に付いて、「こんな固いもの、こわれようがない」「こんなにしっかりしているんだから、倒れようがない」ということができます。しかし、使われる無意志動詞は限られていて、「解ける」の場合、「解けようがない」という言い方はありません。

　2は意志を表す「〜(よ)う」と混同している例です。「勝つ」の「〜(よ)う」の形(意向形)は「勝とう」ですが、ここではマス形の語幹を用いて、「勝ちようがない」にする必要があります。

　3の「出ようがない」は「出る方法がない」という意味になります。「つまらない」のですから、「出たくない」としたほうがいいでしょう。

　4は「食べきる方法がない」と考えて、「食べきりようがない」としたのだと思われますが、「〜(し)ようがない」は「食べきる」のように、完全に終了したことを表す表現には使えないと考えられます。したがって、4の場合は、単に「食べきれない」と不可能なことのみを述べるべきでしょう。

29 〜ん(の)じゃないか・〜のではないか

A：顔色が悪いよ。
B：きのうあまり寝ていなくて。
A：睡眠不足だよ。
　休んだほうがいいんじゃないか。
B：ええ、でも、仕事があるから。

学習者はどこが難しいか。よく出る質問。

1．「ん(の)じゃないか」の前に来る動詞・形容詞を正しく接続できない。
2．「〜ん(の)じゃないか」と「〜ん(の)じゃない？」は同じ？
3．「〜のではないか」は書きことば？ うまく使えない。

学習者の誤用の例

1．友達になるためには、相手の話をよく聞くことが一番いい方法んじゃないか。
　→友達になるためには、相手の話をよく聞くことが一番いい方法なんじゃないか。
2．これがほしければ、持って行ってもいいじゃないかな。
　→これがほしければ、持って行ってもいいんじゃないかな。
3．おい！ここから飛び出したら危ないんじゃないか。
　→おい！ここから飛び出したら危ないじゃないか。
4．先生に相談したところ、やめたほうがいいじゃないと言われた。
　→先生に相談したところ、やめたほうがいいんじゃないかと言われた。

説 明

●**基本的な意味用法**

「〜ん(の)じゃないか・〜のではないか」は、「はっきりそうだとは断定できないが、おそらく〜ではないだろうか」といった、話し手の「推測的な判断」を表します。

(1)　A：この仕事は福島君に頼もうと思うんだけど。
　　　B：そうだね、福島君なら、引き受けてくれるんじゃないか。

また、「〜ん(の)じゃないか・〜のではないか」に「だろう」「でしょう」の付いた「〜ん(の)じゃないだろう／でしょうか」(書いたものでは「〜のではないだろうか」)は、断言を避けるという点では、より丁寧な言い方になるので、意見を提出するときや提案するときによく使われます。

(2)　A：この仕事は誰に頼めばいいだろうか。
　　　B：福島君なら、引き受けてくれるんじゃないでしょうか。
(3)　活動停止3日間は軽すぎるんじゃないでしょうか。
(4)　これは、政府に任せるのではなく、国民一人一人が考えるべき問題なのではないだろうか。

「〜ん(の)じゃないか」「〜のではないか」は、次のように話しことばと書きことば、また、男女の使い分けがあります。

話しことば

話し手	普通体	丁寧体
男性	〜ん(の)じゃないか／かな／だろうか 〜ん(の)じゃない？	〜ん(の)じゃないですか 〜ん(の)じゃありませんか
女性	〜ん(の)じゃないかしら／かな／だろうか 〜ん(の)じゃない？	〜ん(の)じゃないでしょうか

書きことば（論説文など）

書き手	普通体
男性・女性	～のではない（だろう）か

●作り方・接続の仕方

　「～ん（の）だ」の場合と同じで、動詞・形容詞などの普通形に接続します。「な形容詞」「名詞＋だ」の非過去は、「～なん（の）じゃないか」「～なのではないか」となります。（⇒初ポ25）

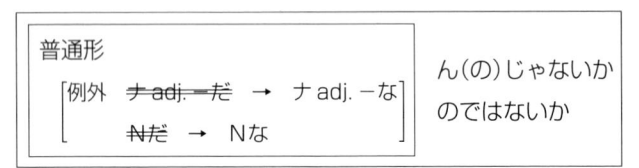

```
普通形
 ［例外  ナadj. −だ  →  ナadj. −な    ん（の）じゃないか
       Nだ      →  Nな         のではないか ］
```

●いつ使われるか

　１．会話の中で

　(5)では、Bは「遅いんじゃないですか」「8時半がいいんじゃないでしょうか」と言うことで、推測的判断から提案へと移っています。

> (5)　A：出発は9時でいいですね。
> 　　　B：ちょっと遅いんじゃないですか。
> 　　　A：……。
> 　　　B：向こうに10時に着くためには8時半がいいんじゃないでしょうか。

次の(6)のAのように「～んじゃないか」のうしろに「と思う」を付けて、自分の推測を相手に伝える形も多く用いられます。

(6) A：このごろ株価が上がっているようだよ。
B：そうらしいね。でも、またすぐ下がるんじゃないだろうか。
A：いや、大丈夫だよ。
景気がいいから、僕は下がらないんじゃないかと思うけど。

次の(7)で「かしら」を使ったAは女性だと考えられます(「かしら」は男性が使う場合もあります)。一方、「かな」、また、何も付けない「高いんじゃない？」は女性はもちろん男性にも使われています。

(7) A：これいくら？
B：3万円。
A：これは？
B：3万5千円。
A1：ええっ、この店、ちょっと高いんじゃない？
A2：ええっ、この店、ちょっと高いんじゃない｛かしら／かな｝。

２．文章の中で（文のつながりの例）

例1 　原因・理由の文［～て／ので／から］、～の(ん)では／じゃない(だろう／でしょう)か。

最初に一つの事態・状況の説明があり、そのことが原因・理由になって一つの状況が生み出されているのではないかという推量を表す形です。

(8) 自分に責任がかかってくると思って、彼はあんな質問をしたんじゃないか。
(9) 近い将来、化石燃料がなくなってしまうかもしれないので、代替燃料のない国は悲観的になっているのではないだろうか。

例2 　原因・理由の文［～ので／から］、～(た)ほうがいいの(ん)では／じゃない(だろう／でしょう)か。

ある原因・理由のために、一つの状況が生み出されていることに対して、提言・助言をする言い方です。討論などで、「～(た)ほうがいいんじゃないでしょうか」を使う

と非常に丁寧な提案になります。

(10) このことばは、それぞれの解釈が異なると思いますので、最初に定義したほうがいいのではないでしょうか。
(11) 台風が近づいているという予報が出ているから、子供達を早く帰したほうがいいんじゃないだろうか。

例3 前置きの文[〜が/けれども]、〜の(ん)では/じゃない(だろう/でしょう)か。

今まで出た意見を一応認めて、別の推量や意見を提出する形です。「〜(た)ほうがいいんじゃないでしょうか」が使われることもあります。

(12) 彼にはいろいろ問題があるけれども、3人の中では一番積極性があるのではないか。
(13) これは緊急性を要する問題ですが、もう少し検討してから実行に移したほうがいいんじゃないでしょうか。

例4 前置きの文[〜が/けれども]、条件の文[〜たら]、〜の(ん)では/じゃない(だろう/でしょう)か。

前置きの文の次に、条件「〜たら」を用いて、「そういう状況であれば、そうであろう」という推量や、「そうすればいい」という提案を提出します。

(14) 「ひきこもり」は、教育制度にも原因はあるかもしれないが、家庭での挨拶など、身近なことから始めてみたら、何かが変わるのではないだろうか。
(15) 問題が出てくるかもしれないが、問題が出てきたら、その都度考えるというスタンスでいいのではないでしょうか。

例5 条件の文[〜と/ば/たら]、〜ないの(ん)では/じゃないかと思う/思っている。

自分の意見・考えを述べるときは、「〜ないんじゃないかと思う」と二重否定になる言い方もあります。この場合は、前件に条件節の否定の形が来ることが多いようです。

(16) 服や髪型と同じように、仕事も自分の性格に合わないと、続けられないの

じゃないかと思う。
(17) ニートの問題は、個人個人の価値観が変わらなければ、解決しないのではないかと思われる。

● どのような語と結び付きやすいか

「〜ん(の)じゃないか・〜のではないか」では使われる動詞・形容詞には制約はないようですが、副詞は次のようなものが現れやすいです。
　◆評価・程度を表す副詞：やはり、むしろ、とりあえず、少なくとも、それほど、さして、そこまで、など

(18) やはりこれはおかしいのではないだろうか。
(19) そこまでエネルギー価格が上がるということはないのではないか。

　◆時間を表す副詞：今こそ、今まさに、など

(20) 企業の経営者は、今まさに経営戦略の転換を問われているのではないだろうか。

● 類義表現との比較

1．「〜ん(の)じゃないか」と「〜だろう(でしょう)」「〜と思う」の比較

(21)　A：会議、長引きそう？
　　　B1：うん、長引くだろう。(ええ、長引くでしょう。)
　　　B2：うん、長引くと思う。
　　　B3：うん、長引くん(の)じゃない(でしょう)か。

3者のうちでどれが一番推測的判断の確信度が高いかを副詞「きっと・たぶん・ひょっとしたら」を使って考えてみましょう。
　確信度は「きっと・たぶん・ひょっとしたら」の順に低くなると考えられます。

(22)　A：会議、長引きそう？

　　　　B1：うん、{きっと／たぶん／?ひょっとしたら}長引くだろう。
　　　　B2：うん、{きっと／たぶん／?ひょっとしたら}長引くと思う。
　　　　B3：うん、{?きっと／?たぶん／ひょっとしたら}長引くん(の)じゃないか。

確信度の高い「きっと」と「たぶん」は「〜ん(の)じゃないか」とは結び付きにくく、確信度の低い「ひょっとしたら」は「〜だろう・〜と思う」と結び付きにくいが、「〜ん(の)じゃないか」とは結び付きやすくなっています。したがって、3者の中では、「〜ん(の)じゃないか」が確信度が一番低いことがわかります。

　昔流行ったさだまさしの「関白宣言」という歌の歌詞には次のような一節があります。

　　　　俺は浮気はしない
　　　　たぶんしないと思う
　　　　しないんじゃないかな
　　　　ま、ちょっと覚悟はしておけ

「〜と思う」から「〜ん(の)じゃないか」へと移ることによって、「浮気をしない」確信がだんだん下がっていくのをうまく表現しています。
　しかし、実際は「〜だろう・〜と思う・〜ん(の)じゃないか」の3者はからみ合って次のように用いられることもあるようです。

　　⑵3）　長引くんじゃないだろうかと思う。

2．「〜じゃない」と「〜んじゃない」の比較

　学習者が混同しやすいのは、次のように「いい」と結び付いた「いいじゃない」と「いいんじゃない」です。「ん」が入るか入らないかで用法が異なってきます。

　〈デパートの売り場で〉
　　⑵4）　A：このコート、どう？似合うかしら。
　　　　　B：ああ、いいじゃない。すごく似合っているよ。
　　⑵5）　A：このコート、どう？似合うかしら。
　　　　　B：いいんじゃない。悪くないよ。

⒀では、「いいですよ」という意味で積極的に同意し、勧めています。それに比べて「いいんじゃない」は単に推測的な判断を述べているため、消極的、婉曲的な言い方になっています。

　次に、「いい」以外の形容詞「危ない」と結び付いた「〜じゃないか」と「〜んじゃないか」について見てみましょう。㉖のAはトラックの運転手、Bは飛び出してきた子供です。㉗は主婦の会話です。

　㉖　A：危ない！こんなところに飛び出してきたら危ないじゃないか。
　　　B：……。
　㉗　主婦1：ここで子供を遊ばせてもいいかしら。
　　　主婦2：ここは車が通るから、危ないんじゃないかしら。
　　　　　　　向こうへ行きましょう。

㉖の「危ないじゃないか」は「危ないよ!!」という意味の注意・警告を表しています。一方、「危ないんじゃないか（ここでは「かしら」）」は単に推測的な判断を述べています。

「学習者の誤用の例」の解説

1は「ん(の)だ」が名詞に接続するときの誤りです。名詞に接続する場合は、「名詞＋なん(の)だ」、ここでは「名詞＋なん(の)じゃないか」になります。

2は「ん(の)」が抜けて「いいじゃない」となっている例です。「いいじゃない」は「いいじゃないか」と言えても、「いいじゃないかな」という形は不可となります。2の意味合いからは、「持って行ってもいいと思う」という推測を表すことになるので、「いいじゃない」ではなく、「いいんじゃない」になります。「いいんじゃない」の場合は終助詞「かな」の接続が可能になります。

3は「危ないじゃないか」と「ん(の)」の入った「危ないんじゃないか」の意味的な違いが問題になる例です。「危ないんじゃないか」と「ん(の)」が入ると推測になります。しかし、ここでは推測ではなく、「危ない！」と叫んでいる場面ですから、「ん(の)」のない「危ないじゃないか」が正解となります。

4は先生の提案を「やめたほうがいいじゃない」で表していますが、提案ですから、「やめたほうがいいんじゃないか」にしたほうがいいです。

指導法あれこれ〈2〉

16.「～(よ)うとする・～(よ)うと思う」の練習
練習はABCDの4種類あります。

[練習A]
1. 学習者に、「何かをしようとすると、必ず何かが起こる」ことはないかを聞く。例として、最初に教師が自分の体験談を話すのもいい。
2. 学習者同士で話し合わせる。
3. 話し合ったことを発表させる。
4. 次に、「～(し)ようとすると、(いつも／必ず)～」を使って文を作らせ、ノートに書かせる。

　例1：出かけようとすると、いつも雨が降り出す。
　例2：勉強しようとすると、いつも電話がかかってくる。

5. クラスで作った文を発表させる。

[練習B]
1. 1週間を振り返って、「何かをしようとしたが、そのとき何かが起こった／誰かが来た」などの経験を思い出させる。
2. その経験を「～(し)ようとしたとき、～」を使って、文にし、ノートに書かせる。

　例：友達に電話をかけようとしたとき、その友達から電話がかかってきた。

3. クラスで発表させる。

[練習C]
1. 1週間を振り返って、何かをしようとしたが、結局しなかった／やめてしまった経験を話し合わせる。
2. その経験を「～(し)ようとしたんだけど、～」、または、「～(し)ようと思ったんだけど、～」を使って、文にし、ノートに書かせる。

例：電話をかけようとした（思った）んだけど、やめてしまった／かけなかった。

3．2で作った文に、どうしてしなかったかの理由を入れて文を作らせ、ノートに書かせる。

例：電話をかけようとした（思った）んだけど、電話番号がわからなかったので、やめてしまった。

4．クラスで発表させる。

[練習D]
練習Cでやったことを会話の形で練習させる。

1．練習Cの2のような発話に対して、「やめてよかった」という言い方と「やめなければよかった」という言い方を考えさせる。

例：会に出席しようとした（思った）んだけど、出席しなかった。
 1)「やめてよかった」場合
　　　例：やめてよかったね。
　　　　　出席しなくてよかったと思う。

 2)「やめなければよかった」場合
　　　例：出席すればよかったのに。
　　　　　どうしてやめちゃったの？
　　　　　やめなくてもよかったのに。

2．学習者をペアにして、1) 2) を使ってやりとりをさせる。

例1　A：電話をかけようとしたんだけど、かけなかった。
　　　B：かけなくてよかったよ。ゆうべはうちにいなかったから。
例2　A：スピーチコンテストに出ようと思ったんだけど、やめちゃった。
　　　B：どうしてやめちゃったの。申し込めばよかったのに。

19.「～にくい・～づらい・～がたい」の練習

練習はAとBの2種類あります。

[練習A]
1. インターネットで「～にくい・～づらい・～がたい」が使われている文をそれぞれ3例探させ、ノートに書きとめさせる。
2. クラスで発表させる。
3. 教師は発表させた文の中からいくつか選び、学習者に「にくい・づらい・がたい」の3者が置き換え可能かどうか考えさせる。
4. 3について、教師が「可能、言えないこともない、不可能」などを説明する。

　例1：サラリーマンはなかなか休暇をとり{にくい／づらい／×がたい} ようだ。
　例2：これは許し {×にくい／×づらい／がたい} 行為だ。

[練習B]
1. 自分の身の回りに、「～するのが難しい」ことがあるか、また、それはどんな事柄かを考えさせる。
2. その事柄について「～にくい・～づらい・～がたい」の一つを使って、文を作らせる。ノートに書かせる。
3. クラスで発表させる。「～にくい・～づらい・～がたい」が適切に使われているか教師は助言をする。
4. 2で作った文に原因・理由の文を付け加える練習をさせる。練習は、次の文の形1)2)を使用させる。

　1) ～ので／から、{～にくい／～づらい／～がたい}。
　2) {～にくい／～づらい／～がたい}。（というのは／なぜかというと）～からだ。

　例1：店員さんがすぐ「いかがでしょうか」というので、この店はゆっくり買い物しづらい。
　例2：インターネットにアクセスしにくい。たぶん多くの人が利用しているからだろう。

例3：今回の新しい規則は納得しがたい。というのは、今までに何も説明がなかったからだ。

20.「～ことだ」の練習

学習者に初級、中級で習う（習った）「こと」の整理をさせる練習です。AとBの2種類あります。

[練習A]
次の文の中での「こと」の意味用法がわかるか◎○△×を使って、チェックしてください。

　　　　◎よくわかっている　　○だいたいわかっている
　　　　△よくわからない　　　×全然わからない

1)（　）彼のことについてもっと知りたい。
2)（　）今しかやれないことを一生懸命やりたい。
3)（　）「食育」というのは、食に対する意識を育てるということです。
4)（　）夏目漱石が「こころ」を書いたのは1914年のことだ。
5)（　）これまでにプロポーズしたこと100回。
6)（　）日本語は難しくないことがわかった。
7)（　）1,000メートル泳ぐことができる。
8)（　）南極へ行ったことがある。
9)（　）この部屋を教室として使うことがある。
10)（　）ためらっていないで、まずはやってみることだ。
11)（　）子供に先立たれるほど、親にとって悲しいことはない。
12)（　）洋子ちゃんは手術を受けることなく死んでいった。
13)（　）この仕事はあしたやることにします。
14)（　）あの旧家が取り壊されることになった。
15)（　）締め切り期日を厳守のこと。
16)（　）うれしいことに、あの作品が賞をもらえることになった。

17)（　）子供を虐待するなんて、なんて心ないことだろう。

[練習B]
1)～17)の中から、学習者のレベルに合わせていくつか選び、同じ意味用法の文を作らせる。

23.「～ないではいられない・～ずにはいられない」の練習
教師が「～ないではいられない・～ずにはいられない」を使った文を準備し、それを使って練習します。

1．教師は「～ないではいられない・～ずにはいられない」の例をいくつか準備し、学習者に聞かせる。

　例1：小さな子供を見ると、声をかけないではいられない。
　例2：おばあさんが電車に乗ってくると、席を譲らずにはいられない。

2．教師は、学習者に「～ないではいられない・～ずにはいられない」ような経験がないか尋ねる。
3．ペアでそのような経験を話し合わせる。
4．3について「～ないではいられなかった・～ずにはいられなかった」を使って文を作らせ、ノートに書かせる。
5．ペアで発表させる。
　　（1人が発表している間、もう1人に話の内容のジェスチャーをさせてもいい。）

24.「～にちがいない」の練習

練習はAとBの2種類あります。

[練習A]
1．教師は「～にちがいない」の文を1文準備し、黒板に書く。

　　例：あんな失敗をするなんて、みんなはあきれているにちがいない。

2．学習者に、例の文を十分理解させる。
3．例の文の「にちがいない」はそのままにして、ほかの語を一つ変えて文を作らせる。まず口頭で言わせ、次に、板書させて、ほかの学習者に正しいかどうか判定させる。

　変化文例1：あんな失敗をするなんて、みんなは驚いているにちがいない。
　変化文例2：あんな間違いをするなんて、みんなは驚いているにちがいない。
　変化文例3：あんな間違いをするなんて、先生は驚いているにちがいない。
　変化文例4：あんな間違いをするなんて、先生は怒っているにちがいない。

[練習B]
1．教師は「～にちがいない」の文を準備し、黒板に書く。

　　例：朝から下痢が続いている。ゆうべのさしみがよくなかったにちがいない。

2．学習者に、例の文を十分理解させる。
3．例の文の「にちがいない」はそのままにして、ほかの語（語句）を二つ変えて文を作らせる。まず口頭で言わせ、次に、板書させる。
　　ほかの学習者に正しいかどうか判定させる。

　変化文例1：朝から下痢が続いている。きのうの料理がよくなかったにちがいない。
　変化文例2：朝からおなかが痛い。きのうの料理が悪かったにちがいない。
　変化文例3：夜中からおなかが痛い。きのうの料理にあたったにちがいない。
　変化文例4：さっきからおなかが痛い。きのうのさしみにあたったにちがいない。

25.「〜べきだ」の練習

教師は学習者に次のように説明します。

「今から「外国人「べし」集」と、「外国人「べからず」集」を作りましょう。「べきだ」の古い言い方は「べし」、「べきじゃ／ではない」は「〜べからず」になります。今でも慣用的な言い方で使われることがあり、命令の意味を表します。日本へ来て、外国人としてやるべきだ、また、やるべきじゃないとあなたが考えることを発表してください。」

[練習A]

「外国人「べし」集」

1．まず、「〜べし」を使って、「外国人「べし」集」を作らせる。
　　次の例のような文を考えさせ、ノートに書かせる。

　例1：外に出るときは、必ずIDカードを持って行くべし。
　例2：わからないときは、遠慮せず日本人に質問するべし。
　例3：都合が悪くなると、「日本語がわかりません」と言うべし。

2．クラスで発表させる。

[練習B]

「外国人「べからず」集」

1．「〜べからず」を使って「外国人「べからず」集」を作らせる。
　　次の例のような文を考えさせ、ノートに書かせる。

　例1：どんなときでもIDカードを忘れるべからず。
　例2：靴をはいたまま、部屋の中に入るべからず。
　例3：お風呂を出るとき、お風呂の湯を捨てるべからず。

2．クラスで発表させる。

26.「〜まい」の練習

「〜まい」を使った文作りの練習です。

1．学習者に自分自身が「やらないでおこうと思ってもついしてしまう」ことを考えさせる。まず、教師が例を示す。

　　例1：日曜日は、寝ないでおこうと思っても、ついうとうとしてしまう。
　　例2：太るので、ポテトチップスを食べないでおこうと思っても、つい手が出てしまう。

2．学習者に「〜ないでおこうと思っても／思っているのに、〜てしまう」の形で文を作らせる。
3．学習者に発表させる。
4．次に、2と同じ内容を、次の文の形を用いてノートに書かせる。

　「〜まいと思っても／思っているのに、〜してしまう」

　　例1：朝寝坊するまいと思っても、してしまう。
　　例2：無駄遣いをするまいと思っているのに、きのうも全部使ってしまった。

5．クラスで発表させる。

29.「〜のではないか」の練習

新聞のコラムや社説を準備し、学習者に「〜のではない（だろう）か」を見つけさせる練習です。

1．教師は、「〜のではない（だろう）か」が出てくる新聞のコラムや社説を準備する。
2．コピーして、学習者に配布する。
3．学習者にその記事の中から「〜のではない（だろう）か」を見つけ出させる。
4．クラスで発表させて、意味や使い方を確認する。

30 〜あいだ(は)・〜あいだに

A：寒いですね。
B：本当に寒いですね。
A：外に出るのが億劫になりますね。
B：ええ、寒いあいだは、毛布にくるまって冬眠したいです。

学習者はどこが難しいか。よく出る質問。

1．「〜あいだ」と「〜あいだに」の使い分けが難しい。
2．「〜あいだに」と「〜あいだは」の違いは？
3．「〜あいだ」と「〜とき(に)」の違いは？
4．「〜あいだ」と「〜うちに」の違いは？

学習者の誤用の例

1．学生のあいだ、やってみたいことやっておいたほうがいいと思う。
　→学生のあいだに／うちに、やってみたいことはやっておいたほうがいいと思う。
2．彼は仕事しているあいだ、だんだん留学の考え方が浮かんできた。
　→彼は仕事しているうちに／あいだに、だんだん留学への気持ちが強くなってきた。
3．大学にいるあいだに、毎日NHK放送を聞いていた。
　→大学にいるあいだ、毎日NHK放送を聞いていた。
4．私が彼を待っているあいだに、彼は家でずっと寝ていた。
　→私が彼を待っているあいだ、彼は家でずっと寝ていた。

説 明

●基本的な意味用法

「あいだ」は、二つのものにはさまれた時間や空間を指します。ここで取り上げる時間を表す「～あいだ」には用法が二つあります。一つは「～あいだ(は)」となる場合、もう一つは、「～あいだに」となる場合です。

1．～あいだ(は)

ある状態・動作が続いている時間や期間を表します。後件(主節)にはその時間(期間)中に継続している状態や、並行して起こっている動作を表す文が来ます。

　(1)　大学に通っているあいだ、ずっと京都に住んでいた。

「～あいだ」は「～あいだは」とほぼ同じように用いられますが、「～あいだは」になると、その期間を強調した、取り立てた言い方になります。また、(3)のように後件(主節)に話し手の判断が示されることも多いです。

　(2)　大学に通っているあいだは、ずっと京都に住んでいた。
　(3)　大学に通っているあいだは、このアパートにいるほうが便利だ。

2．～あいだに

「～あいだに」は次の二つの意味を表します。「～あいだに」は「～あいだ(は)」とは置き換えられません。

1)その状態が継続している時間(期間)内に、「事態が起きる」または「行為を終わらせる」の意味を表す。

　(4)　出かけているあいだに、空き巣に入られた。
　(5)　私が掃除機をかけているあいだに、拭いてちょうだい。

2)その状態が継続しているときに、並行して変化が起こることを表す。

(6) 本を読んでいるあいだに、眠くなってしまった。

「～あいだ(は)・～あいだに」は話しことば、書きことばの両方で用いられます。「あいだ」は漢字で「間」と書かれることも多いです。

● 作り方・接続の仕方

動詞が接続するときは、「～ている」の形で用いられることが多いです。

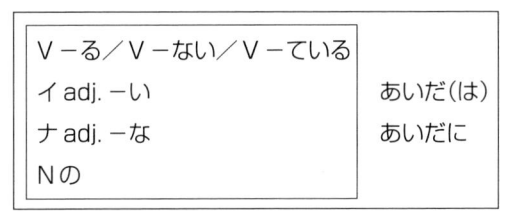

V －る／V －ない／V －ている イadj. －い ナadj. －な Nの	あいだ(は) あいだに

● いつ使われるか

1. 会話の中で

「～あいだ(は)」はある状態や動作が続いている最中に、どうするか、どういう状態かということを述べるのに用いられます。

(7) A：ごめんください。
B：ああ、Aさん、ちょっと待ってください。
A：はい。
B：1本メールを打つあいだ、そこで待っていてください。

(8) A：明日からちょっと留守をします。
B：どちらへ。
A：夏休みなので、ちょっと国に。
B：ああ、そうですか。お休みのあいだずっといらっしゃるんですか。
A：いえ、2、3週間で帰ってくるつもりです。

(9)(10)の「～あいだに」は、ある時間内に、行為を終わらせることを表すときに用いられます。

> (9) A：Bさんは屋久島へ行きましたか。
> B：いえ、まだです。
> A：あそこはいいですよ。景色もいいし、魚もおいしいし。
> B：ええ、日本にいるあいだに、一度行きたいと思っています。

> (10) A：今日は誕生パーティーのご馳走を作りましょう。
> B：お手伝いします。
> A：ありがとう。じゃ、私が肉を焼いているあいだに、ソースを作ってくれる？
> B：はい、わかりました。

次の「～あいだに」は、ある状態や動作と並行して、後件（主節）の変化が起こる場合です。

> (11) A：杉本さんと結婚しようと思ってるの。
> B：へえ、あんな人タイプじゃないって言ってたのに。
> A：うん、でも、付き合っているあいだに、愛し合うようになったの。
> B：そう、それはよかったわね。

２．文章の中で（文のつながりの例）

例1　　　～しているあいだに、事態・状況の文。　　　結果の文 [(それで、)～]。

ある一定の時間内に何か事態が変わったり、何か動作・行為をした場合、次に来る文は「それで、～」というように事態の結果の文になる場合と、「しかし、～」と反対の文になる場合があります。例1は結果の文、例2は反対の文です。

> (12) 風呂に入っているあいだに、友達から電話がかかってきた。それで、風呂から上がるとすぐ電話をかけ直した。

(13) 早く着いたので、友達を待っているあいだに、近くの本屋を覗いてみた。そこで少し時間を潰すことができた。

例2 〜しているあいだに、事態・状況の文。　ただし書き・反対の文 [(しかし、)〜]。

(14) 風呂に入っているあいだに、友達から電話がかかってきた。しかし、私はその電話を無視した。
(15) 早く着いたので、友達を待っているあいだに、近くの本屋を覗いてみた。しかし、すぐに友達が来たので、あわてて本屋を出た。

例3 対比的な文 [〜あいだは〜が/けれども、〜]。

「〜あいだは」は、「が/けれども」とともに現れて、前件と後件が対比的、対照的な関係を表します。

(16) この土は、濡れているあいだは濃い色だが、乾かすと淡い色に変わる。
(17) エネルギーを自国でまかなえているあいだはいいが、そうでなくなると、輸入に頼らざるを得なくなる。

例4 〜あいだは〜。　しかし/ところが、〜。

例3で、「が/けれども」の代わりに文が終了し、接続詞の「しかし/ところが」などで次の文へつながっていくこともあります。

(18) 財布の金が続くあいだは、ちやほやされる。しかし、金が尽きると誰も寄り付かなくなる。
(19) 株の値上がりが続くあいだは、多くの人が株に飛びついた。ところが、株価が急落し始めると株離れが始まった。

●どのような語と結び付きやすいか

１．Ｘあいだ(は)Ｙ
〈Ｘに来る語〉
◆継続状態を表す動詞など：
　続く、可能動詞（働ける、できる）、〜ている、など

　⑳　彼女が着替えているあいだ(は)、僕は外で待っていた。

◆一定の時間・期間を持つ名詞：
　会議、留守、夏・冬休み、9時から12時、3日から5日、子供、学生、高校生、独身、など

　㉑　子供のあいだは、できるだけ外で遊ばせたほうがいい。

〈Ｙに来る語〉
◆継続状態を表す動詞など：
　〜ている、続く、続ける、ある、いる、など

　㉒　休暇のあいだは、母の看病を続ける。

◆話し手の気持ちを表す表現など：
　〜たい、〜(た)ほうがいい、〜べきだ、〜(し)よう、など

　㉓　働けるあいだは働きたい。

２．「事態が起きる、行為を終わらせる」Ｘあいだにひ
〈Ｘに来る語〉
　1に同じ。
〈Ｙに来る語〉
◆動作を表す動詞など：
　帰る、行く、終わる、終える、食べる、読む、〜てしまう、など

(24) 私が寝ているあいだに、彼は帰ってしまった。

3．「並行して変化が起こることを表す」XあいだにY
〈Yに来る語〉
◆変化を表す動詞など：
　なる、変わる、変える、〜てくる、〜ていく、〜ようになる、など

(25) いっしょに仕事をしているあいだに、好きになっていった。

●類義表現との比較

「〜あいだに」と「〜うちに」の比較（⇒33）

　「〜うちに」は、「この時間（期間）内でなければ」という話し手の強い気持ちを含みます。一方、「〜あいだに」はある状態・動作が続く、単なる時間的な幅を表します。したがって、単なる時間的な幅を表す次のような場合は、「〜あいだに」と「〜うちに」は置き換えが可能になります。

(26) 本を読んでいる{あいだに／うちに}、眠くなってしまった。
(27) しばらく見ない{あいだに／うちに}大きくなりましたね。

　一方、「この時間（期間）内でなければ」という強い気持ちを表す「〜ないうちに」の場合は、「〜あいだに」で置き換えるとやや不自然になります。

(28) 子供が起きない{?あいだに／うちに}買物に行こう。
(29) 雨が降らない{?あいだに／うちに}、布団を取り込んでおく。

「〜ないうちに」に代表されるように、「〜うちに」は多くの場合時間が来れば変化する事柄を表します。「子供が寝ているうちに」「明るいうちに」「父が働いているうちに」「元気なうちに」なども、いずれ子供は起きるし、暗くなるし、父が働けなくなるし、年をとって体が弱くなります。したがって、次のように変化を問題としない表現では、「〜うちに」が不適切になってきます。(30)は「行為を終わらせる」、(31)は「事態が起きる」ことを表しています。

(30)　私が掃除機をかけている{あいだに／?うちに}、拭いてくれませんか。
(31)　風呂に入っている{あいだに／?うちに}、友達から電話がかかってきた。

(30)(31)は、次のように、「その時間（期間）内でなければ」と、その時間（期間）内ということを特に強調するのであれば、「うちに」も可能になります。

(32)　（私は掃除が終わったらすぐ出かけるので、）私が掃除機をかけているうちに、拭いてくれませんか。
(33)　（もっとあとでかけてと頼んでおいたのに、）風呂に入っているうちに、もう電話がかかってきた。

しかし、(30)(31)は単なる時間の幅ととらえて、「〜うちに」ではなく「〜あいだに」を用いたほうがいいと考えられます。

「学習者の誤用の例」の解説

1は「あいだ」ではなく「あいだに」とすべき誤りです。ある期間内に行為（やってみたいこと）を終わらせるという意味だと理解すると、「〜あいだに」または「〜うちに」とすべきです。

2は、ある期間内に変化が起こったことを表したいのですから、「〜うちに」または「〜あいだに」とすべきです。

3、4は「あいだに」ではなく「あいだ」にすべき例です。3は「大学にいるあいだ」継続・並行してNHK放送を聞いていた、また4は、「彼を待っているあいだ」継続・並行して寝ていたのですから、両者とも「あいだに」ではなく「あいだ」にする必要があります。

31

～一方だ・～一方（で）・（～反面）

A：この通りは人が少なく
　　なりましたね。
B：ええ。駅前はにぎやかに
　　なる一方ですよ。
A：新しい店が増える一方で、
　　古い店はすたれていきますね。

学習者はどこが難しいか。よく出る質問。

1．「～一方だ」が文の流れの中で適切に使えない。
2．「(増える)一方だ」と「(輸出が増える)一方で、(輸入は減っている)」は意味が異なる。同じ「一方」なので混乱する。
3．「～一方(で)」と「～が／けれども」の使い分けが難しい。

学習者の誤用の例

1．東京の車の数は増加している一方だ。
　→東京の車の数は増加する一方だ。
2．彼が成績がいい一方だ。
　→彼は成績がよくなる／上がる一方だ。
3．このホテルはとても高い一方で、サービスや設備は抜群だ。
　→このホテルはとても高いが／けれども、サービスや設備は抜群だ。
4．経済成長の一方で、環境問題も浮上した。
　→急激な経済成長の一方で／経済が成長する一方で、環境問題も浮上してきた。

説 明

● **基本的な意味用法**

「〜一方」は「〜一方だ」の形で文末に用いられる場合と、「〜一方・〜一方で」の形で、従属節として用いられる場合があります。

1．〜一方だ
多くの場合、よくないことがどんどん進んで止まらない状況・状態を表します。

(1) 2年目に入って、仕事が増えていく一方だ。忙しくてたまらない。

2．〜一方(で)
ある動作・状況と並行して、それとは別の動作を行ったり、対立的な状況が起こっていることを表します。前件と後件(主節)には反対、または、対照的・対比的な行為・事柄が来ます。

(2) 多くの大企業は儲けを得ている一方で、利益を社会に還元している。

(3) 彼は音楽活動の一方で、評論家としても幅広く活躍している。

2の用法では、1と異なり、プラス評価にもマイナス評価にも使われます。

●作り方・接続の仕方

「〜一方だ」と「〜一方(で)」への接続の仕方は次のように異なります。

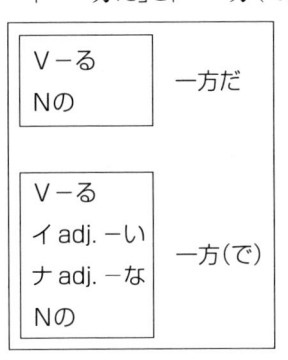

V－る / Nの	一方だ

V－る / イadj.－い / ナadj.－な / Nの	一方(で)

(4) 彼は文学には非常に詳しい一方で、世間の常識的なことには驚くほど無知だ。

●いつ使われるか

１．会話の中で

「〜一方だ」はある傾向がどんどん進むことを表します。多くの場合マイナスの意味合いを持ちます。

(5) A：少子化が進んでいますね。
　　B：ええ、都心では生徒数が減少の一方です。
　　A：そうですか。
　　B：もちろん、有名校は受験が激化する一方ですが。

「〜一方(で)」は「〜けれども、それと同時に」という意味を表しますが、次は前件と後件が反対の意味を持つ例です。反対を表す場合も、単に反対のことを言うだけでなく、別のこともある、やっているという話し手の主張が入ります。

(6) A：お宅の会社もリストラが盛んですか。
　　B：ええ、前よりはましになりましたが。
　　A：リストラはいやですね。
　　B：ええ、やめさせられる人がいる一方で、本社に栄転する人もいるんですから。

　次は「～一方（で）」の前件と後件に同じような事柄を並べて、並列的な関係を持つ場合です。前件で挙げたこと以外に別のこともやっているという話し手の主張を表すことが多いです。

(7) A：お宅の会社、がんばってますね。
　　B：ええ、ありがとうございます。
　　A：外国で業績を上げる一方で、その国の雇用促進の力にもなっているんですから。

「～一方（で）」は名詞に接続することもあります。(7)のAの文は次のようにすることもできます。

　A'：外国での躍進の一方で、その国の雇用促進の力にもなっているんですから。

２．文章の中で（文のつながりの例）

「～一方だ」と「～一方（で）」では文のつながり方が少し異なるので、別々に取り上げます。

1)～一方だ

例1　原因・理由の文 [～ので／から／ために]、～一方だ。

ある原因・理由があって、その状態・事態がよくない方向に進んでいることを表す形です。

(8) 保護のための予算がないので、伝統芸能はすたれていく一方だ。
(9) 効果的な対策をとらないから、カラスが増える一方だ。

例2　条件の文 [〜と／ば]、〜一方だ。

理由ではなくて、あるきっかけ・条件でそういう方向に進んでいくということを表します。

(10) 今対策をとらないと、日本経済は世界から遅れていく一方だ。
(11) このまま放っておけば、両者の溝が深くなる一方だ。

例3　理由の文 [〜一方で／なので／だから]、評価的判断の文。

「〜一方だ」が「〜一方で」の形で、原因・理由を表す形です。「並列して・対照的に」の意味の「〜一方(で)」と混同しないようにする必要があります。

(12) 株価が下がる一方なので、とても心配だ。
(13) 新型インフルエンザによる死者が増える一方で、手の打ちようがない。

2)〜一方(で)

例4　評価的判断の文。　　（というのは、）〜一方(で)〜。

ある事態・状況に対して評価を下し、次の文で「〜一方(で)」を用いて説明を加える形です。(14)はプラス評価、(15)はマイナス評価の文です。

(14) 日野氏は立派な人だ。医者として活躍する一方、医療機関に多額の寄付を行っている。
(15) あの会社には注意が必要だ。というのは、不法解雇を行う一方で、業績を偽っている。

例5　評価的判断の文。　　（しかし、）〜一方(で)、〜。

ある評価があり、それを認めながら、うしろで反対のことに言及する形です。

(16) 彼は上司に評判がいい。しかし、上司に評判がいい一方で、部下には人気がない。
(17) 夜行列車は疲れる。だが、疲れる一方で、旅の情緒を楽しむこともできる。

● どのような語と結び付きやすいか

１．Ｘ一方だ

「〜一方だ」は一定の方向に進んでいくということを表すので、前接する語には変化を表す表現が多くなります。

〈Ｘに来る語〉

◆変化を表す動詞など：

増える、減る、悪化する、なる、値上がりする、値下がりする、たまる、増す、進む、〜ていく、〜てくる、など

(18) 歯医者に行かなかったせいで、歯が痛くなる一方だ。

◆変化を表す名詞：

「名詞＋する」の名詞（増加、減少、過疎化、増大）、など

(19) 村おこしが盛んではあるが、多くの村は過疎化の一方だと言えよう。

２．Ｘ一方（で）Ｙ

〈Ｘに来る語〉

動詞には特に制約がないようなので、形容詞・名詞について見ていきます。

◆形容詞：

裕福だ、（〜が）盛んだ、（〜が）豊富だ、（〜に）詳しい、（〜に）慎重だ、など

(20) Ｋ大学は基礎研究が盛んな一方で、産学協同研究にも積極的である。

◆修飾語を伴った名詞：

急激な経済の成長、過酷な労働、華やかな生活、など

(21) あの女優は、華やかな生活の一方で、家庭的な愛情には恵まれていない。

●類義表現との比較

1.「～一方(で)」と「～が／けれども」の比較

　(22)　多くの大企業は儲けを得ている一方で、利益を社会に還元している。

(22)の「一方(で)」を「が／けれども」に変えても文の意味は同じになります。

　(23)　多くの大企業は儲けを得ているが／けれども、利益を社会に還元している。

しかし、(23)には「～一方(で)」の持つ「同時に、並行して」の意味合いは出ません。その意味合いを出すためには、「還元してもいる」のように同類を表す「も」を加える必要があります。ここから次のことが言えます。

　　　～が／けれども：単に前件と後件を対比させる。
　　　～一方(で)：前件に「加えて、並行して」の意味合いを持つ。

2.「～一方(で)」と「～反面」の比較

「～反面」も「～一方(で)」と同じく、前件と後件(主節)が反対のことを表します。しかし、「～反面」は行為ではなくて、同一のものの異なる性質を表します。

　(24)　この薬はよく効く{反面／一方(で)}、副作用も強い。
　(25)　新幹線は便利だ。しかし、速くて便利である{反面／一方(で)}、旅を楽しむ喜びはない。

(24)では薬について、(25)では新幹線についての異なる二つの側面について述べています。一方、事態・行為を表す(26)のような文では「反面」は不適切になります。

　(26)　彼は骨董品を収集する{×反面／一方(で)}、販売も手がけている。

3.「～一方だ」と「～ばかりだ」の比較

一定方向に傾斜していくという点では、「～ばかりだ」「～一方だ」は同じ意味を表し、両者ともマイナスの意味合いを含みます。

(27)　二人の仲は険悪になっていく{ばかり／一方}だ。

(28)　日本へ来て以来、日本が嫌いになっていく{ばかり／一方}なんです。

「〜一方だ」がやや書きことば的なかたい言い方なのに対し、「〜ばかりだ」は話し手の気持ちを直接的に表していると言えます。

「学習者の誤用の例」の解説

　「〜一方だ」はそれ自体で物事がどんどん進んでいく状態を表します。したがって、1のように前接する語に進行を表す「〜ている」を使うと重複した感じを与えます。

　2は「一方だ」を形容詞に接続していますが、物事の進行を表す「一方だ」に形容詞は接続しません。「いい」は「よくなる」とする必要があります。

　3は「一方で」の代わりに「が／けれども」を用いたほうがいい例です。3のように単に対比的に反対のことを述べるのであれば「〜一方(で)」を用いる必要はなく、「とても高いが／けれども〜」とすればいいことになります。「〜一方で」を用いると、「そうであることに加えて、反対の、または、同じような、こういうこともしている」という、「並行して行っている」という意識が入ります。「ホテルが高い」ことと「サービスや施設が抜群だ」ということは、対比的、対照的なことではあるが、「加えて、並行して」という関係にはないと言えます。

　4の「経済成長の一方(で)」という言い方は適切ではありません。「名詞＋の一方(で)」にしたいのであれば、修飾語を用いて「急激な経済成長の一方で」とするか、動詞を使って「経済が成長する一方で」とすればいいでしょう。

32 ～うえで・～際(に)・～に際して

A：アンケートをとろうと思っています。
B：若者の意識調査ですか。
A：ええ、アンケートをとるうえでどんなことに気をつければいいでしょうか。
B：そうですね。まず、アンケート項目は少なくしたほうがいいですよ。

学習者はどこが難しいか。よく出る質問。

1．「～際に」と「～に際して」の使い方は同じ？
2．「～際に」と「～とき」「～場合」はどう違うの？
3．「うえ」を使った表現は、「～うえで」「～うえは」などいろいろあり、用法が異なるので混乱する。

学習者の誤用の例

1．研究を続けるうえで、日本に来て留学することにした。
　→研究を続けるうえで、日本に留学したほうがいいと判断した。
2．人とコミュニケーションを円滑を保つうえで、討論をしましょう。
　→人とコミュニケーションを円滑に保つうえで、討論することは必要だ。
3．出発の際には、一言ご挨拶申し上げます。
　→出発に際して、一言ご挨拶申し上げます。
4．ご結婚に際し、これは小さいプレゼントです。
　→ご結婚に際し、心ばかりのプレゼントを差し上げます。
5．ご結婚に際し、ぜひ参加してください。
　→結婚の際には、ぜひ式に参加してください。

説 明

●基本的な意味用法

　「〜うえで・〜際(に)・〜に際して」は「〜のときに」「〜場合」という意味ですが、それぞれ意味用法に特徴があります。

　1．〜うえで
　動詞の辞書形、または名詞に付いて、「〜する場合に」「〜するにあたって」「〜する過程で」の意味を表します。後件(主節)では、その場合や過程における注意点・問題点などについて述べることが多いです。

　　(1)　時間を守るということは、仕事をするうえで最低限のマナーである。
　　(2)　時間を守るということは、仕事のうえで最低限のマナーである。

36課では「決意・覚悟」を表す「〜うえは」を、39課では「結果・結論」を表す「〜うえで」を取り上げています。本課の「その場合や過程における注意点・問題点」を表す「〜(る)うえで」との違いに注意が必要です。(⇒36、39)

　2．〜際(に)
　動詞の辞書形やタ形、名詞などに付いて、「〜ときに」「〜する場合に」の意味になります。「〜とき」より改まった、かたい言い方で、ある特別の事態に出会って、それにうまく対処する(下線部分は森田(1989)より)という意味合いを含みます。

　　(3)　そのことは大木さんと直接会った際に、伝えておきます。

　3．〜に際して
　2の「〜際(に)」と同じく「〜ときに」の意味を表します。「〜際(に)」と似ていますが、「ある特別の事態に臨んで、それにあたって」という意味合いを持ちます。改まった挨拶や挨拶文などに、「前置き」としてよく使われるという特徴があります。

(4) 出発に際して、一言ご挨拶申し上げます。

● 作り方・接続の仕方

「うえで・際(に)・に際して」の前に来る動詞・名詞の接続の仕方が異なるので注意が必要です。

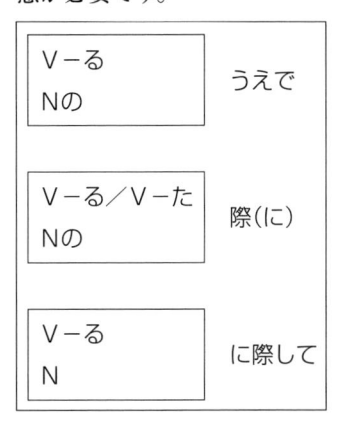

V－る / Nの	うえで
V－る／V－た / Nの	際(に)
V－る / N	に際して

● いつ使われるか

1. 会話の中で

「〜うえで」「〜際(に)」「〜に際して」は共通した意味合いを持ちますが、「〜うえで」が現れると、次に注意点・問題点についての話が出てくるということが予測されます。

(5) A：国際学会に論文を出すことしました。
B：それはいい。
A：先生、論文を書く{うえで／際に／に際して}、どのようなことに注意したらいいでしょうか。
B：まず、今までにどこまで研究されているかをしっかりつかむことだね。

(6)は図書館での会話です。図書館員は仕事の場にふさわしい、改まった、かたい表現の「際(に)は」を使っています。「は」の付いた「際(に)は」は、その「とき」を特に取り上げて何かを述べるという気持ちが入ります。

> (6) A：春休み中の貸し出しは何日間ですか。
> B：1か月です。
> A：延長できますか。
> B：延長する際(に)は、更新手続きをしてください。

(7)は「〜に際して」が「〜際(に)」と同じように使われる場合です。

> (7) 職員：ご入学、おめでとうございます。
> 父兄：あのう、質問があるんですが。
> 職員：はい、何でしょうか。
> 父兄：入学｛に際して／の際に｝寄付金が要ると聞いているんですが、本当でしょうか。
> 職員：はい。しかし、それは強制ではありませんので。

(8)は挨拶に使われる場合です。「際して」のより改まった形として「際し」や「際しまして」が使われることがあります。

> (8) 校長：父兄の皆さん、ご子息のご入学おめでとうございます。
> 父兄：ありがとうございます。
> 校長：入学に｛際し／際しまして｝、私のほうから一言ご挨拶申し上げます。
> 本校は私学の名門として……

2．文章の中で（文のつながりの例）

例1　事態・状況［〜が／けれども］、意見・考えの文［〜うえで／際(に)／に際して〜］。

　一つの事態・状況を説明し、その問題点や注意点について意見や考えを述べた

り、尋ねたりする形です。「～ときに」という意味で「～際(に)・～に際して」も使われます。

(9) 住宅ローンを利用したいと思ってるんですが、借りる|うえで／際(に)は／に際しては|どんなことに注意したらいいでしょうか。

(10) 大型店の出店が進んでいるが、出店する|うえで／際(に)は／に際しては|住民への丁寧な説明が必要である。

例2　[～うえで／際(に)／に際して～]こと／の／点／ポイントは～。

「～うえで／際(に)／に際して～」は名詞修飾節として名詞にかかっていくことが多いです。

(11) 住宅ローンを利用する|うえで／際(に)／に際して|注意すべき点は、返済に無理がないかということである。

(12) 大型店が出店する|うえで／際(に)／に際して|必要なのは、住民への丁寧な説明である。

例3　意見・考えの文[～うえで／際(に)／に際して～]。　だから／そのために、～

物事を進めるときに必要な問題点・注意点や意見・考えを述べて、次に、「だから、どうすればいいか」を説明する形です。

(13) 申し込みをする|うえで／際(に)は／に際しては|保証人が必要になります。ですから、どなたかにお願いしておいてください。

(14) この仕事を進めていく|うえで／際(に)は／に際しては|、地域の人々の理解と協力が必要だ。だから、地元の行事には極力協力しよう。

例4　原因・理由の文[～うえで／際(に)／に際して～ので／から]、～

例3は「～ので／から」で1文にすることもあります。

(15) 申し込みをする|うえで／際に／に際して|保証人が必要になるので、どなたかにお願いしておいてください。

(16) この仕事を進めていく{うえで／際に／に際して}地域の人々の理解と協力が必要なのだから、地元の行事には極力協力しよう。

●どのような語と結び付きやすいか

基本的にはどんな動詞でも使えますが、「〜うえで・〜際(に)・〜に際して」はいずれも書きことば的なかたい言い方なので、現れる動詞も「名詞＋する」などの動詞が多いようです。

１．XうえでY
〈Xに来る語〉
◆**動詞**：
「名詞＋する」(出発する、提出する、発表する、留学する、延長する、進出する、など)

(17) 留学するうえで、次のような手続きが必要になる。

２．X際(に)／に際してY
〈Xに来る語〉
◆**動詞**：
1に同じ。

(18) 留学する{際に／に際して}、日本での成績表が重要になる。

◆**動作や行為を表す名詞**(「名詞＋する」の名詞部分)：
出発、提出、発表、留学、延長、進出、申し込み、就職、など

(19) 健康診断書は就職{の際に／に際して}必要です。

「学習者の誤用の例」の解説

　「〜うえで」は後件(主節)に、「その場合や過程における注意点・問題点など」についての判断などが来ます。1は事態の説明の文になってしまっているので、訂正文のように判断の文にすると適切になります。
　2は「〜うえで」を「〜ために」と理解して「討論しましょう」と結んでいますが、「〜うえで」は「そういう過程で」という意味で過程を問題にしています。後件(主節)には注意点や問題点などが来るので訂正文のように「討論することは必要だ」とすると落ち着きます。
　3は「〜際して」を使うべきところを「〜際には」を使った誤りです。3は聞き手に向けての挨拶や通達ですが、その場に臨んで挨拶や通達をする「前置き」としての用法は「〜際には」にはありません。
　4と5は「〜に際し」の誤用です。4は「〜に際し」を適切に用いてはいますが、相手に伝える挨拶の表し方が不適切になっています。
　また、5は「ぜひ参加してください」と言いたいのですから、「〜に臨んで」という意味の「〜に際し」ではなく、「〜する場合に」を表す「〜際には」とすべきです。

33 〜うちに・〜うちは

A：スーパーで朝市やってるよ。
B：安いの？
A：いつもの半額ぐらい。
　　でも、すぐ売り切れちゃうの。
B：じゃ、売り切れないうちに
　　買いに行こう。

学習者はどこが難しいか。よく出る質問。

1．「うちに」「うちは」の前に動詞・形容詞を正しく接続できない。
2．「〜ないうちに」という形が使えない。
3．「〜うちに」と「〜うちは」の使い分けがわからない。
4．「〜うちに」と「〜あいだに」、「〜うちは」と「〜あいだは」は同じ？
5．「〜うちに」と「〜ときに」、「〜うちに」と「〜前に」を混同してしまう。

学習者の誤用の例

1．授業のうちに、問題用紙を出してください。
　　→授業のあいだに、問題用紙を出してください。
2．この本を借りているうちに、きちんときれいに使ってください。
　　→この本を借りているうちは、きちんときれいに使ってください。
3．テレビを見ているうちに、友達から電話がかかってきた。
　　→テレビを見ているときに、友達から電話がかかってきた。
4．就職活動をしていないうちに、よく先輩と相談してください。
　　→就職活動をする前に、よく先輩と相談してください。

説 明

●基本的な意味用法

「うち」は、漢字で「内」と表されるように、ある範囲の中を指します。「うち」に対して「そと」が意識されるように、「その時間（期間）内」という意味合いが強い表現です。以下、「うちに」と「うちは」に分けて説明します。

１．〜うちに

1) その状態が継続しているあいだに「事態が起きる」または「行為を終わらせる」の意味を表す。

 (1) 私が出かけているうちに、客が来てしまった。
 (2) ラーメンは熱いうちに食べてください。
 (3) 雨がやんでいるうちに、買い物に行ってきましょう。

(2)(3)は次のように「〜ないうちに」という形で表すこともあります。

 (4) ラーメンは冷めないうちに食べてください。
 (5) 雨が降らないうちに、買い物に行ってきましょう。

「〜ないうちに」のほうは、事態が変わることに対する懸念から「この時間（期間）内でなければ」という気持ちが強くなります。

2) その状態が継続しているときに、並行して変化が起こることを表す。

 (6) 本を読んでいるうちに、眠くなってしまった。

２．〜うちは

一方、「〜うちは」は、その期間を取り立てた言い方になり、その状態のあいだはその行為・事態が続くことを表します。通常は、後件（主節）に話し手の判断が示されます。

(7) 元気なうちは人のために働きたい。
(8) 彼女が言い出さないうちは、我々も黙っていよう。

●作り方・接続の仕方

次は「うち」の前に来る動詞・形容詞・「名詞＋だ」の形です。「うち」は原則としてタ形に接続しません。

```
V－る／V－ない／V－ている
イadj.－い                   うちに
ナadj.－な                   うちは
Nの
```

●いつ使われるか

1．会話の中で

「～うちに」は、その時間（期間）を越えると事態が変わるという意味合いを含みます。したがって、「うちに」の前には時間が来れば変化する事柄が来やすくなります。次の「晴れている」も、一時的な、変化する事柄を表しています。

(9) A：台風が来るそうね。
    B：ええっ。
    A：庭のトマト、大丈夫かしら。
    B：そうだね。晴れているうちに、トマトの支柱を立てておこう。

「～ないうちに」の場合は、「その時間（期間）内でなければ」という強い気持ちや懸念が入ります。

(10) A：台風が来るそうよ。
    B：ええっ。
    A：庭のトマト、大丈夫かしら。
    B：そうだね。台風が来ないうちに、トマトの支柱を立てておこう。

(9)(10)は「事態が起きる」または「行為を終わらせる」意味の「〜うちに」でしたが、次の(11)は、前件の動作の継続状態と並行して、後件（主節）の変化が起こることを表す「〜うちに」です。

(11) A：杉本さんと結婚しようと思ってるの。
    B：へえ、あんな人タイプじゃないって言ってたのに。
    A：うん、でも、付き合っているうちに、好きになっちゃったの。
    B：そう、それはよかったわね。

次は「〜うちに」と「〜うちは」の比較です。

(12) A：毎日お忙しそうですね。
    B：ええ、貧乏暇なしですよ。
    A：お元気で何よりです。
    B：元気なうちに働いて、老後のためにお金をためておきたいんです。

(13) A：毎日お忙しそうですね。
    B：ええ、おかげさまで。
    A：退職されたのでしょう？
    B：ええ、でも、元気なうちは人のために働きたいと思っています。

(12)の「元気なうちに働く」は「元気である状態のときに」「働く」というその時間（期間）に焦点を置いています。一方(13)は、(年をとったら働けないかもしれないから)「元気なうち」は「働く」という話し手の対比を含んだ判断を示しています。

２．文章の中で（文のつながりの例）

例１　　〜（し）ないうちに〜（する）と、結果の文。

「〜（し）ないうちに〜と、〜」は「〜（し）ない状態のあいだに何かをすると、よくない結果が起きる」という意味を表します。

(14) 衣類はよく乾かないうちにしまうと、カビが生えることがあります。
(15) ハムスターは、環境に慣れないうちに部屋に入れると、家具のすき間に隠れたり、戸のすき間から外に出ていったりする。

例２　　〜（し）ないうちに〜（する）と、結果の文。　　まとめの文 [(だから／ですから) 〜]。

例１のうしろに、まとめの文が来る形です。まとめの文は「だから／ですから」で導かれることが多いです。

(16) 衣類はよく乾かないうちしまうと、カビが生えることがあります。ですから、日に当てて十分に乾燥する必要があります。
(17) ハムスターは、環境に慣れないうちに部屋に入れると、家具のすき間に隠れたり、戸のすき間から外に出ていったりします。(だから) しばらくの間はハウスの中で育ててください。

例３　　事態・状況の文。　　〜（し）ているうちに、事態変化の文。　　（それで／そのため）〜。

物事の経過を語るとき「〜ているうちに」が現れやすくなります。ある事態・状況があり、それに関わっていて、何か変化が起こり、その変化がきっかけとなって、次の事態が起こるというパターンを表します。

(18) 入院中の退屈しのぎにサスペンス本を読むようになった。毎晩読んでいるうちに、だんだんおもしろくなった。それで娘に電話をかけて、3、4冊買ってこさせた。
(19) 出がけに女房と喧嘩した。あれこれと考えているうちに道を間違えてしまった。そのため約束の時間に遅れてしまった。

例4　～うちは～が／けれども、対比的な文。

「～うちは」が「が／けれども」とともに現れて、前件と後件が対比的、対照的な関係を表します。

(20)　この紙は、濡れているうちは茶色ですが、乾かすと淡い色に変わっていきます。

(21)　仕事や勉強などを上手くやれているうちはいいが、一旦上手くやれなくなると、自分の殻に閉じこもってしまう人たちが多くなっている。

●どのような語と結び付きやすいか

１．「事態が起きる、行為を終わらせる」ＸうちにＹ

〈Ｘに来る語〉

◆継続状態を表す動詞など：

～ている（出かけている、寝ている、晴れている）、続く、ある、いる、可能動詞（働ける、休める）、など

(22)　時間があるうちに、この仕事をしてしまおう。

◆「一定時間（期間）が過ぎると変化してしまう」内容を持つ形容詞：

熱い、冷たい、若い、明るい、元気だ、など

(23)　冷たいうちに、お飲みください。

◆「一定時間（期間）が過ぎると変化してしまう」内容を持つ名詞：

子供、高校生、学生、独身、一人、など

(24)　学生のうちに一人旅をしたい。

〈Ｙに来る語〉

◆動作や事態の生起を表す動詞など：

帰る、行く、終わる、食べる、読む、（事件が）起きる・起こる、受身動詞（入られる、

盗まれる、とられる)、〜てしまう、など

(25) 私が寝ているうちに、彼は帰ってしまった。
(26) ちょっと出かけているうちに、空き巣に入られた。

2．「事態が起きる、行為を終わらせる」XないうちにY
〈Xに来る語〉

◆変化を表す動詞など：
冷める、なる、変わる、起きる、売り切れる、(雨が)降る、来る、帰る、行く、〜てしまう、〜(し)終わる、〜てくる、など

(27) 子供が起きないうちに、買物に行ってこよう。
(28) 暗くならないうちに、仕事を終わらせた。

〈Yに来る語〉
1と同じく、動作や事態の生起を表す動詞などが来ます。

(29) 津波の第一波が終わらないうちに、第二波が押し寄せてきた。

◆話し手の気持ちを表す表現：
〜(よ)う、〜(た)ほうがいい、〜なければならない、〜ておく、など

(30) 夫が帰ってこないうちに、夕食の支度をしておかなければならない。

話し手の気持ちを表す表現が1よりは多くなるようです。

3．「並行して変化が起こることを表す」XうちにY
〈Yに来る語〉

◆変化を表す動詞など：
なる、変わる、変える、〜てくる、〜ていく、〜ようになる、〜てしまう、など

(31) 日本にいるうちに、性格が変わってきた。

4．XうちはY

〈Xに来る語〉

1に同じ。

〈Yに来る語〉

◆話し手の気持ちを表す表現など：

　〜たい、〜ほうがいい、〜べきだ、〜（し）よう、〜ている、いる、続ける、など

　(32)　体力が続くうちは、働きたい。

●類義表現との比較

1.「〜ないうちに」と「〜(る)前に」の比較

「〜ないうちに」は、状態が変わることに対する懸念が含まれ「この時間（期間）内でなければ」という話し手の強い気持ちを表します。一方、「〜(る)前に」は「ある事態が起こる、その前に」という単なる時間的な前後関係を表します。

　(33)　a．売り切れないうちに買いに行こう。
　　　　b．売り切れる前に買いに行こう。
　(34)　a．台風が来ないうちに、トマトの支柱を立てよう。
　　　　b．台風が来る前に、トマトの支柱を立てよう。

(33)aは売り切れることに、(34)aは台風が来ることに対する懸念を含んでいます。

「〜ないうちに」では、「うちに」の前に変化を表す表現が来ますが、「前に」の前にはほとんどの動詞が来ることができます。(35)は変化を表さない動詞（食べる）が来ているので、「うちに」は不適切ですが、「前に」は適切になります。

　(35)　a．？ご飯を食べないうちに手を洗いましょう。
　　　　b．　ご飯を食べる前に手を洗いましょう。

したがって、「ないうちに」と「前に」の前に来る動詞が変化を表す場合は、両者は言い換えが可能になると考えられます。

(36) a．暗くならないうちに帰りなさい。
　　　b．暗くなる前に帰りなさい。

「前に」の前には「ほとんどの動詞」が来ることができると書きましたが、次のように、存在を表す動詞（いる、ある）や「～ている」とは結び付きにくくなります。

(37) a．？父がいる前に宿題をしてしまう。
　　　b．　父が戻る前に宿題をしてしまう。
(38) a．？書いている前に、文面を考えた。
　　　b．　書く前に、文面を考えた。

２．「～うちに」と「～あいだに」の比較

本書の「30 ～あいだ（は）・～あいだに」を参照してください。

「学習者の誤用の例」の解説

1はその状態が継続している間に「事態が起きる」「行為を終わらせる」場合なので、「うちに」の前に来る名詞には「一定の時間が過ぎると変化してしまう」という性質が必要です。「授業」にはその性質がないため、ここでは、「授業が終わらないうちに」とするか、「授業中に」「授業のあいだに」とする必要があります。

2は「〜うちに」と「〜うちは」の混同による誤用です。「借りている期間中はずっときれいに使う」ということを言いたいので、「前件の継続状態のあいだ、後件（主節）の状態が続く」ことを表す「〜うちは」を用いる必要があります。

3は、その時間・期間内のある時点で「電話がかかってきた」のであるから、その時点に焦点を合わせる形で、「テレビを見ているときに」としたほうがいいです。（もし、友達があとから電話すると言っていて、「テレビを見ているうちに、もう（早くも）電話がかかってきた」という状況であれば、「〜うちに」でも可能となります。）

4は「〜ないうちに」の使い方の誤用ですが、二つのポイントから考えることができます。一つは意味的なポイントで、「〜ないうちに」という表現は事態が変わることに対する懸念から、「この時間（期間）内でなければ」という気持ちが強くなります。もう一つのポイントは、「（ない）うちに」の前には変化を表す動詞が来る必要があるということです。学習者の文には「その時間（期間）でなければ」という意味合いは含まれていないし、「就職活動をする」という動詞も変化を表す動詞ではありません。したがって、ここでは単なる時間の前後関係を表すととらえて、訂正文のように「〜（る）前に」としたほうがいいでしょう。

34

～おかげで・～せいで

A：……お父上、残念でございましたね。
B：ええ。
A：ご病気は……。
B：癌だったんです。
　　発見が遅かったせいで、
　　見つかったときには手遅れでした。

学習者はどこが難しいか。よく出る質問。

1．挨拶の「おかげさまで」は知っているけど、「～おかげで」はいつ使うの？
2．「～せいで」はいつ使うの？あまり聞いたことがない。
3．「～おかげで」を悪い結果のときに使っているのを聞いたことがある。
　それはどうして？

学習者の誤用の例

1．その飛行機に乗り遅れたおかげで、事故を遭わずにすむことにした。
　→その飛行機に乗り遅れたおかげで、事故に遭わずにすんだ。
2．手伝っていただいたおかげで、早く仕事をすませた。
　→手伝っていただいたおかげで、早く仕事をすませることができました。
3．僕が参加しなかったのせいで、みんなが失望した。
　→僕が参加しなかったせいで、みんなに迷惑をかけてしまった。
4．風邪をひいたせいで、宿題をしなかった。
　→風邪をひいたせいで、宿題ができなかった。／風邪をひいたために、宿題ができなかった。

説 明

●基本的な意味用法

「～ので・～から」と同じく、「～おかげで・～せいで」も原因・理由を表します。その違いは、「～ので・～から」が話し手の中立的な見方から原因・理由を述べるのに対して、「～おかげで・～せいで」には話し手の評価・気持ちが入る点です。

「～おかげで」は後件(主節)の主語が前件のために利益を、「～せいで」は不利益を受けたことを表します。

1．～おかげで

(1) 先輩が手伝ってくれたおかげで、論文を完成することができた。
(2) 看護師さんが親切なおかげで、快適な入院生活を過ごしている。

2．～せいで

(3) 寝る前にコーヒーを飲んだせいで、なかなか寝つけなかった。
(4) あの人のせいで仕事を失敗してしまった。

●作り方・接続の仕方

Nの 普通形 [例外 ナadj.―だ → ナadj.―な]	おかげで せいで

● いつ使われるか

1．会話の中で

「おかげで」はその前に来る人や事柄に対して感謝の気持ちを、反対に「せいで」は非難や残念な気持ちを表します。それは「～おかげで・～せいで」が原因・理由の所在に焦点を当てた表現であるため、この点において単なる因果関係を表す「～ので」や「～から」と異なります。

> (5) A：お子さん、助かってよかったですね。
> 　　B：ええ、ちょうどパトカーが通りがかったおかげで、
> 　　　　発見が早くて……。

> (6) A：スキー場はいかがでしたか。
> 　　B：暖冬のせいで雪が少なかったです。

「～おかげで・～せいで」の後件（主節）の文末には意志表現は来ません。

　(7)　×助けていただいたおかげで、お礼を差し上げたいと思います。
　(8)　×花粉の飛散がはげしいせいで、マスクをしてください。

よい結果について述べる「おかげで」の前には、「～してくれた／くださった」「～してもらった／いただいた」などの授受の表現が来ることが多いです。

> (9) A：就職おめでとう。
> 　　B：ありがとうございます。
> 　　A：よかったですね。
> 　　B：はい、皆さんに応援していただいたおかげで、就職することが
> 　　　　できました。
> 　　A：頑張ってくださいね。

「応援していただいたおかげで」は単に「応援していただいて」でも可能です。

「～おかげで」はよい結果を表しますが、皮肉っぽく表現するときには悪い結果の

ときにも使うことがあります。相手の好意・行動に対して使うと、非難めいた響きを持ちます。親しい間で使われます。

(10)　A：消費税が上がりましたね。
　　　B：ほんとに困りますね。
　　　A：消費税が上がったおかげで、商品そのものまで値上がりしていますよ。

(11)　A：ミスをしてごめん。
　　　B：ほんとだよ。君がミスをしてくれたおかげで、全部やり直しだ。

「～せいで」は他者に対して使うと、その人への非難や責任追及を、また、自分自身に対して使うと自分への非難や後悔、また、それを通してのお詫びの気持ちなどを表します。

(12)　A：山田君が病気になって、旅行はだめになってしまいましたね。
　　　B：そうですよ。山田君のせいで台無しになってしまいましたよ。

(13)　A：お体、もういいんですか。
　　　B：ええ、今は何とか。私のせいで旅行がだめになってしまって、すみませんでした。

2．文章の中で（文のつながりの例）

例1　　(他者の)行為・行動の文。　　～おかげで／せいで、結果の文。

相手、または、第三者の行為・行動について述べ、そのためにどうであったかを述べる形です。よい結果のときは「～おかげで」、悪い結果のときは「～せいで」となります。

(14)　引越しのときには友達がたくさん来てくれた。みんなが手伝ってくれたおかげで、短時間で片付けることができた。

(15) 弟夫婦が親の介護はしないと言い出した。弟達のせいで兄弟の仲がギクシャクし始めた。

例2　事態・状況の文。　〜おかげで／せいで、結果の文。

例1のパターンをとりますが、前文が相手や第三者の行為・行動ではなく、事態・状況の場合です。

(16) 家の近くで温泉が湧き出た。温泉が出たおかげで、まわりが急に活気づいてきた。

(17) 家の近くで温泉が湧き出た。温泉が出たせいで、まわりが急にうるさくなってきた。

例3　〜のは〜おかげだ／せいだ。　付け加えの文。

よい結果にしろ、悪い結果にしろ、そうした結果を生んだ原因・理由を強調する言い方です。お礼を言ったり、逆に責任追及をしたりする場合に用いられます。うしろに話し手の気持ちを付け加える文が続きます。

(18) 私が今日あるのは、皆様に助けていただいたおかげです。ありがとうございました。

(19) 失敗したのはおまえのせいだ。許さない。

●どのような語と結び付きやすいか

１．ＸおかげでＹ

〈Xに来る語〉

◆恩恵・感謝を表す表現：

〜てくれた、〜てくださった、〜てもらった、〜ていただいた、など

(20) 皆さんに助けていただいたおかげで、元気になりました。

◆人を表す名詞：
　皆さん、みんな、～さん、先生、課長、友達、家族、誰、など

　(21)　皆さんのおかげで、この研究を成功させることができた。

〈Yに来る語〉
◆可能を表す語：
　～することができる、可能動詞（続けられる、食べられる）、など

　(22)　誰のおかげで生活できると思ってるのか。

２．XせいでY
〈Xに来る語〉
◆人の行為・動作、事態に関する動詞：
　言う、する、起こる、受身動詞（言われる、される）など

　(23)　あんなことを言われたせいで、信用がなくなってしまった。

◆人を表す名詞：
　あなた、あの人、あいつ、おまえ、など

　(24)　あの人のせいで仕事がうまく行かなくなった。

〈Yに来る語〉
◆後悔・不満を表す表現：
　～てしまった、～することができなかった、など

　(25)　あの人のせいで、失敗してしまった。

●類義表現との比較

「～せいで」と「～ばかりに」の比較　（⇒13）
　「～せいで」と同じく、悪い結果が起こることを表す原因・理由の表現に「～（た）ばかりに」があります。

(26)　彼女は彼のことばを信じた{せいで／ばかりに}ひどい目にあった。

「〜ばかりに」は取り立て助詞「ばかり」から来ています。「ばかり」が限定を表すことから、「〜ばかりに」にも「その原因・理由」を限定するという意味合いが含まれ、話し手の「それだけのために」こうなったという強い批判・非難、後悔の気持ちが入ると考えられます。(27)は「せいで」も可能ですが、「ばかりに」のほうが話し手の気持ちが強くなるようです。

(27)　私が相談に乗ってあげなかった{せいで／ばかりに}、彼女は自殺してしまった。

また、(28)のように、「偶然隣り合わせた」という因果関係の弱い状況では、原因・理由の所在を問題にする「せいで」が少し不適切になっています。

(28)　酔っ払いと隣り合わせた{？せいで／ばかりに}、からまれて往生した。

「学習者の誤用の例」の解説

　1、2は「〜おかげで」を受ける後件（主節）の文末が適切でない例です。「〜おかげで」を受ける主節の文末は、「そういう利益のためにこういう結果になった」という表現をとるため、1の主節の文末は、「事故に遭わなかった、遭わずにすんだ」などの表現が適切です。同様に2も、「早く仕事をすませることができた」などの表現が適切となります。

　3、4は「〜せいで」を用いた誤用です。3は、「僕が参加しなかったこと」と「みんなが失望したこと」は単なる因果関係でしかないので、「〜せいで」を使うなら、「みんなに迷惑をかけた」などの、「不利益を与える」という言い方にする必要があります。4も3と同じく前件と後件（主節）は単なる因果関係を表しているだけなので、「〜せいで」で表したければ、後件を「宿題ができなかった」とすべきです。

35 〜かぎり・〜かぎりでは・〜にかぎって

A：内山副社長がいるかぎり、この会社はよくならない。
B：そんなことはないよ。
A：副社長は私腹を肥やしているらしいよ。
B：まさか。副社長にかぎってそんなことはないはずだ。

学習者はどこが難しいか。よく出る質問。

1．「かぎり」の付く表現がよく出てくるが、それぞれの意味がわかりにくい。
2．「かぎり」の前に来るのは名詞？それとも、動詞？
3．「〜かぎり」と「〜にかぎって」を混乱してしまう。

学習者の誤用の例

1．見わたすかぎり、今いい天気ですね。
　　→見わたすかぎり、晴れわたっている。
2．読んだかぎり、ご紹介ください。
　　→お読みになったことをご紹介ください。／お読みになったかぎりのことをご紹介ください。
3．ざっと読んだかぎりでは本の内容がわかった。
　　→ざっと読んだだけだが／だけで、本の内容がわかった。
4．思慮深い小川さんにかぎって、すばらしい評論ができた。
　　→思慮深い小川さんだからこそ、すばらしい評論ができた。

5．きちょうめんな男にかぎって、そんな馬鹿なことをするはずはない。
　→きちょうめんな男なんだから、そんな馬鹿なことをするはずはない。

説明

●基本的な意味用法

「〜かぎり・〜かぎりでは・〜にかぎって」はいずれも動詞「限る」から派生したもので、限定や範囲を表します。

1．〜かぎり
「ある状態が続いている範囲を限度として」を示します。「かぎり」の前には動詞・形容詞・名詞が来ます。

(1)　あの人がいるかぎり、私はメンバーになりたくない。
(2)　可能なかぎり薬を飲まないようにしている。
(3)　命のかぎり君を愛します。

2．〜かぎりでは
「かぎりでは」の前には「知る、見る、聞く、読む」などの、知覚を表す動詞が来て、「話し手が知覚する／した範囲内で判断して」という意味を表します。後件（主節）には判断を表す文が来ます。

(4)　私の知っているかぎりでは、彼女はそんなことをする人じゃありません。

3．〜にかぎって
「とき」や人、ものを限定して取り上げ、「特にそういう場合は〜である／ない」という意味を表します。

1)「（修飾語＋）とき・人」＋にかぎって
前に修飾語が付いて「（そういう場合・とき・人）に合わせるように」という意味を持

ちます。不都合なことが起こるときに用いられます。肯定にも否定にも用いられます。

　　(5)　私が出かけるときにかぎって、雨が降る。
　　(6)　大人しい人にかぎっていじめられることが多い。

2)「名詞」+にかぎって（否定）
「その人（もの）だけは〜（し）ない」という意味を表します。否定文で用いられます。

　　(7)　わが社の社員にかぎって、そのような不正はするはずがない。

●作り方・接続の仕方

「かぎり・かぎりでは・にかぎって」への接続の仕方は、それぞれ次のように異なります。

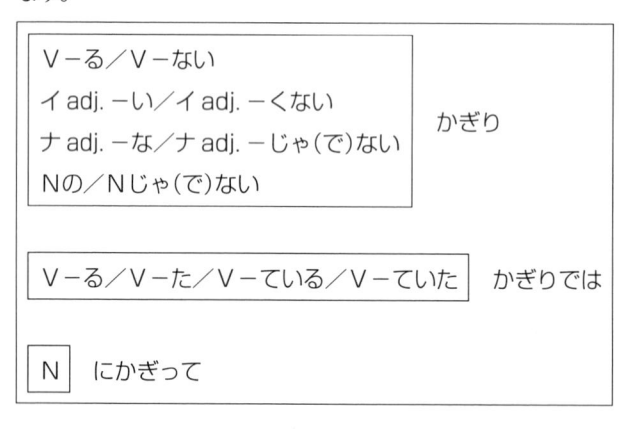

V－る／V－ない イ adj. －い／イ adj. －くない ナ adj. －な／ナ adj. －じゃ(で)ない Nの／Nじゃ(で)ない	かぎり

V－る／V－た／V－ている／V－ていた	かぎりでは

N	にかぎって

●いつ使われるか

1．会話の中で

「かぎり」の前に可能動詞が来ると、「自分の能力や時間を最大限に使う／使った」という積極的な意味合いが出てきます。

(8) A：試験、どうだった。
　　B：難しかったよ。やれるかぎりやったけど。
　　A：大丈夫だよ。
　　B：うん、あとは結果を待つだけだ。

　次の会話のように、「～ないかぎり」の後件（主節）には話し手の判断を表す文が来やすくなります。

(9) A：どうしたの。
　　B：佐藤さんとちょっと。
　　A：またもめたのか。
　　B：僕も言い過ぎたんだけど。
　　A：君が考えを改めないかぎり、うまくいかないよ。

　「～かぎり」は文末に意志表現をとることができますが、「～かぎりでは」「～にかぎって」はできません。

(10) A：お子さん、大きくなりましたね。
　　 B：ええ、おかげさまで。
　　 A：お母さんお一人で大変でしたでしょう。
　　 B：ええ、でも元気なかぎり、頑張ろうと思います。

　次は「話し手が知覚する／した範囲内で判断して～」を表す「～かぎりでは」の会話です。後件で話し手の判断が述べられます。

(11) 患者：先生、どうでしょうか。
　　 医者：レントゲンで見るかぎりでは、以前の影は消えていますね。
　　 患者：ああ、よかった。

　「～にかぎって」は「とき」とともに用いられることが多く、よくあること、一般的なことを表します。「不都合なことが起きる」という意味合いを持つため、プラスの意味合い

を持つ場合は使えません。

> (12) A:『経済進化論』あった？
> B:いや、出版社に問い合わせているんだけど。
> A:ないかもしれないね。
> B:そうなんだ。読みたいときにかぎって、絶版だったりするからね。

次は「～にかぎって（否定）」の会話です。
「にかぎって（否定）」の前に来る名詞は、話し手のよく知っている特定の人やものなどが多く、「（話し手が）よく知っている、そして、評価を置いている人（もの）だから～しない」という意味合いが入ります。文末には「～はずが／はない」「～わけが／はない」の表現をとることが多いです。

> (13) A:泉先生の小説だけど。
> B:うん。
> A:盗作の疑いがあるんだって。
> B:ええっ、あの先生にかぎって、盗作なんてするはずがないよ。

２．文章の中で（文のつながりの例）

例1　（マイナスの）事情・前提の文 ［～が／けれども／ても］、～かぎり（は）～。

「～かぎり」を用いて、あるマイナスの事情や前提があるけれど、ある限度・範囲の中では大丈夫であることを示す形です。

(14) 外は大雪でも、部屋の中にいるかぎりは春のようだ。
(15) 衛生状態が悪いといわれているが、生水を飲まないかぎり大丈夫だ。

例2　（プラスの）事情・前提の文 ［～が／けれども／ても］、～かぎり（は）～。

例1とは反対に、あるプラスの事情や前提があるが、今の状態を抜け出さないとそのプラスの状況には至らないことを示す形です。

(16) いい就職先があるけれども、今のように怠けているかぎり、紹介できない。
(17) 頭がよくても、運がないかぎり出世できないものだ。

例1と例2については、「しかし／だが」などを用いて2文にすることもあります。

(18) 外は大雪だ。しかし、部屋の中にいるかぎりは春のようだ。
(19) いい就職先がある。だが、今のように怠けているかぎり、紹介できない。

例3　〜かぎりでは〜。　ただし書き・反対の文 [しかし、〜]。

「〜かぎりでは」を用いて一応断言し、そのあとでただし書きや反対を述べる形です。

(20) 私が覚えているかぎりでは、金曜日には書類はこの引き出しに入っていた。しかし、それ以降のことはわからない。
(21) グラフで見るかぎりでは、順調に上昇しているように見える。しかし、実際はそんなに単純なものではない。

例4　前置きの文 [〜が／けれども]、〜かぎりでは〜。

まず、前置きをしておいて、「〜かぎりでは」を用いて説明する形もあります。

(22) 完全に解明されてはいないが、私が把握しているかぎりでは次のようなことが言える。
(23) 異論があるかもしれませんが、私の知るかぎりでは彼は有能な青年だと思います。

例5　事情・前提の文 [〜が／けれども]、〜にかぎって〜。

ある事情や前提があり、それについて限定して取り上げ、そこで起こる事柄を述べる言い方です。

(24) 今日はゆっくり朝寝しようと思っていたが、そういうときにかぎって、朝早く目が覚めてしまう。

(25) 学校に文句を言う父兄が増えているが、そういう父兄にかぎって、自分の子供のしつけはなっていない。

例5を2文にすると次のようになります。接続詞として「しかし／それなのに」などが用いられます。

(26) 今日はゆっくり朝寝しようと思っていた。それなのに、そういうときにかぎって、朝早く目が覚めてしまう。
(27) 学校に文句を言う父兄が増えている。しかし、そういう父兄にかぎって自分の子供のしつけはなっていない。

●どのような語と結び付きやすいか

1．XかぎりY
〈Xに来る語〉
◆**限界を持つ名詞**：
　命、力、時間、記憶、など

(28) そのときのことを記憶のかぎり思い出してください。

◆**限界の幅を表す動詞**：
　見わたす、知っている、可能動詞（できる、働ける、やれる、思い出せる）、など

(29) 思い出せるかぎりのことは話したつもりだ。

2．XかぎりではY
〈Xに来る語〉
◆**知覚動詞など**：
　見る、聞く、知る、経験する、調べる、検索する、覚えている、など

(30) 私の知るかぎりでは、そのような事実はありません。

◆**副詞**：ざっと、今まで、など

(31) ざっと調べたかぎりでは、そのような事実はありません。

3．XにかぎってY

〈Xに来る語〉

◆特定の時を表す表現：
そんな／こういうとき、こんな／こういう日、忙しいとき、お金がないとき、など

◆人を表す名詞など：
うちの子、我が家、うちの〜、〇〇さん、威張っている人、自慢する人、お金を持っている人、など

〈Yに来る語〉

◆変化を表す動詞など：
〜たくなる、〜ほしくなる、変わる、来る、〜(し)始める、〜(し)出す、〜てくる、豹変する、など

(32) 忙しい日にかぎって、映画を見に行きたくなる。

◆「できない、あり得ない」ことを表す表現：
〜はずが／はない、〜わけが／はない、できない、など

(33) うちの子供にかぎって、いじめをするはずがない。
(34) 威張っている人にかぎって、自分のことは何もできない。

◆助詞： など、なんか、なんて、など

(35) うちの子供にかぎって、いじめなど／なんか／なんて絶対にしない。

◆副詞： 必ず、いつも、絶対に、など

(36) 電話に出たくないときにかぎって、いつも電話がかかってくる。

◆指示語： そんな、こんな、そんなに、など

(37) 山下さんにかぎって、そんなことは絶対にしない。

● 「限る」のほかの用法

「～かぎり・～かぎりでは・～にかぎって」のほかに、関連するいくつかの用法を次に取り上げます。

1)～を限りに
「～を限りに」の形で、「そのときを最後にして」という意味を表します。「今日」「今回」などの語とともに使われることが多く、改まった、かたい言い方になります。

(38) 今日を限りにあなたとはお別れします。
(39) この会は今回を限りに解散することになりました。

2)～に限る
「限る」は「～に限る」の形で、「ほかにそれに勝るものはない」「それが最上だ」という意味を表します。前件に「～ときは」や「～たら」が来ることが多いです。

(40) 寒いときは、熱燗に限る。
(41) 疲れたら寝るに限る。

3)～に限らない
「～に限らない」や「～に限らず」の形で、「そうとは決まらない」という意味を表します。

(42) 対象は日本人に限りません。外国人でも応募できます。
(43) 怠けたがるのは、何も子供に限ったことではありません。
(44) 誰に限らず、収入は多いほうがいい。

4)～とは限らない
「必ずしも・全部」のような副詞を伴って部分否定を表します。

(45) お金持ちが必ずしも幸せとは限らない。
(46) 東大の学生が全部優秀とは限らない。

「学習者の誤用の例」の解説

1で使われている「見わたすかぎり」は慣用的な表現ですが、広い範囲をずっと遠くまで見るという意味なので、そうして見た風景・様子などの描写が後件(主節)に来るのが普通です。この場合、天気のいいことを言いたいのであれば、「いい天気」ではなく、「晴れわたっている」としたほうが適切でしょう。

2は「ご紹介ください」の対象は読んだものの内容なので、「お読みになったこと(すべて)を」となります。「～かぎり」を生かすとすれば、「～かぎりのことを」としなければなりません。

3は「～かぎりでは」の問題です。「～かぎりでは」の後件(主節)には判断を表す文が来ます。誤用例では「本の内容がわかった」と事態を表してしまっているので、「かぎりでは」を生かすとすれば、「ざっと読んだかぎりでは、この本はいいように思う／大したことはない。」のような文にする必要があります。訂正文では「かぎりでは」を同じく限定を表す「だけ」を用いて直してあります。

4と5は「～にかぎって」の誤用例です。4のように特定の人「小川さん」に「にかぎって」を用いると、「そんなことはしない」という否定の文が予測されます。訂正文のように「～(だ)からこそ」を使うといいでしょう。

5の「きちょうめんな男」という不特定の人を表すことばは、プラスの意味合いを持つ「そんな馬鹿なことをするはずはない」といっしょには用いられません。「きちょうめんな田中さんにかぎって」のように特定の人にすれば、適切な文になります。ここでは理由を表す「～んだから」を使って訂正しましたが、「にかぎって」の前に来る名詞をどう選ぶかは学習者にとって難しい問題と言えます。

36

～からには・～以上(は)・～うえは・
(～ん(の)だから・～からこそ)

A：プロジェクトのリーダーの仕事、どうする？
B：うん、まだ迷ってるんだ。
A：そう。
B：引き受けるからには、全力投球でやりたいから。
A：そうだね、今の仕事のこともあるしね。

学習者はどこが難しいか。よく出る質問。

1．「～からには」と「～から」「～んだから」の違いがわからない。
2．「～からには」と「～以上(は)」の違いがわからない。
3．「～からには」「～からこそ」など「から」の付くものが多すぎる。

学習者の誤用の例

1．せっかく京都に行ったからには、いろいろな神社を見に行った。
　→せっかく京都に行ったので、いろいろな神社を見に行った。
2．皆はそうしようとするからには、私は同意するしかない。
　→皆がそうしたいのなら、私も同意するしかない／同意しないわけにはいかない。
3．宿舎に住む以上は、日本人の友達がいっぱいできる。
　→宿舎に住めば、日本人の友達がいっぱいできる。
4．彼が本当のことを言わない以上、みんなに誤解させてしまった。
　→彼が本当のことを言わないので、みんなは誤解してしまった。

5．彼は大学を卒業するうえは、父親の店で働くつもりだ。
　→彼は大学を卒業したら、父親の店で働くつもりだ。
6．1週間の熟考したうえは社長が判定を発表した。
　→1週間、熟考したうえで社長は決定を発表した。

説 明

●基本的な意味用法

「〜からには」も「〜以上(は)」「〜うえは」も、「そうする、または、そうした」理由・根拠のためには、「責任・決意を持って、覚悟をして行う」という話し手の気持ちを表します。

　(1)　親の反対を押し切って都会に出てきた{からには／以上(は)／うえは}、どうしても成功したい。

「責任・決意を持って、覚悟をして行う」という気持ちには、自ら積極的に「〜したい」「〜しよう」という意志を表すものから、「〜しなければならない」「〜するのが当然だ」という義務・当為を表すもの、また、消極的に「しかたがない」というものまで含まれます。

　1．〜からには
「〜からには」の後件(主節)には最後まで貫くという、話し手の強い意志表明、決意表明が来ます。依頼・命令・意志、および「〜するべきだ」「〜するのが当然だ」という当為や当然を表す表現が来やすくなります。「〜からには」は話しことばで用いられます。

　(2)　親の反対を押し切って東京に出てきたからには、絶対成功してみせる。

　2．〜以上(は)
「〜以上(は)」は「〜からには」のような強い意志表明も表しますが、むしろ、消極

的に「しかたがない」という気持ちを含む傾向があるようです。「～以上(は)」も話しことばで用いられますが、「～からには」よりはやや改まった言い方になります。

 (3) 親の反対を押し切って東京に出てきた以上(は)、自分一人の力でやっていくしかない。

3．～うえは

　「～うえは」も「～からには」と同じように強い意志・決意表明を表します。何かの事態を受けて、それに対して適した行動をしなければならないというような意味合いで用いられることが多いです。ややかたい改まった言い方になります。

 (4) 欠陥商品を出しましたうえは、責任を持って交換いたします。
 (5) この協定書に基づいて事務手続きを行ったうえは、両者は協定を遵守しなければならない。

●作り方・接続の仕方

　接続の仕方は次のようですが、「うえは」は動詞のナイ形および「名詞＋である」とは結び付きにくくなります。

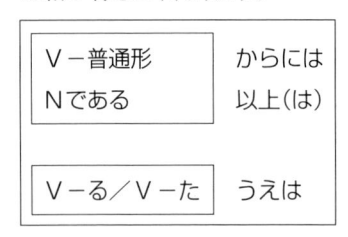

V－普通形 Nである	からには 以上(は)
V－る／V－た	うえは

●いつ使われるか

1．会話の中で

　「～からには・～以上(は)・～うえは」の後件(主節)にどのような話し手の気持ち(ムード(モダリティ))を表す表現が来るかを考えながら、会話を見ていきます。
　(6)は積極的な意志を表す意向(行こう・しよう、など)、(7)は命令・依頼(～てくだ

さい)の例です。

> (6) A：銀行やめたんだって？
> B：うん、小説を書こうと思って。
> A：へえ。
> B：一度決めた|からには／以上(は)／うえは|、歯を食いしばって頑張ろうと思う。

> (7) A：銀行やめたんだって？
> B：うん、小説を書こうと思って。
> A：そうか。決めた|からには／以上(は)／うえは|、頑張れよ。

(6)(7)とも「～からには・～以上(は)・～うえは」の3者とも可能ですが、「～からには」が一番話し手の強い意志を表しているようです。「～うえは」はかたい言い方なので、少し不自然に感じられるかもしれません。

次は後件(主節)に、意志表現ではないが、話し手の判断を表す表現(～なければならない、～べきだ、など)が来ている例です。

> (8) A：なかなか意見がまとまらなくて…。
> B：田代さんが反対しているんだね。
> A：うん。
> B：反対する|からには／以上(は)／うえは|代案を出すべきだよ。

「名詞+だ」(実際には「～である」)と結び付いた場合は、後件(主節)には「当然そうなる、そうであるべきだ(当為)」という表現が来ます。この場合は「うえは」が少し不自然に感じられます。

> (9) A：N社が欠陥品を出したんだって。
> B：ふーん。
> A：それで、商品を買い戻してくれるって。
> B：一流企業である|からには／以上(は)／?うえは|そんなことは当然だ。

「～うえは」が、何かの事態を受けて、それに対して適した行動をとるという意味合いを持つため、状態を表す「名詞＋である」とは結び付きにくいと考えられます。

　第三者の「責任・決意を持って、覚悟をして行う」気持ちはどのように表せばいいのでしょうか。次の会話を見てください。

> (10)　A：木田さん、銀行やめるそうだよ。
> 　　　B：そうらしいね。
> 　　　A：彼もやめると明言した{からには／以上(は)／うえは}、あとには引けないだろう。

Aの発話に見られるように、第三者の気持ちを表すためには、文末には「だろう・ようだ・らしい・そうだ」などの表現が必要になります。

２．文章の中で（文のつながりの例）

例1　　事態・状況の文。　　決意の文［～からには／以上(は)／うえは～］。

　一つの事態・状況があり、後文で、引き起こされた事柄に対する話し手の決意・覚悟などを示す形です。

(11)　彼女とは付き合いたいと思う。付き合う{からには／以上は／うえは}、いつかは結婚したいと思っている。

(12)　もうすぐクリスマスだ。皆を誘った{からには／以上は／うえは}大いに盛り上げなければ。

例2　　事情・前提の文［～が／けれども］、決意の文［～からには／以上(は)／うえは～］。

　まず何らかの事情・前提があって、しかし、それを乗り越えてやろうという決意を表します。「～が／けれども」でつなぐ場合（例2）と、接続詞「しかし」などを使って2文で表す場合（例3）があります。

(13)　本当はやりたくないのだが、やる{からには／以上は／うえは}いい加減なことはしないつもりだ。

(14) 選手選考ではいろいろ問題があったようですが、決まった{からには／以上は／うえは}代表の皆さんには頑張ってもらいたいです。

例3　事情・前提の文。　決意の文[((しかし)～からには／以上(は)／うえは、～]。

(15) 本当はやりたくない。しかし、やる{からには／以上は／うえは}いい加減なことはしないつもりだ。
(16) 選手選考ではいろいろ問題があったようだ。しかし、決まった{からには／以上は／うえは}代表の皆さんには頑張ってもらいたい。

例4　忠告・助言の文[～からには／以上(は)／うえは]～。　理由の文[(結局／なぜなら)～]。

まず、あることをやるために決意・覚悟をすることを助言し、次の文でその理由を述べる言い方です。

(17) 反対を押し切って不倫する{からには／以上は／うえは}寂しさに耐えること。結局、愛人というものは日陰の存在でしかないからだ。
(18) 組合の申し出を拒否する{からには／以上は／うえは}、説得力のある説明が必要だ。なぜなら、組合は少々のことでは納得しないからだ。

●どのような語と結び付きやすいか

１．Xからには／以上(は)／うえはY
〈Xに来る語〉
◆人の行為・態度に関わる動詞：
やる、引き受ける、言う、決める、約束する、勧める、など

(19) 勧める{からには／以上は／うえは}自分もやらなくちゃ。

◆事態の生起を表す動詞など：
決まる、なる、～ことになる、～てしまう、など

(20) こうなってしまった{からには／以上は／うえは}成り行きに任せるほかない。

2．Xからには／以上（は）Y

◆立場・資格、機関・組織などを表す名詞（＋である）：

人間、大学、教育の場、学びの場、一国の首相、リーダー、一流企業、など

(21) 人間である｛からには／以上は｝間違いをすることもある。

〈Yに来る語〉

◆決意・覚悟や、しかたがないという気持ちを表す表現：

〜たい、〜（よ）うと思う、〜なければならない、〜せざるを得ない、〜てはいけない、〜べきだ、しかたがない、しようがない、〜（た）ほうがいい、など

(22) こうなってしまった｛からには／以上は／うえは｝、金を払うよりしかたがない。

●類義表現との比較

1．「〜からには」と「〜ん（の）だから」の比較

ここでは話しことばで用いられる「〜からには」と「〜ん（の）だから」を比較します。「〜ん（の）だから」は、(対立する)聞き手を説得して同意・同調させようという話し手の意図を表し、「そういうことだから、〜してください／するはずだ／したほうがいい」などと述べる表現です。(下線部分は桑原(2003)より)

一方、「〜からには」はその理由・根拠のために「当然こうあらねばならない、〜しなければならない・〜すべきだ・〜したい」という話し手の当為や当然の気持ちを表します。

(23) 引き受けたん（の）だから、しっかりやってください。
(24) 引き受けたからには、最後までやり遂げたい。

(23)は、「引き受けたからには、しっかりやってください。」と言うことも可能ですが、その場合、話し手の相手に対する強い気持ちが現れます。その点では、説得性を持つ「〜ん（の）だから」のほうが、文全体が客観的、説明的になると言えます。

また、次のように「ん（の）だから」の前には形容詞が来ることができますが、「から

には」の前には来ることはできません。

(25) a． 忙しいん(の)だから、その話はあとにしてください。
　　 b．?忙しいからには、その話はあとにしてください。

2．「～からには」と「～からこそ」の比較　(⇒9)

　理由の「～から」に取り立て助詞「こそ」の付いた「～からこそ」は、「ほかでもないそのことが原因・理由だ」「まさに～だから～」と原因・理由を強調する表現です。一方、「～からには」は、その理由・根拠のために「当然こうあらねばならない」という話し手の強い気持ちを表します。「～からこそ」が前件の「原因・理由」を強調するのに対し、「～からには」は後件（主節）の話し手の決意・覚悟を強調すると言ってもいいでしょう。(26)は「～からこそ」と「～からには」の置き換えが可能ですが、「～からこそ」が前件の「無理を言って始めた」を強調するのに対し、「～からには」は後件（主節）の「やり遂げたい」を強調しています。

(26) 無理を言って始めた｛からには／からこそ｝、最後までやり遂げたい。

「～からこそ」は後件（主節）に事実や事態を表す文が来ることができますが、「～からには」はできません。

(27) 彼女を愛している｛×からには／からこそ｝、別れたんだ。
(28) 皆さんの応援があった｛×からには／からこそ｝、優勝できたのです。

(27)(28)からもわかるように、「～からこそ」では後件（主節）に説明・確認を表す「～ん(の)だ」が来やすくなります。

「学習者の誤用の例」の解説

　1、2は後件（主節）に「～からには」に対応する主節文末表現が来ていないので、「～ので」「～なら」などを使って書き直しました。もし、学習者の「～からには」の部分を生かすとすれば、1、2は次のようになります。

　　1'せっかく京都に来たからには、いろいろな神社を見ておきたい。／見ておかないのはもったいない。

　　2'皆がそうしようとするからには、何か考え（魂胆）があるにちがいない。

　3、4は「～以上（は）」の誤用例です。3は「～以上は」が決意・覚悟を表すことがわかっていないために引き起こされたと考えられます。4は「～以上」に対応する主節文末表現が来ていないことから来る誤りです。もし、前半部分を生かすとすれば、次のような文になるでしょう。

　　4'彼が本当のことを言わない以上、誤解されてもしかたがない。

　5は単に卒業後の進路を述べているので、時間の前後関係を表す「～たら」が適切になります。「大学を卒業する」のは比較的誰にでもできることなので、「うえは」という決意・決心を表す表現とは結び付きにくくなります。

　6は「～うえは」と「～うえで」の混同による誤用と考えられます。「熟考した」結果、「決定を発表した」という関係になるので、決意・決心を表す「～うえは」ではなく、前件によって引き起こされた結果を表す「～うえで」が適切になります。(⇒39)

37

〜かわりに・〜にかわって

A：結石で入院します。
B：手術するのですか。
A：いや、今は、開腹するかわりに、レーザーで砕いて出すようです。
B：へえ、そうなんですか。

学習者はどこが難しいか。よく出る質問。

1. 「〜かわりに」と「〜にかわって」は同じ？使い分けがあるの？
2. 「〜かわりに」を、英語のinstead of 〜と思って使ってしまう。
3. 「〜にかわって」が正確に使えない。

学習者の誤用の例

1. ロンドンのかわりにアメリカに留学します。
   →ロンドンではなくてアメリカに留学します。
2. 長い間テレビを見たかわりに、夕食のあとで宿題をしなさい。
   →長い間テレビを見たんだから、夕食のあとで宿題をしなさい。
3. たくさんアイスクリームを食べたかわりに、果物を食べましょう。
   →たくさんアイスクリームを食べたから、今度は果物を食べましょう。
4. 車は今やマニャルにかわってオドメディグに変わった。
   →車は今やマニュアルにかわってオートマティックが使われている。

説 明

●基本的な意味用法

「〜かわりに・〜にかわって」は代替・交替の意味を表します。

1．〜かわりに

「名詞＋の」や動詞・形容詞などに付いて「Xが／をするはずだが、事情があってYが／をする」の意味になります。

(1) 今日は小林先生のかわりに、私が担当します。
(2) 忙しかったので、手紙を書くかわりに電話をした。

また、物事のプラス面とマイナス面を述べる用法もあります。

(3) 東京は便利なかわりに、忙しすぎて落ち着かない。

2．〜にかわって

名詞に接続して、「Xと交替してYがする」の意味を表します。

(4) 今日は小林先生にかわって、私が担当します。

●作り方・接続の仕方

「かわりに」と「にかわって」への接続の仕方は次のように異なります。

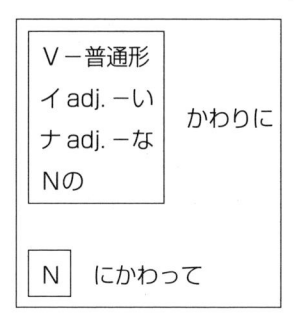

```
┌─────────────┐
│ V－普通形      │
│ イadj. －い    │  かわりに
│ ナadj. －な    │
│ Nの          │
└─────────────┘

┌───┐
│ N │  にかわって
└───┘
```

●その項目はいつ使われるか

1．会話の中で

「～かわりに・～にかわって」は、本来はその人がすべきなのにできなくなり、別の人がするときに用いられます。

> (5) A：小林さんは今日来られないそうです。
> B：ええっ、困りましたね。
> A：……。
> B：Aさん、小林さん{のかわりに／にかわって}今日の進行係をしてくださいませんか。

「～かわりに」は、「本来そうすべきであるが」という意味合いがないときは不自然になります。

> (6) A：健二、コップに入れて飲みなさい。
> B：うーん……。
> A：？ペットボトルから直接飲むかわりに、コップで飲みなさい。
> B：はい。

「～かわりに」は人・もののよい側面とそうでない側面を対比的に述べるのにも使います。「X（の）かわりにY」という形をとり、Yが強調されます。

> (7) A：株と投資信託はどちらがいいでしょうか。
> B：そうですね。株はリスクが大きいかわりに、うまくいくと儲けも大きいです。
> A：投資信託は？
> B：投資信託は安定しているかわりに、おもしろ味がないです。

この用法は「～が／けれども」との置き換えが可能ですが、単に両者を並列的に並べるときは「～かわりに」は使いにくくなることがあります。

> (8) A：洋二君ってどんな性格ですか。
> B：気が弱い{×かわりに／が／けれども}、とても忍耐強いですね。

２．文章の中で（文のつながりの例）

例1　原因・理由の文。　（それで）～かわりに／にかわって～。

ある原因・理由のために、本来の「人・もの」が不可能になり、別の「人・もの」が代替するときに用いられます。

> (9) 田中さんがけがをした。それで、田中さん{のかわりに／にかわって}山田さんが発表することになった。
> (10) 外国のチョコレートが輸入できなかった。それで、陳列棚には輸入品{のかわりに／にかわって}国産品が並べられた。

例2　原因・理由の文。　（それで）～かわりに～。

例1では、「人・もの」が交替していますが、交替するのが「もの」で、なおかつ、主語でない場合は「～にかわって」を使うと不適切になります。「～かわりに」のみが可能になります。

> (11) コーヒーが切れていた。それで、コーヒー{のかわりに／×にかわって}紅茶

を入れた。

(12) ボンベのガスがなくなってしまった。それで、ボンベ{のかわりに／×にかわって}薪でご飯を炊くことになった。

例3　　原因・理由の文[〜ので／から／ために]、〜かわりに／にかわって「主語」が〜。

例1と2は「〜ので／から」などで1文にすることができます。例3が例1の、例4が例2を1文にした形です。

(13) 田中さんがけがをしたので、田中さん{のかわりに／にかわって}山田さんが発表することになった。
(14) 外国のチョコレートが輸入できなかったために、陳列棚には輸入品{のかわりに／にかわって}国産品が並べられた。

例4　　原因・理由の文[〜ので／から]、(「主語」が)〜かわりに〜。

(15) コーヒーが切れていたから、コーヒーのかわりに紅茶を入れた。
(16) ボンベのガスがなくなってしまったので、ボンベのかわりに薪でご飯を炊くことになった。

●どのような語と結び付きやすいか

XかわりにY

〈Xに来る語〉

Xには状態・存在を表す動詞は来にくくなります。

(17) a．?番台にはご主人がいるかわりに、息子が座っている。
　　 b．　番台にはご主人のかわりに、息子が座っている。
(18) a．?壁には絵が貼ってあるかわりに、カレンダーが貼ってある。
　　 b．　壁には絵のかわりに、カレンダーが貼ってある。

「学習者の誤用の例」の解説

　1は文法的には正しいですが、「〜かわりに」は「Xが／をするはずだが、事情があってYが／をする」の意味を持つために、「何らかの事情でロンドンへ行けなくなり、その代替としてアメリカに留学する」という意味になってしまいます。そういう特別の事情がない場合は訂正文のように「〜ではなくて」を使ったほうがいいでしょう。

　2は「テレビを見ること」と「宿題をすること」は、本来は互いに代替・交替するものではないので、ここで「〜かわりに」を使わないほうがいいでしょう。

　3も2とよく似た誤用ですが、学習者は、もうたくさんアイスクリームを食べたのであるから、アイスクリームは食べられない、果物を食べましょうということを言いたいのだと考えられます。訂正文のように直すか、「〜かわりに」を生かして、次のようにすることもできます。

　　3′（太ってしまうので）アイスクリームを食べるかわりに、果物を食べましょう。

　4では、外来語の表記の不正確さと、「〜にかわって」「〜に変わった」という言い方が重複した感じを与えるので、訂正文のように直すと自然になります。

38

〜くせに・〜にもかかわらず・〜にかかわらず

A：インターネットにつながらないんだけど。
B：あ、ちょっと待って。すぐできるから。
　……
A：まだできないの？
B：うーん。
A：なんだ。すぐできるって言ったくせに……。

学習者はどこが難しいか。よく出る質問。

1．「〜くせに」の使い方がわからない。
2．「〜くせに」と「〜のに」の違いがわからない。
3．「〜にもかかわらず」の使い方がわからない。
4．「(晴雨)にかかわらず」と「(大雨)にもかかわらず」を混同する。

学習者の誤用の例

1．日本語の授業をとった<u>くせに</u>、ぼくの日本語は上達しなかった。
　　→日本語の授業をとったのに、ぼくの日本語は上達しなかった。
2．この部屋がせまい<u>くせに</u>、きれい。
　　→この部屋はせまいけれど、きれい。
3．大雨<u>にもかかわらず</u>、今日試合を続けましょう。
　　→大雨ですが、今日の試合は続けましょう。
4．晴雨<u>にもかかわらず</u>、10月2日のアジア大会の開幕式が行われる。
　　→晴雨にかかわらず、10月2日にアジア大会の開幕式が行われる。

説 明

●基本的な意味用法

　「〜くせに・〜にもかかわらず」は「〜が・〜けれども・〜のに」と同じように、「前件の行為・状態に反して、後件(主節)の事柄が行われたこと」(逆接)を表します。不満・残念・遺憾の気持ちをどの程度含むか、それは誰に向けたものかなどが、それぞれ微妙に異なってきます。

１．〜くせに
　「〜くせに」は相手(聞き手)や第三者に対する強い批判・非難(マイナス評価)の気持ちを表します。話し手自身は主語にならず、もっぱら自分の目から他者を見て批判・非難する形をとります。前件・後件(主節)とも同一主語をとり、話しことばに使われます。

　　(1)　彼は男のくせにマニュキアをしている。

２．〜にもかかわらず
　批判・非難の意味合いを含む場合もありますが、「〜のに」「〜くせに」より客観的になります。論説文など書かれたものに用いられます。後件(主節)には意志表現を含めて、話し手の気持ちを表す表現は来ません。

　　(2)　喫煙の害が叫ばれているにもかかわらず、女性の喫煙者は増えている。

「〜くせに」と異なり、前件と後件(主節)は同一主語、異主語のどちらもとることができます。

３．〜にかかわらず
　「〜にもかかわらず」の「も」がない形ですが、意味用法が異なります。前2者と違って批判や不満の気持ちは含みません。「晴雨・大小・好むと好まない」などの対立語や、「年齢・距離・性別」などの語に付いて、「〜に関係なく」という意味を表し

ます。「〜にかかわらず」は「〜くせに」「〜にもかかわらず」と異なり、文末に意志表現をとることができます。

 （3）　人間は年齢、性別にかかわらず平等である。
 （4）　出席するしないにかかわらず、連絡をください。

●作り方・接続の仕方

「くせに」「にもかかわらず」「にかかわらず」への接続の仕方は次のように異なります。

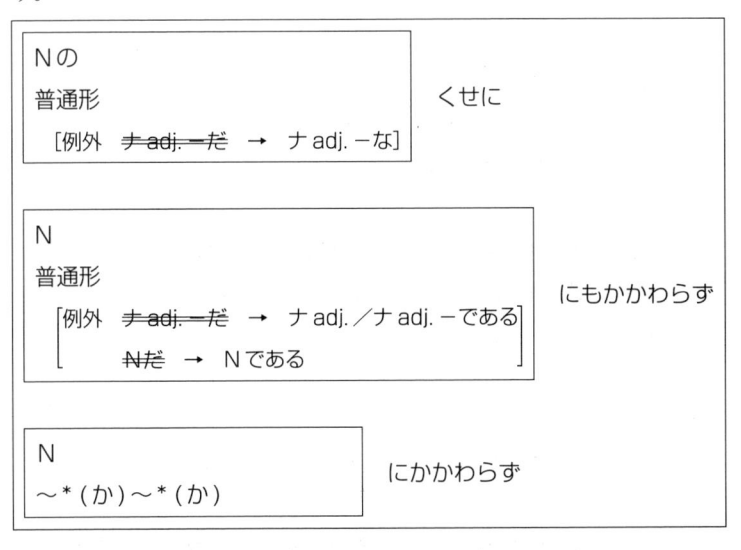

Nの 普通形 ［例外　~~ナadj.ーだ~~　→　ナadj.ーな］	くせに

N 普通形 ［例外　~~ナadj.ーだ~~　→　ナadj.／ナadj.ーである 　　　　~~Nだ~~　→　Nである］	にもかかわらず

N 〜*（か）〜*（か）	にかかわらず

* には動詞、形容詞、「名詞+だ」の肯定・否定、また、それぞれの対語が来ます。

 （5）　好きか嫌いかにかかわらず、やらなければなりません。

●いつ使われるか

1．会話の中で

以下、類義表現である「〜のに」と比較しながら見ていきます。

「〜くせに」は他者に対する批判・非難を表します。「〜のに」と異なり「〜くせに」は、基本的には自分のことには使えません。「〜にもかかわらず」は書きことば的であるので、会話では少し不適切になります。(⇒初ポ69)

> (6)　A：もう告白した？
> 　　B：ううん、まだ。
> 　　A：|好きなくせに／好きなのに／？好きにもかかわらず|、どうして黙ってるの？
> 　　B：だめなんだ。|？好きなくせに／好きなのに／？好きにもかかわらず|会うと何も言えないんだ。

「〜のに」は残念な気持ちも表しますが、「〜くせに」にはそれはありません。「〜にもかかわらず」もそれ自体で残念な気持ちは表さないようです。

> (7)　A：試験だめだったんです。
> 　　B：ああ、そうですか。
> 　　A：……。
> 　　B：頑張った|×くせに／のに／？にもかかわらず|、残念でしたね。

「〜くせに・〜のに」は終助詞的に文末に置かれますが、「〜にもかかわらず」にはその用法はありません。

> (8)　息子：一人暮らしがしたい。
> 　　母：大変だよ。
> 　　息子：大丈夫だよ。家族から離れたいんだ。
> 　　母：何言ってるの、一人じゃ何もできない|くせに／のに／×にもかかわらず|。

「〜にもかかわらず」と「〜にかかわらず」は「も」があるかないかの違いですが、意味が大きく異なります。

> (9)　　A：あしたサッカーの試合がありますか。
> 　　係員：はい、晴雨にかかわらず、決行です。
> 　　〈翌日、大雨が降っている〉
> 　　　A：すごい雨ですね。
> 　　係員：大雨にもかかわらず、よく来てくださいました。

２．文章の中で（文のつながりの例）
１）〜くせに・〜にもかかわらず

例１　　行為・行動の文。　　批判の文［〜くせに／にもかかわらず〜］。

ある人の行為・行動があり、それに対して話し手が批判・非難の気持ちを表す形です。「〜にもかかわらず」では批判・非難の程度は低くなります。

(10)　彼女はきのう内田さんのやり方に文句を言った。自分では何もできない{くせに／にもかかわらず}、いつも人には批判的だ。

(11)　彼はカラオケの話をすると、バカにしたような顔をする。自分こそ歌い出したら、マイクを放さない{くせに／にもかかわらず}、何というやつだ。

例２　　事態・状況の文。　　批判の文［〜くせに／にもかかわらず〜］。

人の行為・行動というより、ある事態や状況について述べ、話し手の批判・非難の気持ちを述べる場合もあります。ここでも「〜にもかかわらず」は批判・非難の程度は低くなります。

(12)　ペットの糞公害がひどいらしい。人の犬の糞には文句を言う{くせに／にもかかわらず}、自分は平気でたれ流しをしている。

(13)　きのうも父に部屋が汚いとしかられた。自分では掃除などやらない{くせに／にもかかわらず}、父は小言ばかり言っている。

例３　　事態・状況の文。　　具体的説明の文［〜にもかかわらず〜］。

一つの事態・状況が起きて、「～にもかかわらず」を用いて詳しく説明をする形です。

(14) あの女優は昨年ひっそりと亡くなった。現役をやめて久しいにもかかわらず、多くの人がその死を悼んだ。
(15) ペプナ島で津波による災害が広がった。離島であるにもかかわらず、各国から支援の手が差し伸べられた。

2）〜にかかわらず
例4 　事態・状況の文。　　追加説明の文［～にかかわらず～］。

ある事態や状況があり、その説明のあと、追加事項を述べるときの形です。

(16) 4月5日にウォーキングラリーを行います。年齢にかかわらずお気軽にご参加ください。
(17) 銀行振り込みに400円の手数料がとられる。金額にかかわらず、1回の利用で400円かかる。

●どのような語と結び付きやすいか

1．XくせにY
〈Yに来る語〉
◆否定的な気持ちを表す表現：
～てくれない、～（よ）うとしない、動詞・形容詞のナイ形、など

(18) どこにあるか知っているくせに、教えてくれない。
(19) 彼女は自分が悪いくせに、事実を認めようとしない。

2．XにかかわらずY
〈Xに来る語〉
◆名詞（対語を含む）：
晴雨、大小、（～の）有無、年齢、距離、性別、回数、地位、など

◆対語：
あるなし、良し悪し、上手下手、好むと好まざる、するしない、するかしないか、など

(20)　カーリングは年齢にかかわらず、誰でもが楽しめるスポーツだ。

●類義表現との比較

1.「〜くせに・〜にもかかわらず」と「〜のに」の比較

「〜のに」との比較は(6)〜(8)で見てきました。おおまかですが、「〜のに・〜くせに・〜にもかかわらず」のまとめをしておきます。(⇒初ポ69)

	のに	くせに	にもかかわらず
自分のことに使えるか	○	×	?
批判・非難が入るか	○	◎	?
残念な気持ちが入るか	○	?	?
終助詞的働きがあるか	○	○	×

◎は「よく」、○は「そう言える」、?は「どちらとも言えない」、×は「言えない」を表す。
(この比較は絶対的なものでなく、どちらかと言えばそう言えるという程度を示したものです。)

2.「〜くせに・〜にもかかわらず」と「〜ながら(も)」の比較 (⇒49)

「〜ながら(も)」も「〜くせに・〜にもかかわらず」と同じく、逆接を表します。「〜ながら(も)」には「〜くせに・〜にもかかわらず」のような批判・非難の意味合いは少なく、むしろ、「そういう状態を維持しながら」という様子・様態を表しています。

(21)　a．彼女は知っている{くせに／にもかかわらず}、何も言わない。
　　　b．彼女は知っていながら、何も言わない。

「学習者の誤用の例」の解説

　「～くせに」は相手（聞き手）や第三者の行為に対する強い批判・非難を表します。1は自分自身に向けられた文に「～くせに」を使っています。「～くせに」は他者への批判・非難を表すので、自分への批判・非難を表せる「～のに」にすべきです。

　「～くせに」は、他者への批判・非難といっても、2のように「部屋」のような無生物に向けては用いられません。単に「～が／けれども」を用いたほうがいいようです。

　「～にもかかわらず」は批判・非難を表すことは少なく、また、単に事実・事態を描くだけで、後件（主節）に話し手の気持ちを表すムード（モダリティ）表現は来ません。3では「続けましょう」のような表現を用いているので不適切になっています。もし、前件を生かすとすれば、次のような後件（主節）にする必要があります。

　3′大雨にもかかわらず、試合は続けられた。

　4は「～にかかわらず」に関する誤用例です。4は「晴雨」という対立語を用いているので「にかかわらず」とすべきところを、「も」の入った「にもかかわらず」とした誤りです。

39

～結果・～あげく・～うえで・（～すえに）

A：きのうは失礼しました。
B：どうでしたか。
A：はい、詳しく調べた結果、当社の間違いということがわかりました。
B：そうですか。
A：さっそく責任者と相談しましたうえで、ご返金させていただきます。

学習者はどこが難しいか。よく出る質問。

1．「～結果」の使い方がわかりにくい。
2．「～あげく」なんて聞いたことがない。
3．結果を表す「～うえで」の使い方がわからない。
4．後件（主節）で事態の結果を表す表現が正しくできない。

学習者の誤用の例

1．いろいろ考えた結果、実験をやり直すことが決まる。
　→いろいろ考えた結果、実験をやり直すことに決めた。
2．さんざん迷ったあげく、どちらがいいかなわからない。
　→さんざん迷ったあげく、どちらがいいか決まらなかった。
3．さんざん迷ったあげく、道をよく覚えるようになった。
　→さんざん迷った結果／おかげで、道をよく覚えるようになった。

4．新聞の記事を読んだうえで、レポートがよくできた。
　　→新聞の記事を読んでいたので、レポートがよくできた。
5．先生と相談したうえで、研究の方向がわかった。
　　→先生と相談した結果、研究の方向がわかった。

説 明

●基本的な意味用法

　「〜結果・〜あげく・〜うえで」は、前件での過程を経て、「それによって」後件（主節）の結果が引き起こされたことを表します。後件（主節）には結果を表す表現が来ます。

1．〜結果

　(1)　両親と相談した結果、今回の申し出は断ることにした。
　(2)　上司との相談の結果、契約は破棄することになった。

書きことば的ですが、原因と結果を客観的に述べる言い方です。

2．〜あげく

　(3)　さんざん迷ったあげく、結局何も買わずに帰ってきた。
　(4)　口論のあげく、殴り合いの喧嘩になった。

ずっと長い時間大変な「過程」を経て、最後にこうなったという結果・結論を表します。マイナス評価の事柄に用いられます。

3．〜うえで

　(5)　上司と相談したうえで、お返事いたします。

(6) 上司と相談のうえで、お返事いたします。

「〜結果」「〜あげく」が主に成り行きを表すのに対し、「〜うえで」は、前件の結果に基づいて次の行為・行動をとるという意志的な側面を持ちます。

また、「うえ」が付加的な意味を表すところから、追加的に、ことさらするという意味を加えることもあります。

(7) （一人では決められないので、）先生と相談したうえで、最終的に研究の方向を決めたいと思う。

● 作り方・接続の仕方

動詞が「結果・あげく・うえで」の前に付く場合は、「〜た」の形をとります。

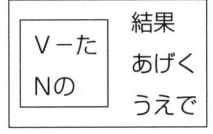

V－た Nの	結果 あげく うえで

● いつ使われるか

1．会話の中で

(8)は「〜結果・〜あげく・〜うえで」の3者が可能になっている場合です。動詞が前に来るときは「〜た」の形をとります。

(8) A：進路決まりましたか。
    B：ええ。いろいろ考えた｛結果／あげく／うえで｝、進学しないことにしました。
    A：そうですか。

(8)では、ある程度時間のかかる過程を経ていることと結果がマイナスであることで「〜あげく」が、文全体が意志的な気持ちを表していることで「〜うえで」が可能になっています。

次のように、感情の程度が高い事態の場合は、「〜あげく」が使われやすくなります。そのような場合には「〜あげく」に非難の気持ちが入ります。

> (9) A：あのファミレス最低だね。
> B：どうしたの。
> A：注文して、さんざん待たされた{?結果／あげく／×うえで}、注文と別のものが来るし。
> B：……。
> A：それに「すみません」の一言も言わないんだ。

次の会話では、ある行為・行動の結果に基づいて次の行為・行動をとるという意志的な事柄を表します。この場合は、「〜うえで」が適切になります。「〜結果・〜あげく」は後件（主節）に事態の成り行きや結果を表す表現が来るので不適切になります。

> (10) A：どうなさいますか。
> B：ちょっと考えさせてください。
> A：ご家族の方とご相談の{×結果／×あげく／うえで}、来週中にお返事ください。
> B：はい、わかりました。

２．文章の中で（文のつながりの例）

例１　事態・状況の文 [〜が／けれども]、〜結果／あげく、〜。

「〜結果・〜あげく」は事柄の結果を説明するときに使われます。したがって、物事の経過を述べる文脈で使われることが多くなります。事態・状況を述べる文では、前置きの「が／けれども」が用いられます。

(11) 彼女は彼を忘れることができなかったのでアメリカへ行ったが、遂げられぬ恋に苦しんだ{結果／あげく}、去年の夏、船上から投身自殺を図った。
(12) 彼はその仕事をいったんは引き受けたが、いろいろ悩んだ{結果／あげ

く｜、断ることにした。

例2 　過程説明の文。　　（そして）〜結果／（しかし）〜あげく、〜。

　まず、ある過程について述べ、そして、結果がどうであったかを述べる形です。順調に結果が出た場合は「そして」で、そうでなかった場合は「しかし」で次の文に続いていきます。前者の場合は「〜結果」が、後者の場合は「〜あげく」が用いられます。

(13) 同じ考えを持つ者たちが集まって話し合いを持った。(そして)率直な意見交換の結果、今後も会合を持っていこうという結論が出た。

(14) 同じ考えを持つ者たちが集まって話し合いを持った。(しかし)さんざん話し合ったあげく、何ひとつ結論を出すことができなかった。

例3 　過程説明の文 [〜あげく]、条件の文 [〜と]、〜。

　「〜あげく」は、長い間の大変な過程の中で、「ある状態になると、そういう結果になる」という流れになると、条件「〜と」が現れることがあります。

(15) さんざん働かされたあげく、病気になるとすぐやめさせられる。

(16) さんざんいじめたあげく、いじめ足りなくなると、金銭を要求し始める。

例4 　事情・状況説明の文。　　（したがって）〜うえで、〜。

　「〜うえで」は結果に基づいた意志的な行為・行動を表します。次のように理由づけを行いながら説明がなされる場合があります。

(17) 若者ことばはどんどん変わっていく。我々はことばの動向を見極めたうえで、何を是とし何を非とするかを判断していく必要がある。

(18) 一国の動静が、アジア地域全体の安定に大きな影響を与える。したがって、わが国としては、アジア諸国とのこれまでの関係も踏まえたうえで、今後のことを考えていかなければならない。

●どのような語と結び付きやすいか

「結果・あげく・うえで」の前にはそれぞれ次のような動詞が来やすくなります。

１．Ｘ結果Ｙ

〈Ｘに来る語〉

◆思考・検討を表す動詞：

考える、調べる、検討を重ねる、調査する、悩む、問い合わせる、組み合わせる、話し合う、相談する、検討する、など

⒆　十分検討した結果、その方式を採用することにした。

〈Ｙに来る語〉

◆結果を表す表現：

〜ことになる、〜ことに決まる、〜ことにする、〜ことに決める、など

⒇　相談した結果、行かなくてもいいことになった。

２．ＸあげくＹ

〈Ｘに来る語〉

◆思考・検討を表す動詞：

迷う、悩む、考える、議論する、など

◆使役的な動詞、および、その受身動詞など：

だます、いじめる、使役動詞（待たせる、働かせる）、受身動詞（だまされる）、使役受身動詞（待たされる、働かされる）、など

⒇　昔は、さんざん働かされたあげく、文句を言うとすぐやめさせられたそうだ。

〈Ｙに来る語〉

◆結果を表す動詞など：

決まらない、〜ようになる、〜結果になる、〜ことがわかる、〜(し)始める、受身動詞（殴られる、追い出される）、使役受身動詞（やめさせられる）、など

(22) さんざん議論したあげく、結局何も決まらなかった。

◆副詞（前件）：さんざん、いろいろ、（～時間・～か月・～年）も、など
　（後件（主節））：ついには、最後には、結局は、など

(23) 息子はさんざん泣きわめいたあげく、ついには眠ってしまった。

3．XうえでY

〈Xに来る語〉

◆思考・検討を表す動詞：
調べる、相談する、話し合う、考える、考慮する、踏まえる、検討する、など

(24) 十分検討したうえでご返答申し上げます。

〈Yに来る語〉

◆結果・結論を表す動詞など：
報告する、結論を出す、返答する、～ことにする、～ことになる、など

(25) もう少し考えたうえで、結論を出すことにします。

◆副詞（前件）：よく、十分、など

(26) よく調べたうえでお答えいたします。

●類義表現との比較

「～結果・～あげく・～うえで」と「～すえに」の比較

「～すえに」は「5月の末に」などと言うことができるように、ある期間の終わりを表します。「ある経過をたどったあとで、最後にこうなった」という時間的な終着の状況を表します。

(27) 夜を徹して議論した｜結果／あげく／×うえで／すえに｜、白紙に戻してやり直すことになった。

「〜あげく」と似ていますが、「〜すえに」のほうがより客観的と言えます。次の例では「〜あげく」にすると、心情的になりすぎて不適切です。

(28) A国は長年の紛争を経た｛結果／？あげく／×うえで／すえに｝、ようやく自主選挙を行うことができた。

「学習者の誤用の例」の解説

　1は「〜結果」の誤用例です。前件での過程を経て、それによって引き起こされた結果が後件（主節）に表される形をとりますが、1では後件（主節）の「こうなった」という結果表現ができていません。「〜ことに決めた・〜ことにした」などの結果表現が必要になります。

　2、3は「〜あげく」に関する誤用です。2は1と同じように結果を表す後件（主節）の表し方が不十分で訂正文のようにする必要があります。学習者が書いた後件（終助詞の「な」を削除する必要がありますが）を生かすと、次のようにすることもできます。

　2' さんざん迷ったけれど、どちらがいいかわからない。

　3は「〜あげく」を用いながら、後件（主節）に「道を覚えるようになった」というプラスの事態が来ています。「〜あげく」はマイナス評価の事柄に用いられるので、中立的な「〜結果」にするか、プラス評価表現の「〜おかげで」が適切になります。

　4と5は結果を表す「〜うえで」の例です。「〜結果・〜あげく」が自然の成り行きを表すのに対し、「〜うえで」は「その結果どうする、どうした」という意志的な行為を表します。4と5は訂正文のように変えましたが、学習者の書いた前件を生かすと次のように直すことになります。

　4' 新聞の記事を読んだうえで、自分のレポートをまとめてみました。

　5' 先生と相談したうえで、研究の方向を決めようと思う。／先生と相談したうえで、研究の方向を決めました。

40 ～(の)ことだから・～ものだから・(～わけだから)

A：遅くなってすみません。
B：どうしたんですか。
A：電車が不通になったものですから。
B：それは大変でしたね。

学習者はどこが難しいか。よく出る質問。

1．「～(の)ことだから」の使い方がわからない。
2．「～ものだから」の使い方がわからない。
3．「～ものだから」と「～わけだから」の違いがわからない。
4．「～ものだから」と「～んだから」の違いがわからない。

学習者の誤用の例

1．A：リーさんの発表はすばらしかったね。
　　B：まじめな彼のことだから、毎日がんばって勉強していたんです。
　　→まじめな彼のことだから、毎日がんばって勉強したんでしょう。
2．忙しい先生のことだから、なかなか会えない。
　　→忙しい先生のことだから、なかなか会えないだろう。
3．彼は何回も約束を守らなかったものだから、今回の申し出は断りましょう。
　　→彼が何回も約束を守らなかったんだから、今回の申し出は断りましょう。

341

4．電車がストップしたものだから、授業に遅れました。
　→電車がストップしたものですから／電車がストップしましたので、授業に遅れました。

説 明

●基本的な意味用法

1．～(の)ことだから

「～(の)ことだから」は、話し手と聞き手が共通して持っている類推的な判断や評価を表します。後件(主節)には「～だろう・～はずだ・～にちがいない」などの話し手の判断を表す推量表現が来ることが多いです。

　　(1)　人気者の彼女のことだから、友人には事欠かないだろう。

人を表す名詞が来ることが多いですが、次のように「動詞＋てのことだから」となるときもあります。

　　(2)　結婚、結婚と言うけれど、相手あってのことだからなかなかうまく行かない。

2．～ものだから

動詞・形容詞などにつながって原因・理由を表します。「ものだ」の持つ「一般的、社会的なものと照らし合わせて」という意味から、「皆にも当然わかってもらえる(であろう)そういう(大変な)原因・理由で」という意味合いを含みます。

「～ものだから」は後件(主節)に命令や依頼、意向などの意志表現をとることはできません。

　　(3)　講義があまりにつまらないものだから、学生はおしゃべりし始めた。

●作り方・接続の仕方

「ことだから」と「ものだから」への接続の仕方は次のように異なります。

```
┌─────────────────┐
│ Nの             │
│ V－ての    ことだから │
└─────────────────┘

┌──────────────────────────────┐
│ V－普通形                      │
│ イadj.－普通形                  │
│ ナadj.－普通形         ものだから │
│  [例外 ナadj.－だ → ナadj.－な]  │
└──────────────────────────────┘
```

●いつ使われるか

１．会話の中で
1)〜(の)ことだから

次の会話では、話し手も聞き手も川田さんが朝寝坊のことを知っています。「〜(の)ことだから」はその共通の理解に基づいての判断を表しています。

> (4) A：川田遅いね。
>   B：うん、遅いね。
>   A：朝寝坊の川田のことだから、まだ寝てるんじゃないか。
>   B：電話してみようか。

「(の)ことだから」の前に来る名詞には「朝寝坊の」のように、その人についての特徴を表す説明のことばが付くことが多いです。

次の(5)は動物園での、(6)は動物園に行った次の日の会話です。(6)では「〜ことだから」は使えますが、事柄が起きているその時点の会話(5)では少し不自然になります。このことから「〜ことだから」はその人・事柄について客観的に一般化するときに用いられると言えそうです。

〈動物園で〉
(5)　A：子供が迷子になったんです。
　　　B：どこで。
　　　A：サル山の前あたりで。
　　　B：広い動物園|だから／?のことだから|、探すのが大変ですね。

〈次の日〉
(6)　A：きのう子供が迷子になったんです。
　　　B：どこで。
　　　A：動物園で。
　　　B：広い動物園|だから／のことだから|、大変だったでしょう。

2)〜ものだから

「〜ものだから」は「皆にもわかってもらえるであろうそういう(大変な)原因・理由で」という意味合いを含みます。事態の程度が激しい場合により多く使われます。会話では「〜もんだから」になることもあります。

(7)　A：上半身、裸じゃない。
　　　B：うん、あまりに暑いもんだから、服を着ていられないんだよ。

「皆にもわかってもらえる原因・理由」という意味合いを含むことから、言い訳にも使われます。(8)のように自分のことを言うと弁解がましく、また、(9)のように人のことを言うと批判的に聞こえたりします。

(8)　A：遅いね。
　　　B：ごめんごめん。
　　　A：皆待ちくたびれてるよ。
　　　B：いや、夜遅くまで論文書いてたもんだから、なかなか起きられなくて。

(9) A：福田さん、今日は機嫌がいいね。
　　B：ええ、さっき先生に論文をほめられたものだから、機嫌がいいのよ。
　　A：へえ。
　　B：いつもああだといいんだけど。

「〜ものだから」は、それで発話が終わることも多いです。丁寧な形では「〜ものですから」になります。

(10) A：遅いね。
　　 B：ごめんごめん。
　　 A：皆待ちくたびれてるよ。
　　 B：いや、バスがなかなか来なかったもんだから。

(11) A：遅いですね。
　　 B：すみません。
　　 A：どうしたんですか。
　　 B：バスがなかなか来なかったものですから。

２．文章の中で（文のつながりの例）
1）〜（の）ことだから

例１　| 事態・状況の文 | 推量判断の文［〜（の）ことだから、〜だろう／かもしれない／にちがいない］。 |

ある事態・状況に対して、「〜（の）ことだから」の文を用いて話し手の推量判断を表す形です。

(12) 駒ケ岳に登った隆之がまだ戻ってこないという。慎重な彼のことだから、どこかでビバークしているにちがいない。

(13) 子供がいじめられたと聞いて田口さんは学校に乗り込んだ。田口さんの

ことだから、学校側に激しく抗議したのだろう。

例2　　事態・状況の文。　　推量判断の文 [～(の)ことだから、～だろう／かもしれない／にちがいない]。　　評価的判断の文。

例1のうしろに話し手の評価的判断が続くこともあります。

(14) 駒ケ岳に登った隆之がまだ戻ってこないという。慎重な彼のことだから、どこかでビバークしているにちがいない。心配する必要はないと思う。

(15) 子供がいじめられたと聞いて吉田さんは学校に乗り込んだ。吉田さんのことだから、学校側に激しく抗議したのだろう。学校側も頭を抱えていることだろう。

2）～ものだから

例3　　原因・理由の文 [～ものだから]、～。　　（それで）～。

例3は、最初に（事態の程度が激しい）原因・理由の文を「～ものだから」で出し、それで次の行動を起こしたということを説明しています。

(16) あんまり天気がいいものだから、うちにいるのがもったいなくなった。それで、近くの公園に出かけてみた。

(17) 親が叱らないものだから、子供がうるさくてしかたがない。それで、一言注意してやった。

例4　　事態・状況の文。　　原因・理由の文 [～ものだから]、～。

ある事態・状況があり、次にその事態・状況について、自分が考えた原因・理由を「～ものだから」を用いて述べる形です。

(18) 授業中動き回る子供が多いという。親が我慢することを教えなかったものだから、そういう子供が増えてくるのだ。

(19) デパートの地下は各種の惣菜売り場でにぎわっている。働く主婦が増えたものだから、少々高くても便利なのだろう。

●どのような語と結び付きやすいか

１．X(の)ことだからY
〈Xに来る語〉
◆**人を表す名詞**：
　〜さん、彼、彼女、あの人、課長、部長、○○首相、など

　⑳　ワンマン社長のことだから、今度のことも独断で決めてしまうだろう。

２．XものだからY
事態の程度が激しいことが理由となり、無意識に行動を起こしてしまったという意味で使われることがあるので、次のような副詞が来やすくなります。
　◆副詞（後件（主節））：つい、思わず、知らず知らずに、など

　㉑　セールスマンがあまりに上手に勧めるものだから、つい買ってしまった。

●類義表現との比較

「〜ん(の)だから」「〜わけだから」と「〜ものだから」の比較

「〜ん(の)だから」「〜わけだから」「〜ものだから」は理由を表すという点では共通していますが、それぞれ次のような特徴があります。

１．〜ん(の)だから（⇒36）
1)（対立する）聞き手を説得して同意・同調させようという話し手の意図が働く（下線部は桑原(2003)より）。
2) 後件（主節）には「〜はずだ」「〜(た)ほうがいい」「〜てください」や命令の形が来ることが多い。

２．〜わけだから
1) 確実な事実を根拠に、当然の成り行きとして後件（主節）の事柄が起こるということを表す。

2）後件（主節）に「～（する／になるの）は当然だ」という形をとることが多い。

3．～ものだから

1)「皆にも当然わかってもらえるであろう（大変な）原因・理由で」という意味合いを表す。自分のことを言うと弁解がましく、また、人のことを言うと批判的に聞こえることがある。
2）後件（主節）に命令や依頼、意向などの意志表現をとることはできない。

では次に、具体例で比較してみましょう。

(22) みんなが待っている{ん（の）だから／？わけだから／×ものだから}、早くしなさい。
(23) 政治家はたくさんのお金をもらっている{ん（の）だから／わけだから／×ものだから}、もっと国民のために働いて当然だ。
(24) バスが来なかった{×ん（の）だから／×わけだから／ものだから}、遅刻してしまった。

(22)は対立する（この場合は、みんなを待たせている）相手に対して説得しようとしている文です。「穏やかな話し合い」（下線部は桑原（2003）より）ではなく、相手に対する強い要求を表す「～ん（の）だから」は適切ですが、論理的に理屈を述べる「～わけだから」はやや不適切になります。また、後件（主節）の文末に意志表現（命令）が来ているので、「～ものだから」は使えません。

(23)は当然の成り行きを表している文なので「～わけだから」が一番適切ですが、「～ん（の）だから」を用いると、相手を説得しようという話し手の強い主張を表した文になります。「～ものだから」は、「～（する／になるのは）当然だ」という形とは結び付きません。

(24)は、自分の理由の中に言い訳を含ませている文で、「～ん（の）だから」「～わけだから」は不自然になります。(25)のように後件（主節）に相手への説得の気持ちを含ませると「～ん（の）だから」も適切になり、(26)のように後件（主節）を「～当然だ」という表現にすると「～わけだから」も適切になります。

(25) バスが来なかったん（の）だから、しかたないですよ。
(26) バスが来なかったわけだから、遅れるのは当然でしょう。

「学習者の誤用の例」の解説

　1と2には後件（主節）に「勉強していたんです」「なかなか会えない」という断定的な表現が来ています。しかし、「～（の）ことだから」は話し手の類推的な判断を表します。したがって、文末は、訂正文のように「勉強したんでしょう」「会えないだろう」のような推量表現にする必要があります。

　原因・理由を表す「～ものだから」は後件（主節）に意志表現は来ません。3では意志を表す「断りましょう」が来ているので、不適切になっています。訂正文とは別に、前半部分を生かすと次のような文が続くでしょう。

　3′　何回も約束を守らなかったものだから、ついに彼は皆から信用されなくなってしまった。

　4は文法的には正しいですが、「電車がストップしたものだから」のように普通形を使うと、謝る場合としては少し不遜に聞こえます。「電車がストップしたものですから」とするか、単に「電車がストップしましたから」を使うか、または冒頭の会話のように後件（主節）を省略するなどして、丁寧に謝る必要があります。

41 〜ては・〜ても

A：株を売ろうかと思っているんですが。
B：少し下がってきたからですか。
A：ええ。
B：でも今売っては、かえって損をしますよ。

学習者はどこが難しいか。よく出る質問。

1. 「〜ては」は「〜てはいけない／だめだ」の形では習ったが、それ以外は習っていない。
2. 「〜ても」は、許可の「〜てもいい」、逆接の「(雨が降っ)ても(行く)」しか知らない。

学習者の誤用の例

1. 昔のことを今ごろ言われては、遅いのではないか。
  →昔のことを今ごろ言われても、遅いのではないか。
2. 昔のことを今ごろ言われては、なつかしい思い出が頭の中に浮きあがった。
  →昔のことを言われて、なつかしい思い出が頭の中に浮かんできた。
3. 手紙があまり書けないので、書いでは消し、書いでは消して、結局手紙がきたなくなってしまった。
  →手紙があまり書けないので、書いては消し、書いては消しして、結局手紙がきたなくなってしまった。
4. 友達が行かなくて、私は一人でも行くよ。
  →友達が行かなくても、私は一人でも行くよ。

説 明

●基本的な意味用法

　条件を表す「〜ては・〜ても」は部分的に初級段階で教えられる項目です（⇒初ポ68）。ここでは、初級で取り上げられる以外の用法について考えます。

1．〜ては

1) 条件を表す。

「〜ては」は後件（主節）に否定的な表現を伴って、そういう条件のもとではよい結果は出ないことを表します。

　(1)　A：私はもう下りる。
　　　　B：あなたがそんなことを言っては、この計画はつぶれてしまうよ。

2) 反復を表す。

　動作が繰り返し起こることを表します。「〜ては」が1回の場合も、2回以上使われる場合もあります。2回のときは「〜ては〜(し)、〜ては〜(し)する」という形をとります。動詞にのみ使われます。

　(2)　学生時代は喫茶店に集まっては、議論したものだ。
　(3)　書くことに自信がないらしく、彼は書いては消し、書いては消ししている。

2．〜ても　（⇒初ポ68）

1) 逆接条件を表す。

前件から予想される結果と逆のことが後件（主節）に現れる場合です。

　(4)　いくら走っても間に合わないだろう。

2)「結果が変わらない」ことを表す。

「〜ても」が2回、または2回以上使われて、「結果が同じだ、変わらない」ことを表し、動詞・形容詞・「名詞＋だ」などに用いられます。(5)は「Ｘ１てもＸ２ても」のＸ１と

X2が同じ場合、(6)は異なる場合、(7)は肯定・否定の関係になる場合です。

(5) 潮干狩りに行ったが、掘っても掘っても貝は見つからなかった。
(6) 天気がよくても悪くても、試合は行います。
(7) 使っても使わなくても、基本料金はとられる。

●作り方・接続の仕方

「ては・ても」への接続の仕方は、次のように意味用法によって異なります。

| V-て | は〈反復〉 |

| V-て／V-なくて
イadj.-くて／イadj.-くなくて
ナadj.-で／ナadj.-で(じゃ)なくて
Nで／で(じゃ)なくて | は〈条件〉
も |

●いつ使われるか

1．会話の中で

「〜ては」は、次のように後件（主節）によくない結果が来ます。

(8) A：寒いですね。
    B：本当ですね。
    A：こんなに寒くては、風邪を引いてしまいますよ。

(8)は「形容詞＋ては」の例ですが、動詞の場合、その行為が続くなどしてマイナス評価が強くなってくると、「〜ていては」という形が使われることがあります。注意や叱責に使われることが多いです。

(9) A：もうコンピュータゲームをしてはいけません。
B：うん、ちょっとだけ。
〈2時間後に〉
A：まだゲームをしているの。
B：うん。
A：毎日毎日そんなに長時間ゲームをしていては、目が悪くなりますよ。

「〜ていては」は相手への注意、叱責だけでなく、自分に対する咎めにも使われます。

(10) こんな生活をしていては、自分がだめになってしまう。

反復を表す「〜ては」の使い方です。

(11) A：日本語、どうですか。上手になりましたか。
B：いえ、まだまだです。
A：専門書は読めますか。
B：ちょっと読んでは辞書を引き、ちょっと読んでは辞書を引きしながら、読んでいます。

次は「結果が変わらない」ことを表す「ても」が、名詞とともに使われている例です。

(12) A：この会の入会資格は独身者だけですか。
B：いいえ、独身でも独身じゃなくても、入れますよ。

2．文章の中で（文のつながりの例）

例1　　事態・状況の文。　　〜ては〜。

ある事態・状況があり、その状態では、否定的な結果になるということを表す形です。

(13) 彼女はかなりまいっている。あんな状態では話もできない。

(14) 今年の夏は暑さが厳しい。こんなに暑くては、やる気が出てこない。

例2　事態・状況の文 [～ので／から]、～ては～ては～。

ある事態・状況にあるので、そのために繰り返しの行為・動作をすることを表す形です。

(15) 娘は歩き始めたばかりなので、一歩歩いてはころび、一歩歩いてはころびしている。
(16) 1枚8,000円のステーキだったから、ちょっと食べては噛みしめ、ちょっと食べては噛みしめと、味わいながら食べた。

例3　～ては～ては～して、結果の文 [(やっと／ついに)～]。

何度も繰り返して、ついにある結果を得たということを表す形です。よい場合にも悪い場合にも使われます。「やっと、ようやく、ついに」が入ることが多いです。

(17) アルバイトしては貯め、アルバイトしては貯めして、貯金がついに1,000万円に達した。
(18) 原稿を書いては破り、書いては破りして、小説は、結局完成できなかった。

例4　原因・理由の文。　　(だから／そのため)～ても～。

原因・理由を述べ、そのためにできない／しないということを表します。

(19) このアパートは家賃が安い。だから、少々古くても、文句は言えない。
(20) 胃の調子が悪い。今日の宴会では勧められても絶対飲まない。

例4は「～ので／から」を使って、1文で表すことも多いです。

(21) このアパートは家賃が安いから、少々古くても、文句は言えない。
(22) 胃の調子が悪いから、今日の宴会では勧められても絶対飲まない。

例5　　事態・状況の文。　　（しかし、）～ても～ても～。

「～ても～ても」を使った形です。ある状況があって、努力をするが結果はよくないことを表します。

(23)　車のエンジンの掃除をした。手が油で汚れて、洗っても洗ってもきれいにならない。
(24)　私が悪かった。しかし、先方は謝っても謝っても許してくれない。

● どのような語と結び付きやすいか

１．「反復を表す」ＸてはＹ

〈Ｘ・Ｙに来る語〉

◆対になる動詞：

書く・消す、作る・こわす、(雨が)降る・やむ、食べる・寝る、倒れる・起きる、など

(25)　ここの道路はいつも工事をしている。作ってはこわし、作ってはこわしで、いつ終わるのだろう。
(26)　挑戦者はパンチをくらっても、倒れては起き、倒れては起きして、最後の判定まで持ち込んだ。

２．「結果が変わらないことを表す」ＸてもＹ

〈Ｘに来る語〉

◆対になる形容詞：

多い・少ない、いい・悪い、高い・安い、遠い・近い、など

(27)　多くても少なくても、収入があるのはうれしい。

◆対語：

大人・子供、男・女、会社・家、など

(28)　彼は家（で）でも会社（で）でも、ゴルフのことを考えている。

●類義表現との比較

「～ては」と「～たら」の比較

次の文はa、bとも「ほめられたので、引き受ける」ということを言っていますが、意味的な違いがあるのでしょうか。

(29)　A：今日は司会者のおかげで会議がうまく行ったね。次回の司会も頼むよ。
　　　B：a．そんなほめられたら、断るわけにはいきません。
　　　　　b．そんなほめられては、断るわけにはいきません。

aの「～たら」を使った文では、「ほめられた」ことを積極的にとらえて、次回も司会をやると言っています。「～たら」に対してbの「～ては」は、「本当は断りたいのだが」という消極的な気持ちを持ちながら「でも、やる」という気持ちを含んでいると考えられます。

(29)のほかに、「～たら・～ては」にはうしろに「どうか、どうだろうか」という表現を伴って、相手の意向を伺う用法があります。

(30)　a．今日は時間がないので、来週にしたらどうでしょうか。
　　　　b．今日は時間がないので、来週にしてはどうでしょうか。

(30)bの「～ては」には消極的な気持ちは含まれていませんが、「～たら」と比べると、相手の気持ちを思いやって、控え目に言うような謙虚さが感じられます。

「学習者の誤用の例」の解説

　1、2は前件が同じですが、いずれも後件(主節)へのつなげ方に苦労しているようです。「言われては」には、話し手が相手、または、第三者から「言われた」ことに対し、そんなことを言うべきでないという思いが含まれます。1では前件と後件(主節)の逆接的な意味関係から「言われても」と「〜ても」を使うと後件(主節)の「遅い」につながっていきます。
　「〜ても」にせずに「言われては」を生かすと次のような文になるでしょう。
　1'　昔のことを今ごろ言われては、私としてはおもしろくない。
　2は条件を表す「ては」は後件(主節)に否定的な表現を伴うという用法がよくわからずに、「〜て」と同じだと解釈して、後件(主節)を作ったと考えられます。
　3は「反復」を表す「〜ては〜、〜ては〜」の使い方の誤りです。学習者には「〜ては〜、〜ては〜」のあとをどう表現して、次につなげていくかが難しいようです。「〜ては〜(し)、〜ては〜(し)する」の「する」の部分をどう変化させるかを、いろいろな例を挙げて、学習者に十分示す必要があります。
　4は「〜なくて」で「〜なくても」を表そうとしたようですが、前件と後件(主節)の逆接の意味的関係から「〜ても」にする必要があります。

42 〜というと・〜といえば・〜といったら

A：もうすぐ4月ですね。
B：4月というと新年度でいろいろ忙しいですね。
A：そうですね。入学式もあるし。
B：入学式といえば、松田さんのお子さんも今年1年生でしたね。

学習者はどこが難しいか。よく出る質問。

1．「〜というと」の使い方がわからない。
2．「〜といえば」の使い方もわかりにくい。
3．「〜というと・〜といえば・〜といったら」の使い方は同じ？
4．「は」を使うべきところを「というと・といえば・といったら」を使ってしまう。

学習者の誤用の例

1．フランスのブルゴーニュというと、高級ワインは特に有名だ。
　→フランスのブルゴーニュというと、高級ワインが特に有名だ。
2．あの人というと、怠け者だ。
　→あの人は怠け者だ。／あの人といえば怠け者で定評がある。
3．台湾といえば、果物の種類が豊富だとよく知られていて、特にマンゴーアイスが愛されている。
　→台湾は果物の種類が豊富で、特にマンゴーアイスが人気である。

4．田中さんといったら怠け者だ。
　　→田中さんは怠け者だ。／田中さんといえば怠け者で定評がある。

説明

●基本的な意味用法

　「名詞＋というと／といえば／といったら」は、ある話題を受けて、そこから連想されることについて言及したり、説明したりするのに用いられます。「Xというと／いえば／いったらY」という形をとって、YにはXから連想される、典型的、代表的な事柄が来ます。

　(1)　A：誰かイラストの描ける人いない？
　　　　B：イラストが描ける人{というと／といえば／といったら}、李さんだよ。
　　　　A：ああ、韓国の李さん。
　　　　B：頼んでみたらどう？

三つはほぼ置き換えが可能ですが、三つの中で「～といったら」が一番話しことば的になります。

●作り方・接続の仕方

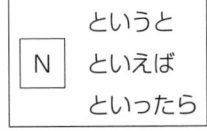

N	というと といえば といったら

●いつ使われるか

１．会話の中で

　「～というと・～といえば・～といったら」は、ある事柄から連想する、または、連想したものについて述べますが、連想するものが典型的、代表的なものである場合が多

いです。

> (2) A：来月からオーストリアへ出張です。
> B：いいですね。オーストリアといえばウィーンの森ですね。
> A：そうですか。私はオーストリアというとアルプスの山々が思い浮かびます。
> C：いや、オーストリアといったら、モーツアルトですよ。

(3)に挙げるように、典型的、代表的なものでなく、その人・ものについて述べる場合、「～というと・～といったら」は不自然になります。

> (3) A：田中さん、どこですか。
> B：いや、知らないです。
> C：田中さん{?というと／といえば／?といったら}、さっき外へ出て行きましたよ。
> A：えっ、そうですか。

ある事柄からほかのことを思い出す表現に「そういえば」があります。「そういえば」のうしろには、その話題の事柄との結びつきが弱い文も来ることができます。(4)は結び付きがありますが、(5)はほとんどありません。(5)では会話を展開させる表現として使われています。

> (4) A：このコーヒー代、払っといてよ。
> B：ええっ。
> A：今度払うから。
> B：{?そういうと／そういえば／?そういったら}、先月も私が払いましたよ。

(5) A：寒いですね。
　　B：ええ。お元気ですか。
　　A：ええ、何とか。
　　　　{？そういうと／そういえば／？そういったら}、きのう木内さんから電話がありましたよ。

2．文章の中で（文のつながりの例）

例1　主題・話題の文 [〜というと／といえば／といったら] 〜が／けれども、〜。

主題・話題を導入する形で「〜というと／〜といえば／〜といったら、〜が／けれども」が用いられ、次に話が進んでいく形です。

(6) 4月{というと／といえば／といったら}入学式ですが、お嬢様は今年1年生でしたね。

(7) 電化製品{というと／といえば／といったら}秋葉原だが、私はまだ行ったことがない。

例2　主題・話題の文。　　〜というと／といえば／といったら〜。

ある主題・話題を提出し、また、提出されたのを受けて、それについて連想を広げる形です。

(8) 岡本太郎没後10数年になる。岡本太郎{というと／といえば／といったら}、「芸術は爆発だ」のせりふが有名だ。

(9) 桜の季節になった。桜{というと／といえば／といったら}六義園のしだれ桜が思い出される。

●どのような語と結び付きやすいか

「〜というと・〜といえば・〜といったら」が典型的、代表的な事柄を話題にするときには、次のような一般的に知られているものや人が現れやすくなります。

Xというと／といえば／といったらY

〈Xに来る語〉

◆典型的、代表的な事柄を表す名詞：

　国名、地名、ピカソ・夏目漱石などの有名人、春、夏、秋、冬、ビール、サッカー、など

〈Yに来る語〉

◆一番似つかわしいことを表す語など：

　〜が一番だ、(人・場所の名前)だ、思い出す、思い浮かべる、など

(10)　サッカーといえば、ドーハの悲劇を思い出す。

●類義表現との比較

１．「疑問詞＋〜か＋というと／といえば／といったら」との比較

「というと・といえば・といったら」は「言う」から派生したもので、本来の「言う」という意味合いはありませんが、次のように「疑問詞＋〜か」に付くと、「言う」の意味合いが出てくる場合もあります。次の「というと・といえば・といったら」は「説明すると」の意味を持ちます。

(11)　A：どうしてこんなことになったのか説明してください。
　　　B：どうしてこうなったか｜というと／といえば／といったら｜、課長がそうしろと言ったからです。
　　　A：えっ、課長が？

２．「〜というと・〜といえば・〜といったら」と「〜といっても」の比較

(12)　A：今度の同窓会はフランス料理がいいな。
　　　B：フレンチレストランといっても、あまりいい店はないと思うけど。
　　　C：ほら、フレンチレストランといえば、マルセーユはどう？
　　　A：ああ、あそこでもいいね。

Aが同窓会にはフランス料理がいいと言っているのに対し、Bは「名詞＋といっても」

を使って、やや否定的にいい店はないと思うと述べ、Cは「名詞＋といえば」を用いて、積極的に一つの店を提案しています。このように、「Xというと／といえば／といったら」がその事柄Xから連想される典型的、代表的な事柄を表すのに対し、「といっても」はXについて、ただし書きを付け加えたり、補足や修正を加えたりする表現です。(12)では否定的な意味合いが含まれていますが、「～といっても」の後件（主節）にはプラス・マイナス両方の評価の文が来ます。

(13)　A：あの作家は大衆小説専門だね。
　　　B：大衆小説といっても、人を感動させる作品が多いよ。
(14)　A：あの作家は純文学が多いね。
　　　B：純文学といっても、中には俗っぽいのもあるよ。

「学習者の誤用の例」の解説

　1は後件(主節)に使われている「は」の問題です。「ブルゴーニュ」にあるいくつかの特産品の中から「高級ワインが特に有名だ」と言いたいのですから、特立の(特に際立たせる)働きを持つ「が」を使うべきです。

　2は、「あの人」についての説明でしかないので、代表や典型を表す「～というと」は使えず、単に「あの人は怠け者だ」とするか、訂正文のようにする必要があります。

　3では「台湾といえば」という言い方で文が始まっています。「～というと」や「～といえば」で始まると、次には典型的、代表的な事柄を一言で表すような表現が続くことが多いです。3のように「果物の種類が豊富だとよく知られていて」と説明せずに、「台湾といえば果物の宝庫だ」という形にする必要があります。もし単なる説明なら、訂正文のように「といえば」を付けずに台湾について説明したほうがいいでしょう。

　4は2と同じ種類の誤用です。「～というと」と同じく「～といったら」も、代表的、典型的なものが連想されない場合は不自然になります。

43

～(た)ところ・～(た)ところが・～ところに／へ・～ところを

A：サッカーの切符、手に入ったんだって？
B：うん、だめだと思っていたんだけど。
A：……。
B：はがきを1枚だけ出したところが、当たっちゃってね。

学習者はどこが難しいか。よく出る質問。

1．「ところ」はよく使われるが、意味がわからないことがある。
2．「ところ」は場所に関係があるの？時間に関係があるの？
3．「～ところに／へ」と「～ところを」の使い分けがわかりにくい。
4．「～ところ」と「～ところに／へ」の違いがわからない。

学習者の誤用の例

1．先生に相談したところ、私が計画した論文のテーマはだめだった。
　→先生に相談したところ、私が計画した論文のテーマはだめだと言われた。
2．心から謝ったところが、許してくれなかった。
　→心から謝ったのに、許してくれなかった。
3．ゆうべ寝ようとしているところへ、隣の人の喧嘩を聞いた。
　→ゆうべ寝ようとしているところへ、隣の人の喧嘩の声が聞こえてきた。
4．シャワーを浴びていたところを、電話がかかってきた。
　→シャワーを浴びていたところに／へ、電話がかかってきた。

5．ギターを弾いたところを、げんがやぶられた。
　　→ギターを弾いていたところ／ところが／ときに、弦が切れてしまった。

説 明

●**基本的な意味用法**

「ところ」は意味範囲が広く、場所や時間（時点）、点、部分などを表しますが、ここでは動詞とともに用いられる「～（た）ところ」「～（た）ところが」「～ところに／へ・～ところを」を取り上げます。(⇒初ポ38)

1．～（た）ところ

(1) 友達のアパートを訪ねたところ、留守で誰もいなかった。

「～たところ」の形で用いられ、「～したら、たまたまそうであった／そうなった」という意味を表します。前件での動作・行為をきっかけにして、偶然そうなった、発見したということを表します。

2．～（た）ところが

(2) 今日は買おうと決心して出かけたところが、もう売り切れになっていた。

前件での動作・行為にもかかわらず、予想・期待に反した結果になるときに用いられます。「～のに・～にもかからわず」の意味になります。

3．～ところに／へ

(3) お風呂に入ろうとしていたところに／へ、友達から電話がかかってきた。

「～ところに」または、「～ところへ」の形をとって、事態や行為がなされる、まさにそのときに、その状況を止めたり変更させたりする出来事が起こることを表します。

「～ところに」でも「～ところへ」でも意味は変わりませんが、方向を表す格助詞「に・へ」が表すように、その状況のもとへ外から「（事態が）やってくる」（電話がかかってくる、友達が来る、など）ときに使われます。

４．～ところを

「～ところに／へ」と同じく、事態や行為がなされる、まさにそのときに、その状況を止めたり変更させたりする出来事が起こることを表しますが、もっと直接的に働きかける行為や事態が起こった場合に使われます。後件（主節）に来る動詞が限られ、「襲う、見る、見つかる」などが用いられます。

　(4)　多くの人が朝食の支度をしようとしていたところを、大地震が襲った。

● 作り方・接続の仕方

「ところ・ところが」と「ところに／へ・ところを」への接続の仕方は次のように異なります。

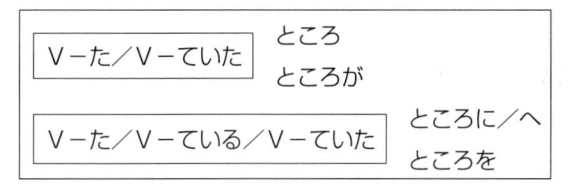

| V－た／V－ていた | ところ / ところが |
| V－た／V－ている／V－ていた | ところに／へ / ところを |

● いつ使われるか

１．会話の中で

次は、「偶然そうなった、発見した」という意味の「～(た)ところ」の例です。「～たら」との置き換えが可能ですが、「～(た)ところ」のほうが少し改まった感じがします。(5)は事柄の成立の、(6)は発見のきっかけを表しています。

(5) A：論文、どうだった。
　　B：うん、うまく行ったよ。
　　A：ふーん。
　　B：先生にお見せしたところ、あれでいいって。

(6) A：エルが死んじゃった。
　　B：ええっ、いつ。
　　A：うん、先週あたりから元気がなかったんだけど。
　　　　今朝えさをやりに行ったところ、冷たくなっていたよ。

　次は逆接「～のに・～にもかかわらず」の意味を表す例です。逆接の「～(た)ところが」の「が」は通常省略されません。

(7) A：会社、危ないんですか。
　　B：……。
　　A：順調に行っているようでしたが。
　　B：ええ。
　　　　うまく行っていたところが、取引先が倒産して、もろにダメージを受けました。

　「～ところに／へ」と「～ところを」は、その状況を止めたり、変更させる出来事が起こる点では共通しています。しかし、その事態が直接的な働きかけをするかどうかでどちらを使うかが決まってきます。

(8) A：遅れてすみません。
　　B：どうしたの。
　　A：出かけようと靴をはいていた{ところに／ところへ／×ところを}
　　　　電話がかかってきて。
　　　　それが長引く電話だったんですよ。
　　B：……。

> (9) A：また強盗のニュースだね。
> B：3人殺されたらしい。
> A：ひどい話だ。
> B：家族が寝ようとして、2階に上がった{×ところに／×ところへ／ところを}襲われたらしい。

(8)(9)から「電話がかかってくる」ことより「襲われる」ことのほうがより直接的な働きかけがあったと考えられます。直接的な働きかけかどうかという判断は学習者には難しいようです。直接的な働きかけの場合、動詞がかなり限られてくるので、「どのような語と結びつきやすいか」を参考にして指導してください。

「~ところに／へ」「~ところを」はマイナスの事態に用いられることが多いようですが、次のようにプラスの事態の場合もあります。

(10) 落ちたかとがっかりしていたところに、合格通知が届いてびっくりした。
(11) 溺れようとしていたところを、偶然通りかかった船に助けられた。

2．文章の中で（文のつながりの例）

例1　事情・前提の文。　（それで）~（た）ところ、結果の文。

前の文で事情や前提について述べられ、その対応策として動作・行為をしたらどうなったかということを表す形です。

(12) カードを失くしてしまった。それで、再発行を申し出たところ、すぐに発行してくれた。
(13) 実家に何度電話をかけても通じなかった。家まで行ってみたところ、母は旅行に出かけていた。

例2　事情・前提の文。　原因・理由の文 [~ので] ~（た）ところ、結果の文。

例1の「~ところ」の前に、原因・理由を表す「~ので」が来た形です。

(14) カードを失くしてしまった。不便なので再発行を申し出たところ、すぐに発

行してくれた。

(15) 実家に何度電話をかけても通じなかった。心配だったので家まで行ってみたところ、母は旅行に出かけていた。

例3　事情・前提の文。　(それで)〜(た)ところが、(反対の)結果の文。

予測を持ってその動作・行為をしたが、反対の結果が出たことを表す言い方です。最初に、その事柄に対する事情・前提の文が来ます。

(16) 彼に立ち直ってほしかった。それで、励ましのことばを言ったところが、逆に彼は落ち込んでしまった。
(17) 今までくじに当たったことがない。今回も当たらないと思っていたところが、見事1等に当たってしまった。

例4　事態・状況の文。　(ところが)〜ところに／へ、(新たなる)事態生起の文。

ある事態・状況を止めたり変更させる「〜ところに／へ」が現れるためには、その事態・状況に対する説明が必要です。多くの場合、まず、事態・状況の説明があり、それを繰り返す形で「〜(し)ようとした／していたところに／へ」が現れます。事態・状況説明のあとに、接続詞「ところが」が現れることもあります。

(18) 全部準備が終わり、出かけようとしていた。ところが、出かけようとしたところへ、隣の奥さんがやってきた。
(19) 論文に行き詰まっていた。行き詰まってどうしようかと思っていたところに、先輩からのアドバイスがあった。

例5　事態・状況の文。　(ところが)〜ところを、(新たなる)事態生起の文。

「〜ところを」も例4と同じ形をとることがあります。

(20) 家出をしようとした。ところが、窓から出たところを、父親に見つかり、殴られてしまった。
(21) エレベータのドアが開いた。エレベータに乗り込もうとしたところを暴漢に

襲われた。

「〜ところを」は出来事の瞬間を生き生きと説明するので、次のようなスポーツ中継、ニュース、記事などに現れます。

(22)　〈野球記事〉4回に1点を失ったのに続いて、5回には2死から直球ばかりが続いたところを3連打され2失点。

(23)　〈ニュース〉ハイジャック犯は飛行機のタラップを降りたところを逮捕されました。

●どのような語と結び付きやすいか

１．Xところに／へＹ

〈Yに来る語〉

◆事態の生起を表す動詞など：

〜てくる、(電話が)かかってくる、(人が)来る、(人が)通りかかる、など

(24)　一雨ほしいと思っていたところに、ざあっと雨が降ってきた。

２．XところをＹ

〈Yに来る語〉

1) 見る、見つける、発見する、また、その受身動詞
2) 襲う、つかまえる、逮捕する、殴る、呼び止める、また、その受身動詞
3) 見つかる、つかまる、などの自動詞
4) 助ける、救助する、救う、また、その受身動詞、など

(25)　彼女と原宿を歩いていたところを課長に見つかった。

(26)　絶望して自殺を考えていたところを、彼の一言で救われた。

●「ところ」のほかの用法

「ところ」は基本的には場所と時間(時点)を表します。(27)(28)は場所の例ですが、(28)

は漠然とした場所を指しています。

(27) 私が今いるところは海岸のすぐそばです。
(28) 黒板のところで立っていなさい。

次の例では、場所というより点やポイントを表していると言えるでしょう。(29)は具体的な、(30)は抽象的な点やポイント、部分を指しています。

(29) すみません。18ページのここのところがわからないんですが。
(30) A：人間には格差があっていいのだ。
　　 B：そこのところが僕にはよくわからないんだ。

次は時間（時点）を表す「ところ」です。(33)〜(35)は「ところだ」の形をとっています。

(31) このところ株価が安定している。
(32) A：お手伝いしましょうか。
　　 B：今のところ人が足りているので、大丈夫です。
(33) 今ちょうど出かけるところだ。
(34) すみません。課長は今うちに帰ったところです。
(35) A：もしもし、和男君いますか。
　　 B：今お風呂に入っているところなんです。

(33)は今から開始される時点を、(34)は今終了した時点を、(35)は現在進行している時点を表しています。（⇒初ポ38）

次に、この課で説明した「〜（た）ところ」「〜（た）ところが」「〜ところへ／に・〜ところを」以外の用法をいくつか示しておきます。1)〜3)は「〜ところを」、4)5)は「〜ところで」の形をとっています。

1) 〜ところを見ると

「そういう状況から判断すると」の意味を表します。ある根拠に基づく話し手の推量判断を表します。

(36)　今回も誘ってくれないところを見ると、僕のことが嫌いみたいだ。

2）〜なら／であれば〜ところを

前に「本来なら」「いつもならば」「普通であれば」という表現が来て、「本来、通常、普通ならばこうであるが、実際はそうではなかった」ことを表します。「〜のに、〜」と似ていますが、ややかたい言い方になります。

　　(37)　いつもなら1時間で行けるところを、2時間もかかってしまった。

3）〜ところを＋お詫び・感謝などの表現

主に依頼・おわび・感謝などを表すときに用いられます。何かをお願いするときに、前置き的に使われることもあります。丁寧な言い方になります。

　　(38)　お忙しいところを申し訳ありませんが、ちょっと教えてほしいんですが。
　　(39)　お休み中のところをお電話してすみませんでした。

4）〜（た）ところで

前件の事柄が終わり、一区切りついた「ちょうどそのとき」に、後件（主節）の事柄が起きる、行為をすることを表します。

　　(40)　結論が出たところで、会議を終わることにしましょう。
　　(41)　ようやく事業に見通しがつくようになったところで、父は倒れてしまった。

5）〜（た）ところで

4）と同じ形をとりますが、意味は全く異なります。「そのようなことをしても期待する結果は得られない」ことを表します。後件（主節）には動詞・形容詞などの否定形や、「（〜しても）無駄だ、無意味だ」などの表現が来ます。主に話しことばで用いられます。

　　(42)　今から頑張ったところで、試験には受からないだろう。
　　(43)　勤め先を変えたところで、同じような問題は出てくるものだ。

「学習者の誤用の例」の解説

　1は「〜したら、たまたまそうであった／そうなった」という意味を表す「〜(た)ところ」の誤用例です。「〜(た)ところ」の前件と後件(主節)には直接的な因果関係がないので、先生に相談したことともう少し関連付けて、後件(主節)の結果を表す必要があります。

　2は「〜(た)ところが」の誤りです。「〜(た)ところが」は「前件での動作・行為にもかかわらず、予想・期待に反した結果になる」ことを表すので、「心から謝った」にもかかわらず、予想・期待に反して「許してくれなかった」というのは正しいはずです。では、なぜこの文は不自然なのでしょう。それは、前件の表現の中に許してもらうことを予想・期待する意味合いが十分に含まれていないからと考えられます。次のようにすると、「ところが」につながっていきます。

　２'　心から謝れば許してもらえると思っていたところが、許してくれなかった。

前件にどの程度予想や期待が含まれているかは、なかなか難しい問題ですが、学習者の文が不自然であれば、その都度説明を補足してあげる必要があるでしょう。

　3は「〜ところへ」を用いています。「〜ところへ」は方向性を持つ事態が、話し手(または、第三者)に「やってきた」ときに使われる表現なので、「聞いた」のではなく「聞こえてきた」とすべきです。

　4は「〜ところに／へ」と「〜ところを」の混同です。その使い分けは難しいのですが、「電話がかかってくる」のように「〜てくる」を用いて方向を示す動詞が後件(主節)に来るときには「〜ところに／へ」が使われます。「〜ところに／へ／を」は共通して、ある動作の前後、または途中に事態が起こり、その動作が中断・変更されることを表します。

　5では、「ギターを弾いていた」ときに、たまたま弦が切れたのですから、訂正文のように「〜ところ／ところが／ときに」にすべきです。もし、外からの大きな

力（働きかけ）が加わって弦が切れたと言いたいときは、次のようになるでしょう。

5'　ギターを弾いていたところを、突然父親に弦を切られてしまった。

44

〜とすると・〜とすれば・〜としたら

夫：スイスに行きたいね。
妻：行くとしたらいつごろがいいのかしら。
夫：夏がいいそうだよ。
妻：そうね、行くとすれば、絶対夏が
　　いいわね。

学習者はどこが難しいか。よく出る質問。

1．「〜と・〜ば・〜たら」と「〜とすると・〜とすれば・〜としたら」の違いがわからない。
2．「〜とすると・〜とすれば・〜としたら」と「〜となると・〜となれば・〜となったら」の違いがわからない。
3．「〜とすると」「〜とすれば」「〜としたら」の3者の違いがわからない。

学習者の誤用の例

1．医大に進むとすると、もっと勉強しなさい。
　　→医大に進むのなら、もっと勉強しなさい。
2．今年奨学金がもらえないとすると、国へ帰るつもりです。
　　→今年奨学金がもらえないとなると、国へ帰らなければなりません。／今年奨学金がもらえないなら、国へ帰らなければなりません
3．明日、雨が降らないとすれば、公園に行く。
　　→明日、雨が降らなければ、公園に行く。

4．彼はバイトをするとしたら、日本語が上達するだろう。
　　→彼はバイトをしたら、日本語が上達するだろう。

説明

●基本的な意味用法

「〜とすると・〜とすれば・〜としたら」は、ある事柄・事態について、「それが事実だと想定した場合」「そう想定するなら」「その立場をとるなら」という意味を表します。それが事実だと想定する事柄は、まだ起こっていない仮定の場合もあるし、もうすでに起こっている確定の場合もあります。後件（主節）には、「（そう想定するなら）どうであるか、どうするか」という話し手の判断が来ることが多いです。次の(1)は仮定の、(2)は確定の場合です。

(1)　A：論文のテーマって変えてもいいんですか。
　　　B：いいけど、もし変える{とすると／とすれば／としたら}、教授に相談したり、いろいろ大変なんじゃないか。
(2)　A：論文のテーマ、変えちゃったんです。
　　　B：ほんとに変えたの？　変えた{とすると／とすれば／としたら}、教授に報告したほうがいいんじゃない？

「〜とすると・〜とすれば・〜としたら」の3者の中では、「〜としたら」が一番話しことば的になります。

●作り方・接続の仕方

「名詞＋だ」の非過去は「だ」が落ちることがあります。

普通形 [例外　~~Nだ~~ → N／Nだ]	とすると とすれば としたら

●いつ使われるか

1．会話の中で

「〜とすると・〜とすれば・〜としたら」は互いに言い換え可能な場合が多いですが、どちらかというと、「〜としたら」は仮定条件で、「〜とすると」は確定条件で用いられることが多いようです(江田(1998))。(3)は仮定の話です。

> (3) A：世界一周旅行に行きたいね。
> B：うん、夢だね。
> A：どのくらいかかるのかしら。
> B：豪華船で行く{とすると／とすれば／としたら}、500万ぐらいかかるかもしれない。

(4)は「(すでに)金利が上がった」という確定の話です。

> (4) A：先週から金利が上がったんだって。
> B：そうか、上がった{とすると／とすれば／としたら}、みんな預金をし始めるね。
> A：うん、そうだね。

「〜とすると・〜とすれば・〜としたら」は後件(主節)の文末に「〜だろう(か)、〜はずだ、〜かもしれない、〜じゃないか」などの判断を表す表現をとることが多いです。

> (5) A：正子さんのご主人、山からまだ帰ってないそうよ。
> B：ええっ、きのう帰る予定だったんだろう？
> A：ええ。
> B：まだ帰ってきていない{とすると／とすれば／としたら}、届けを出したほうがいいんじゃないか。

「〜とすれば・〜としたら」は文末に意志表現をとることもできます。「〜とすると」はとりにくくなります。

(6) A：田中さん、スピーチやらないって。
　　B：困ったね。
　　A：田中さんができない{?とすると／とすれば／としたら}、君がやれよ。
　　B：ええっ、僕が？

２．文章の中で（文のつながりの例）

例1　事情・前提の文。　　～とすると／とすれば／としたら、意見・考えの文。

前の文で事情や前提について述べられ、それについて「それが事実だとすると、～だ」「このような事実を踏まえると、～だ」という話し手の意見・考えや疑いが続く形です。仮定条件、確定条件どちらにも現れるパターンです。

(7) 雪でJRが遅れているようだ。もしそうだ{とすると／とすれば／としたら}私鉄で行ったほうがいいかもしれない。

(8) 彼は奨学金がもらえなかったらしい。もらえなかった{とすると／とすれば／としたら}、これからどうするんだろう。

例2　事情・前提の文。　　具体的説明の文［例えば、～とすると／とすれば／としたら］、～。

例1の形で、ある状況・情報について話し手が例を挙げて、より詳しく分析したり、考えたりする場合にも用いられます。

(9) ミネラルはなかなか摂取することができない。例えば、1日に10g摂る{とすると／とすれば／としたら}、毎日1kgの「もずく」を食べ続けなければならない。

(10) あるデータによると、5軒に1軒が犬を飼っているという。この地域に2,000世帯住んでいる{とすると／とすれば／としたら}、約400世帯の家庭が犬を飼っていることになる。

例3　事情・前提の文 [〜が／けれども]、具体的説明の文 [〜とすると／とすれば／としたら、〜]。

ある事情・状況があって、それを踏まえて説明するときの形です。

(11) 株の乱高下が続いているが、このような状況が今後も続く|とすると／とすれば／としたら|、個人投資家は株離れし始めるのではないだろうか。

(12) 近い将来、大地震が起きると言われるけれども、それが本当だ|とすると／とすれば／としたら|、今から手を打っておかなければならない。

例4　評価的判断(否定)の文。　ただし書き・反対の文 [〜とすると／とすれば／としたら、〜]。

否定的な判断を表す文が前に来て、そのあとで反対の見方を出す言い方も見られます。

(13) 日頃打てない選手が大会で打てるはずがない。もし、打てた|とすると／とすれば／としたら|、それはまぐれでしかない。

(14) 母の病気は今回はだめだろう。もし、回復する|とすると／とすれば／としたら|母の生きたいという気力によるものだろう。

例5　評価的判断(肯定)の文。　ただし書き・反対の文 [〜ないとすると／とすれば／としたら、〜]。

例5はまず、肯定的な判断を示し、あとの文で反対の見方やただし書き的なことを言う形です。

(15) 彼女は優勝するだろう。彼女が優勝できない|とすると／とすれば／としたら|、誰がメダルをもらえると言うのか。

(16) 彼女は必ず来る。来ない|とすると／とすれば／としたら|、きっと途中で何かがあったにちがいない。

例6　　（逆接）条件の文 [～ても] ～ないとすると／とすれば／としたら、～。

逆接の「～ても」と結び付いて使われることもあります。その場合は反対の見方やただし書き以外の表現も来ます。

(17)　こんなに言ってもわかってくれない{とすると／とすれば／としたら}、放っておくより方法がないだろう。

(18)　子供がこんな時間になっても帰ってこない{とすると／とすれば／としたら}、警察に届けたほうがいいんじゃないか。

●どのような語と結び付きやすいか

XとするとY／とすればY／としたらY
〈Yに来る語〉
「～とすると・～とすれば・～としたら」は、後件（主節）で考え・判断を表すという点から、次のような文末表現が来やすくなります。

◆判断を表す表現：
～だろう、～ようだ、～かもしれない、～か、～だろうか、～のだ、～のではない（だろう）か、～んじゃない（だろう）か、～なければならない、～ことになる、～ない、終助詞、など

(19)　社長が責任をとる{とすると／とすれば／としたら}、辞めるしかないだろう。

●類義表現との比較

1．「～と・～ば・～たら・～なら」との比較
「～とすると・～とすれば・～としたら」は、「そう想定するなら」「その立場をとるなら」どうであるか、どうするかという、「想定・立場」に基づく話し手の判断を述べる表現です。一方、「～と・～ば・～たら」は、「そういう条件のもとで」どういう結果が起こるかという因果関係（事実関係）を表します。

⑳　a．100万円｜あると／あれば／あったら｜、車が買える。
　　b．100万円ある｜とすると／とすれば／としたら／なら｜、車が買える。

⑳では「～と・～ば・～たら」と「～とすると・～とすれば・～としたら」は両方可能ですが、意味合いが少し異なります。前者が「100万円あればどうする」という因果関係（事実関係）を述べているのに対し、後者は話し手の、100万円あることに対する「想定上、立場上」の判断を表しています。その意味では後者のほうが仮定性が強いと言えます。条件を表す「～なら」は後者と共通点があると言えます。

㉑は地理的な、また、時間的な因果（前後）関係を表す文なので、「想定・立場」を表す「～とすると・～とすれば・～としたら」、そして「～なら」は不自然になると考えられます。

㉑　a．まっすぐ｜行くと／行けば／行ったら｜、100メートル先に公園があります。
　　b．まっすぐ行く｜？とすると／？とすれば／？としたら／？なら｜、100メートル先に公園があります。

このことは、言い換えれば、前件と後件（主節）の間に時間的な前後関係がない場合は、「～と・～ば・～たら」は不適切になることを意味しています。

㉒　a．北海道に｜×行くと／×行けば／×行ったら｜、飛行機の予約をしておいたほうがいい。
　　b．北海道に行く｜とすると／とすれば／としたら／なら｜、飛行機の予約をしたほうがいい。

㉒では「北海道に行く」ことが先にあって、次に「飛行機の予約をする」のではないので、時間の前後関係が存在しません。ここでは、「～と・～ば・～たら」は不適切になります。一方、「～とすると・～とすれば・～としたら」、および、「～なら」は、単なる「想定上、立場上」の判断を表すために、時間の前後関係がなくても成り立つので、適切になると考えられます。

２．「〜とすると」と「〜となると」の比較

本書の「46 〜となると・〜となれば・〜となったら」を参照してください。

「学習者の誤用の例」の解説

　1と2は「〜とすると」の後件（主節）にどのような表現が来るかという問題です。「〜とすると」は後件（主節）に判断表現しか来られないので、1のような命令、2のような意志表現は来にくくなります。

　3では、誰かから「雨が降らない」という情報を得て判断する場合は、後件（主節）には単に「公園へ行く」という行為でなく、「公園に行くことも考えられる」などの判断表現が必要になります。単なる条件を表す文であれば、訂正文のように「雨が降らなければ」とするのでよいでしょう。

　4は、これも前件と後件（主節）の因果関係を述べていると考えられるので、「想定・立場」を表す「〜としたら」ではなく、「〜たら」を用いたほうがいいと考えられます。

45

～(た)とたん(に)・～(たか)と思うと・～次第・(～や否や・～なり)

A：風邪をひいてしまいました。
B：そうですか。
A：論文を書き上げたとたんに、気がゆるんじゃって。
B：そうでしたか。お大事にね。

学習者はどこが難しいか。よく出る質問。

1．「～(た)とたん(に)」と「～ときに」はどう違うの？
2．「～(た)とたん(に)」の意味はわかるが、それに続く文が正しく作れない。
3．「～(たか)と思うと」はあまり勉強しないので、使い方がわからない。
4．日本語には「～(た)とたん(に)」「～(たか)と思うと」以外にも、「～たらすぐに」「～や否や」などよく似た表現があるので、戸惑ってしまう。

学習者の誤用の例

1．家に着いたとたん、息子はお帰りなさいと言った。
　→家に着いたとき、息子がお帰りなさいと言った。
2．スイッチを入れたとたん、扇風機が回ってきた。
　→スイッチを入れたとたん、扇風機が回り始めた。
3．ベルが鳴るかと思うと、先生が教室に入ってきた。
　→ベルが鳴ったかと思うと、先生が教室に入ってきた。
4．学校から出る次第、社会人になければならない。
　→学校を出たら(すぐ)社会人にならなければならない。

5．東大合格次第、上京するかしないかが決まる。
　→東大に合格したら／したうえで、上京するかしないかが決まる。

説明

●基本的な意味用法

「〜(た)とたん(に)・〜(たか)と思うと・〜次第」はいずれも、前件の動作・変化が起こると、すぐに別の動作・変化が起こることを表します。

1．〜(た)とたん(に)
動詞タ形に付いて、「〜した次の瞬間に」、「意外な、または驚くようなことが起きた」また、「そのことに気がついた」という意味を表します。

　(1)　ドアを開けたとたん、車が爆発した。

2．〜(たか)と思うと
前件の事態・事柄が起こると、それに続いて、意外性を感じさせる事態・事柄が起こることを表します。変化が早いと感じたときに使われます。また、前件と後件（主節）が対照的な内容のときにも使われやすくなります。

　(2)　子供は学校から帰ってきたかと思うと、もう外に遊びに行った。

3．〜次第
動詞マス形の語幹に付いて、「ある事柄が実現したら、すぐに次の行為をする」ことを表します。後件（主節）には話し手の意志的な行為を表す表現が来ます。

　(3)　話がまとまり次第、仕事にとりかかろう。
　(4)　準備ができ次第、お名前をお呼びしますので、お待ちください。

●作り方・接続の仕方

「とたん(に)・(か)と思うと・次第」への接続の仕方は次のように異なります。

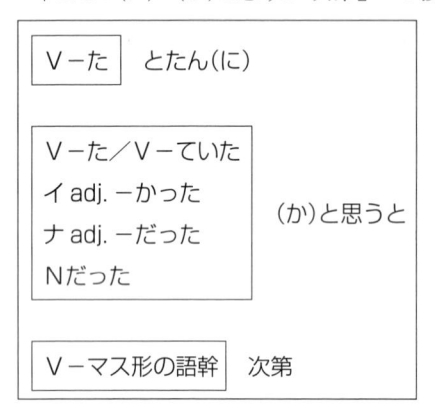

V－た	とたん(に)

V－た／V－ていた イadj. －かった ナadj. －だった Nだった	(か)と思うと

V－マス形の語幹	次第

「〜次第」は前に来るのが「名詞＋する」(到着する、終了する、など)の場合は、名詞に直接付くことがあります。

(5) 到着次第、ご連絡します。
(6) 会議が終了次第、打ち合わせよう。

●いつ使われるか

１．会話の中で

次の会話では、「開けたとたん(に)」は開けたと同時の意味ですが、「開けたらすぐに」は少し間がある感じがあります。

(7) A：どうしたんですか。
B：この小包を{開けたとたん(に)／開けたらすぐに}、爆発したんです。
A：けがはなかったですか。
B：ええ、手をやけどしました。

「〜たらすぐに」は後件（主節）の文末に意志表現を置くことができますが、「〜(た)とたん(に)」はできません。

(8) A：皆さん、火災訓練をします。
　　B：はい。
　　A：ベルが｛鳴ったらすぐに／×鳴ったとたん(に)｝、外に出てください。
　　B：はい、わかりました。

次の会話では前件・後件（主節）が対比的、対照的になっているので、「〜(た)とたん(に)」は使えなくなっています。「〜(たか)と思うと」が適切になります。

(9) A：小田正治は世界的なピアニストだね。
　　B：先月パリで弾いた｛(か)と思うと／×とたん(に)｝、今月はニューヨークだそうだ。

「〜次第」は「ある事柄が実現したら、すぐに次の行為をする」という話し手の意志を表します。過去の事柄には使われません。

(10) A：Bさん、コピーとってください。
　　 B：はい。この仕事が終わり次第、やりますので。
　　 A：ああ、じゃ、できるだけ早くお願いします。

「〜次第」は相手に伝えるときに用いられる表現で、次のように相手がいないときには使いにくくなります。

(11) ? 早くうちへ帰りたいなあ。うちへ帰り次第、一眠りしたい。

２．文章の中で（文のつながりの例）

例１　　事態・状況の文。　　〜(た)とたん(に)／(たか)と思うと〜。

一つの事態・状況があり、その事態・状況が実現してすぐ、変化が起こったことを

表す形です。「～(た)とたん(に)・～(たか)と思うと」の両方が可能です。

(12) バスのドアが閉まった。バスが動き出した{とたん(に)／かと思うと}、刃物を持った男が大声で叫び始めた。
(13) 貧しかった彼女が社長と結婚をした。社長夫人になった{とたん(に)／かと思うと}急に高級品を買いあさり始めた。

例2　　事態・状況の文 [～が／けれども／のに]、～(た)とたん(に)～。

一つの事態・状況であったにもかかわらず、何かが起こったらすぐに、その状況が変わってしまうことを表します。

(14) 彼女はまじめな女の子だったのに、男と付き合い始めたとたん(に)、生活が乱れ出した。
(15) 楽しい会合だったが、爆発が起こったとたん(に)、悲劇の場と化した。

例2の(15)は「～が／けれども／のに」の部分を、名詞を主語にした形で置き換えることができます。小説や物語などでよく見られる形です。

(16) 楽しい会合は、爆発が起こったとたんに悲劇の場と化した。

例3　　事情・前提の文。　　～次第、～。

「～次第」は前件に自然の成り行きを表す表現が来ますが、後件(主節)には意向・命令・依頼などの意志表現が来ます。前の文で事情や前提について述べられ、それに対する行為・行動を表す意志的な文が続きます。

(17) 今調査中です。わかり次第、ご報告いたします。
(18) バスが来たようです。皆さん、準備ができ次第、玄関にお集まりください。

●どのような語と結び付きやすいか

　１．X（た）とたん（に）／（たか）と思うと、Y
〈Yに来る語〉
◆変化を表す表現：
　～てくる、～（ように）なる、～なくなる、～（し）始める、など

　⒆　彼女は結婚したとたん（に）、きれいになった。

◆副詞〈～（た）とたん（に）〉（後件（主節））：突然、急に、など

　⒇　その薬を飲んだとたん（に）、急に眠気が襲ってきた。

◆副詞〈～（たか）と思うと〉（後件（主節））：もう、すぐ（に）、知らぬ間に、急に、突然、たちまち、など

　㉑　彼女は結婚したかと思うと、すぐに離婚した。

　２．X次第Y
〈Xに来る語〉
　ある事柄が実現したら、すぐに次の行為をすることを表すという意味を持つので、前件には実現・完了を表す動詞が来やすくなります。
◆実現・完了を表す動詞：
　終わる、できる、完了する、到着する、わかる、見つかる、など

　㉒　詳しいことがわかり次第、お知らせします。

●類義表現との比較

「～（た）とたん（に）」と「～や否や」「～なり」の比較
　「～すると、すぐに」を表すものには、「～（た）とたん（に）」以外に「～や否や」や「～なり」などがあります。

(23) その話を｛聞いたとたん(に)／聞くや否や／聞くなり｝、彼は猛烈に怒り出した。

ここでは、「〜(た)とたん(に)」と「〜や否や」「〜なり」を比較します。3者の特徴は次のようにまとめられます。

1．〜(た)とたん(に)
1) 前件での事柄に引き続いて起こる突然の状況変化を表す。
2) 前件での事柄がきっかけや引き金になって、後件(主節)の事柄が起こることが多い。
3) 話しことば

2．〜や否や
1) 前件の行為・事態を待ち構えて、追いかけるように後件(主節)の行為・動作が起こることを表す。
2) 後件(主節)には動作・行為が来ることが多い。
3) 書きことばでかたい言い方

3．〜なり
1)「なり」はもともとは様子や格好(「身なり」、「道なり」など)を表す。前件で述べられた状況や様子が、そのまま次の行為や状態に引き続き移ることを表す。
2) 後件(主節)には望ましくない行為や状態が来ることが多い。
3) 書きことば的。話しことばでも使われることがある。

では、ここで問題です。①〜③の中から一番適切なものを選んで、次の(24)〜(26)の文を完成させてください。
　　　　①彼女はすぐに仕事の準備を始めた。
　　　　②彼女は倒れこんでしまった。
　　　　③入り口の鍵がかかってしまった。

(24)　部屋に入ったとたん、_____。
(25)　部屋に入るや否や、_____。
(26)　部屋に入るなり、_____。

3者の意味的な違いは微妙ですが、次のように選んだ方が多いのではないでしょうか。

(27)　部屋に入ったとたん、③入り口の鍵がかかってしまった。
(28)　部屋に入るや否や、①彼女はすぐに仕事の準備を始めた。
(29)　部屋に入るなり、②彼女は倒れこんでしまった。

(27)は「〜(た)とたん(に)」が「事柄に引き続いて起こる突然の状況変化」を表すために③が、(28)は「〜や否や」が「前件の行為・事態を待ち構えて」という意味合いを含むために①が、(29)は「〜なり」が「そのまま次の行為や状態に引き続き移る」ことを表すために②が適切と考えられます。

「学習者の誤用の例」の解説

　「～(た)とたん(に)」は「～した次の瞬間に」、「意外な、または驚くようなことが起きた」の意味を表します。1では家に着いたときに「お帰りなさい」というのは意外なことではないので、「～(た)とたん(に)」ではなく単に「～とき」が適切になります。例えば、ことばの話せない息子が突然「お帰りなさい」と言えたという特殊な状況であれば1は間違いではありません。ただ、後文(主節)は事態の生起を表す文なので、「息子は」ではなく「息子が～と言った」とすべきです。

　2は「～(た)とたん(に)」の後件(主節)の表し方の問題です。2では事態の生起を表すために「扇風機が回ってきた」と「～てきた」を使ったようです。「雨が降ってきた」「だんだんわかってきた」などでは「～てきた」を用いて「～(し)始める」の意味を表すことができますが、方向性のない「回る」では「～てきた」は使えません。学習者は物事の生起を適切に表せないことが多いので十分指導する必要があります。

　3は厳密に言えば、「ベルが鳴るかと思うと」でも誤りではありません。「鳴るかと思うと」と「鳴ったかと思うと」の違いは、前者がベルの鳴る前であること、後者はベルが(少しでも)鳴ったあとであることです。ここでは、学習者は「ベルが鳴ったと同時に先生が来た」という、「一つの事態・事柄が起こって、それに続いて次の事態・事柄が起こったこと」を言いたかったと解釈して、「ベルが鳴ったかと思うと」に訂正しておきました。

　4は「～次第」を使っていますが、「～次第」は事柄の実現、つまり、準備ができたり完了したことを、人に伝えるときに用いられます。4は単に時間的な関係を述べているだけなので、訂正文のように「～たら」を使ったほうがいいと思われます。

　「～次第」は、事柄の実現を、人に伝えるときにのみ用いられる用法です。5では、「東大に合格次第、上京します。」というような人への報告であれば適切ですが、「上京するかしないかが決まる」という後件(主節)では不適切になります。

46 〜となると・〜となれば・〜となったら

A：来週スキーへ行きませんか。
B：どこへですか。
A：ガーラ湯沢です。交通が便利ですよ。
B：そうですか。でも、行くとなると、いろいろ準備が大変で……。やっぱりやめておきます。

学習者はどこが難しいか。よく出る質問。

1. 「〜と・〜ば・〜たら」と「〜となると・〜となれば・〜となったら」の違いがわからない。
2. 「〜となると・〜となれば・〜となったら」と「〜とすると・〜とすれば・〜としたら」の違いがわからない。
3. 「〜となると」「〜となれば」「〜となったら」の違いがわからない。

学習者の誤用の例

1. 医大に進むとなると、一生懸命勉強しなさい。
   →医大に進むとなると、一生懸命勉強しなければならない。
2. 彼は決めるまで時間がかかるが、やるとなるとすぐ済みます。
   →彼は決めるまで時間がかかるが、やるとなるとすぐやってしまう。
3. 彼は首相となれば、どんな政策を出すのか。
   →彼が首相になれば、どんな政策を出すのか。

4．英語が話せる<u>となれば</u>、アメリカに留学行きたい。
　　→英語が話せるなら／話せたら、アメリカに留学したい。
5．このビルが<u>完工となったら</u>、まわりがもっと便利になるだろう。
　　→このビルが完工したら、まわりがもっと便利になるだろう。

説　明

●基本的な意味用法

　「〜となると・〜となれば・〜となったら」は話し手が一つの状態・事態を知り、「そういう状態・事態・立場になる／なったとして、イメージとして頭の中でとらえ」、それに対する話し手の考え・判断を(断定的に)述べるときに用いられます。そして、その考え・判断は、社会常識的なものと照らして行われることが多いようです。

　(1)　A：論文のテーマって変えてもいいんですか。
　　　　B：いいけど、もし変える{となると／となれば／となったら}、教授に相談
　　　　　したり、いろいろ大変だよ。
　(2)　A：論文のテーマ、変えたんですが。
　　　　B：変えたの？　変えた{となると／となれば／となったら}、教授に報告した
　　　　　ほうがいいよ。

(1)では論文のテーマを変えるという事態について、(2)では変えたという事態について、話し手が状況・事態が変化したものととらえ、「そういう場合は」と考えて、断定的に判断を述べています。

　「〜となると・〜となれば・〜となったら」はほぼ置き換えが可能です。「〜となったら」は3者の中で一番話しことば的になります。

●作り方・接続の仕方

「名詞+だ」の非過去は「だ」が落ちることがあります。

普通形 [例外 ~~Nだ~~ → N／Nだ]	となると となれば となったら

●いつ使われるか

1．会話の中で

(3)はBが「栄子さんが留学する」ことを事態の変化として頭の中で理解し、「では、その場合は」という考え・判断を述べています。Bの「(留学すると)お金が要る」という考え・判断は、社会一般の考え方に基づいています。

(3)　A：栄子さん、会社やめて留学するんですって。
　　　B：ええっ、また、どうして？
　　　A：さあ。
　　　B：留学する｛となると／となれば／となったら｝、お金が要るのに。

「〜となると・〜となれば・〜となったら」は対比的な意味合いを表すことがあります。

(4)　A：田中さんは飲まない人なの？
　　　B：うん、普段はあんまりね。
　　　A：ふーん。
　　　B：でも、飲む｛となると／となれば／となったら｝、徹底的に飲む人だよ。

「〜となったら・〜となれば」は文末に意志表現をとることができますが、「〜となると」はとりにくくなります。

(5) A：田中さん、スピーチやらないって。
　　B：困ったね。
　　A：どうしようか。
　　B：田中さんができない{?となると／となれば／となったら}、僕がやるよ。

　(3)～(5)は「となると・となれば・となったら」の前に動詞が来ている例ですが、形容詞と名詞の場合を考えてみましょう。
　「～となると・～となれば・～となったら」は話し手が状態・事態を変化したものととらえ、考え・判断を述べますが、形容詞、名詞の場合は少し注意が必要です。まず、形容詞の場合を見てみましょう。

(6) A：エクアドルって寒いらしいよ。
　　B：ええっ。暑いって聞いていたのに。
　　A：テレビで言ってた。
　　B：寒い{となると／となれば／となったら}、持って行く服を考え直さなくちゃ。

ここでは天候の「暑い」のが「寒くなった」のではありません。Bの、「暑い」と思っていた事態・状態のとらえ方が、「寒い」というとらえ方に変化したことを表します。

　次は名詞の場合です。これは一人の医者ではなく、「名医として」「名医の立場では」という意味合いになります。

(7) A：あの先生は忙しそうだね。
　　B：今日も午前中は休診だそうだ。
　　A：名医{となると／となれば／となったら}、いろんなところからお呼びがかかるんだね。

2．文章の中で（文のつながりの例）

例1　| 事情・前提の文。 | 〜となると／となれば／となったら、意見・考えの文。 |

前の文で事情や前提、情報について述べられ、それを踏まえて話し手の意見・考えが述べられる形です。

(8) 彼は奨学金がもらえないらしい。もらえない{となると／となれば／となったら}アルバイトでもしたほうがいい。

(9) 来月から海外勤務となった。長期間海外に行く{となると／となれば／となったら}、この家の管理を誰かに頼まなければならない。

例2　| 事情・前提の文。 | ただし書き・反対の文［だが／しかし、〜となると／となれば／となったら〜］。 |

ある事情や前提、情報について説明し、そのあとで、ただし書きを付けたり、反対のことを述べる形です。

(10) 子供の体格はずいぶん立派になった。しかし、体力や持久力{となると／となれば／となったら}、昔より劣っている。

(11) 女性の地位は向上した。しかし、フルタイマーで働く{となると／となれば／となったら}、まだまだ問題は山積している。

例3　| 事情・前提の文［〜が／けれども］、ただし書き・反対の文［〜となると／となれば／となったら、〜］。 |

例2を「〜が／けれども」を使って、1文で表す形です。

(12) 彼女は日頃は大人しいが、言わなければならない{となると／となれば／となったら}、はっきり主張する。

(13) 彼は無罪を主張しているが、アリバイがない{となると／となれば／となったら}、拘束される可能性がある。

例4　事情・前提の文。　具体的説明の文 [〜し、〜となると／となれば／となったら〜]。

まず事情や前提を説明しておいて、それについて具体的に詳しく説明を加えるときに用いられる形です。列挙を表す「〜し」が現れやすくなります。

(14) 花見は行けるようで行けない。満開の期間は短いし、名所に出かける{となると／となれば／となったら}、一通りの準備も要る。

(15) アジアのことばを習うのがブームになっている。中国語を学ぶ人も多いし、韓国語{となると／となれば／となったら}、ドラマを通して勉強する人も多い。

●どのような語と結び付きやすいか

Xとなると／となれば／となったらY

〈Yに来る語〉

「〜となると・〜となれば・〜となったら」は、後件（主節）で考え・判断を（断定的に）表すという点から、後件（主節）には次のような文末表現が来やすくなります。

◆判断を（断定的に）表す表現：

動詞・形容詞・「名詞＋だ」の言い切りの形（肯定・否定）、なる、〜のだ、〜なければならない、〜ざるをえない、〜ことになる、終助詞、〜てくる、など

(16) 社長が責任をとる{となると／となれば／となったら}、重役達も辞めざるをえない。

●類義表現との比較

1.「〜になると・〜になれば・〜になったら」との比較

(17)aのような「名詞＋となると／となれば／となったら」では、多くの学習者がbのように「名詞＋になると／になれば／になったら」と混同してしまいます。

(17)　a．国の首相｛となると／となれば／となったら｝、休みなんかない。
　　　b．国の首相｛になると／になれば／になったら｝、休みなんかない。

「～となると・～となれば・～となったら」は、「そういう状態・事態である場合(ここでは首相であるということ)として頭の中でとらえ」、その事柄を一般化させて判断するという認知のプロセスをとります。ですから、bのように単に「そうなる」という変化を表すのではありません。aの場合は「首相という立場では」という意味合いになります。

２．「～となると」と「～とすると」の比較 （⇒44）

　江田すみれ(1992)を参考にして、「～とすると」と「～となると」を比較すると次のようになります。

	～とすると	～となると
基本的意味	仮定	変化
表現態度	中立	否定的意味合いあり
対比的意味合い	なし	あり
文末	概言・説明・疑問など	確言が多い

「確言」とは、動詞・形容詞・「名詞＋だ」の言い切りの形のように、物事を確かな事実として(断定的に)述べる表現です。それに対して「概言」は「～だろう・～そうだ・～んじゃないか」のように、話し手の推量や、おおよその判断を表します。

　次に実際の文の中で比較してみましょう。

(18)　もし生まれ変われる｛とすると／×となると｝、大空を飛ぶ竜がいい。
(19)　わがままな人だから、いやだ｛×とすると／となると｝、何を言ってもだめだ。
(20)　今予約しておく｛とすると／×となると｝、1週間後には切符が手に入る。
(21)　今予約しておく｛？とすると／となると｝、予定が変わったとき困る。
(22)　彼はいつもはいい加減なことを言っているが、やる｛×とすると／となると｝きちんとやる。

(23) この間の大阪の事件、井口がそのとき東京にいた{とすると／?となると}、彼は犯人じゃないのではないだろうか。

(18)は全くの仮定の話をしているので、基本的に仮定の意味を持つ「〜とすると」は適切ですが、「〜となると」は不適切になります。(19)は、「わがままな人」の変化について取り上げています。この場合は「〜となると」は適切ですが、「〜とすると」は不適切になります。(20)(21)は否定的意味合いが含まれるか否かの問題ですが、(20)では後文（主節）は肯定的に、(21)では否定的になっています。「〜とすると」は中立的ですが、「〜となると」は表現態度として否定的意味合いを好むようです。(22)は彼の普段の態度と特別の時の態度を対比的に表しています。「〜とすると」は対比的用法がないので不適切になります。

(23)は文末の比較ですが、「のではないだろうか」のような概言を表す表現は「〜とすると」のほうが適しているようです。もし、「〜となると」が使われると、次のようになる確率が高くなりそうです。

(24) この間の大阪の事件、井口がそのとき東京にいたとなると、彼は犯人と言えなくなる。

「学習者の誤用の例」の解説

　「〜となると」は後件（主節）に意志表現をとることはできません。1は「勉強しなさい」と命令形が来ているので、断定的に判断を表す「〜なければならない」にすると適切になります。2も後件（主節）に問題があります。行為の主体は「彼」なので、「（彼はその仕事を）すぐ済ませる」にする必要があります。しかし、「（その仕事を）済ませる」は「無理やりに終わらせる」の意味が入るので、訂正文では「（その仕事を）やってしまう」という表現を使いました。
　3は「〜となれば」を使っていますが、単なる状態変化を表す「〜になる」と混同していると考えられます。もしこの文で「〜となれば」を使うとすれば次のようになるでしょう。
　　3'（一大臣であるだけでも大変なのに、）首相となれば、国内外の諸問
　　　題を解決したり、統括したりしなければならない。
　4では学習者は単に訂正文のように言いたかったのだと思われますが、次のように言いたかったとも解釈できます。
　　・英語が話せるようになるのであれば、アメリカに留学したい。
しかし、いずれにせよ、「英語が話せるとなれば」という言い方は生かされていません。もし、それを生かすとすると、次のような文ができるでしょう。
　　4'あなたは英語が話せるんですか。英語が話せるとなれば、話は違って
　　　きます。ぜひわが社に来てください。
　5は「完工となった暁には」と言いたいところですが、学習者は「〜となったら」の本来の用法がわかって作文したのではなく、「完工したら」の意味で文を作ったと思われます。

47

〜ないで・〜なくて

A：何してるの。
B：ゲーム。
A：宿題できた？
B：まだ。
A：遊んでいないで早く宿題しなさい。

学習者はどこが難しいか。よく出る質問。

1．「〜なくて」と「〜ないで」は同じように使っていいの？
2．理由を表す「なくて」の文にはどんな動詞でも使えるの？
3．「〜なくて・〜ないで」と「〜ず・〜ずに」はどう違うの？
　　前者は話しことばで後者は書きことば？

学習者の誤用の例

1．頭が痛くて、ずっと何も食べなくて寝ていた。
　　→頭が痛くて、ずっと何も食べないで／食べずに寝ていた。
2．彼女は何も言わなくて、泣いてしかいない。
　　→彼女は何も言わずに／言わないで、泣いてばかりいる。
3．バスが来ないで、タクシーに乗りました。
　　→バスが来ないので、タクシーに乗りました。
4．母は中国人なので洋風な料理を作らなく、八つまでチーズを食べたことがない。
　　→母は中国人なので洋風の料理を作らないから、八つまでチーズを食べたことがなかった。

説 明

●**基本的な意味用法**

　ここでは動詞の「〜て」の否定の形について取り上げます。(⇒初ポ59) 動詞の「〜て」の否定形には「〜ないで」と「〜なくて」の二つの形があります。

１．〜ないで

1)付帯状況を表す。

　(1)(2)では、「〜ないで」は「その動作がどのような状況・状態で行われているか」という付帯状況を表しています。

　　(1)　朝ご飯を食べないで会社に行った。
　　(2)　めがねをかけないで運転をする。

2)「代わりに」(交替・代替)を表す。

　　(3)　本人が来ないで、代理人が現れた。

3)原因・理由を表す。

　　(4)　客が集まらないで苦労している。

２．〜なくて

1)原因・理由を表す。

　　(5)　客が集まらなくて苦労している。

2)「代わりに」(交替・代替)を表す。

　　(6)　本人が来なくて、代理人が現れた。

　「〜て」と同じく、「〜ないで・〜なくて」も前件と後件(主節)の意味的な関係によって付帯状況を表すか原因・理由を表すかなどが決まってきます。「〜ないで・〜なくて」

それ自体には原因・理由の意味はありません。

●作り方・接続の仕方

| V－ナイ形の語幹 | ないで / なくて |

●いつ使われるか

1. 会話の中で

次の(7)に現れる「動詞＋ないで」は、ある行為・動作（窓を閉める）をしない／できない状態（付帯状況）で、次に続く行為・動作（寝る）をしたことを表しています。

(7) A：鼻がスースーする。
　　B：どうしたの。
　　A：ゆうべ窓を閉めないで寝ちゃったの。
　　B：あー、きっと風邪をひいたんだよ。

(8)では、「動詞＋ないで」は一方の代わりに他方がするという交替・代替を表します。

(8) A：事故の説明会は終わりましたか。
　　B：いや、ひどいもんですよ。
　　A：どうして？
　　B：会社の責任者は出てこないで、弁護士が説明するんですから。

「～なくて」が原因・理由を表すためには、後件（主節）に無意志表現が来なくてはなりません。

(9) A：論文、できましたか。
B：いいえ。コンピュータが動かなくて、書けなかったんです。
A：今も動かないんですか。
B：ええ、全然動かなくて、困っています。

「(コンピュータが)動かなくて」では、後件(主節)に「書けなかった」という可能動詞が来ています。可能動詞は無意志表現です。また、「(全然)動かなくて」の後件(主節)にも「困る」という無意志表現が来ています。

「動詞＋ないで」も原因・理由を表すときがあります。後件(主節)に「困る、がっかりする、大変だ」などの感情や評価を表す無意志表現の動詞・形容詞が来る場合が多いようです。ややくだけた言い方になります。

(10) A：どうしたんですか。
B：車とぶつかって。でも、大したけがじゃないんです。
A：大けがにならないでよかったですね。

2．文章の中で（文のつながりの例）

例1　原因・理由の文 [〜ので／から／て]、〜ないで〜。

ある原因・理由のために、その行為・動作をしない／できない状態で、次の行為・動作をすることを表します。

(11) 時間がなかったので、何も食べないで家を飛び出した。
(12) 我々は自己愛が強すぎて、素直に人を愛せないで生きている。

例2　事態・状況の文 [〜が／けれども／ながら]、原因・理由の文 [〜ので／から／て]、〜ないで〜。

例1の前に文が加わる形です。ある事態・状況がある／あったのだが、ある原因・理由のために、その行為・動作をしない／できない状態で、次の行為・動作をすることを表します。

(13) おなかがすいていたが、時間がなかったので、何も食べないで家を飛び出した。

(14) 我々は人を愛したいと思いながら、自己愛が強すぎて、素直に愛せないでいる。

例3　事態・状況の文。　〜ないで〜。

前の文で一つの事態・状況を説明し、次に付帯状況を表す「〜ないで」を使って、より具体的に説明を加える形です。

(15) 彼女は黙っていた。何も言わないで下を向いていた。

(16) 領海問題で両国は対立している。国際会議でも両国の首脳は挨拶も交わさないで相手を無視し続けていた。

例4　事情・前提の文。　しかし、〜ないで、〜。

前の文で事情や前提について述べられ、そう期待されていたにもかかわらず、(その代わりに)別の状況になる場合の形です。

(17) すごく頑張った。しかし、成績は上がらないで、むしろ下がってしまった。

(18) 彼の希望はパリであった。しかし、彼はパリへは行かないで、ロンドンに行くことになった。

例5　事態・状況の文。　しかし、〜なくて、〜。

ある事態・状況がある／あったが、しかし、ある原因・理由で期待した通りに物事が運ばない／なかったことを表す形です。

(19) 授業まで時間がなかったので、タクシーで行こうと思った。しかし、タクシーが来なくて、遅刻してしまった。

(20) 6月になった。しかし、雨が降らなくて、稲の成長に影響が出始めた。

例6　〜なくて、〜。　　感謝・お詫びの文。

「〜なくて」を用いて原因・理由を示し、あとで感謝やお詫びなどの話し手の気持ちを示す形です。

(21)　会議に間に合わなくて、すみませんでした。これから気をつけます。
(22)　株券を売らなくてよかった。情報を教えてくれてありがとう。

●どのような語と結び付きやすいか

「原因・理由を表す」XなくてY
〈Yに来る語〉
◆無意志動詞など：
　可能動詞（できない、行けない、書けない）、自動詞（困る、がっかりする、苦労する、イライラする）、〜てしまう、など

(23)　すべてがうまく行かなくて困っている。

◆感情・評価を表す形容詞：
　残念だ、大変だ、よかった、悲しい、うれしい、など

(24)　思い通り評価してもらえなくて残念だ。

●類義表現との比較

1.「〜ないで」と「〜なくて」の比較

「〜ないで」と「〜なくて」の意味用法をまとめると、おおよそ次のようになります。

	付帯状況	原因・理由	代わりに
〜なくて	×	◎	○
〜ないで	◎	△	○

◎は「よく使う」、○は「使う」、△は「使うことがある」、×は「使えない」

次に動詞との接続において、「～ないで」と「～なくて」がどのように使えるかをまとめます。

1）行か{ないで／×なくて}ください。(～てください(依頼))
2）ずっと寝{ないで／×なくて}いる。(～ている(状態))
3）調べ{ないで／×なくて}おきます。(～ておく(放置))
4）寝{ないで／×なくて}ほしい。(～てほしい(願望))
5）議員はちゃんと選ば{×ないで／なくて}はなりません。
　　　　　　　　　　　　　　　　　(～なくてはならない(義務))
6）文句を言わ{ないで／なくて}はいられない。
　　　　　　　　　　(～ないで／なくてはいられない(抑制できない))
7）ここには警備員がい{?ないで／なくて}もいい。
　　　　　　　　　　　　　　　　　(～なくてもいい(不必要))
8）何も言わ{?ないで／なくて}も、君の気持ちはわかっている。
　　　　　　　　　　　　　　　　　　　　(～ても(逆接))
9）昼ご飯を食べ{ないで／×なくて}出かける。　(～て(付帯状況))
10）人を信じることができ{ないで／なくて}苦しんでいる。(～て(原因・理由))
11）仕事に行か{ないで／なくて}、家で育児に励む男性が増えてきた。
　　　　　　　　　　　　　　　　　(～ないで／なくて(代わりに))

2．「～ず」「～ずに」との比較

本書の「48 ～ず・～ずに」を参照してください。

「学習者の誤用の例」の解説

　1では学習者は、「食べない状態で寝ていた」と付帯状況を表そうとしたと考えられます。しかし、「〜なくて」には付帯状況を表す用法がないので、「〜ないで」または「〜ずに」にする必要があります。

　2は「何も言わない状態で泣いている」と理解されるので、これも付帯状況を表そうとしたと思われます。「〜なくて」ではなく「〜ないで／ずに」を使う必要があります。

　3は理由を表す文ですが、「〜なくて」や「〜ないで」が理由を表すためには、後文(主節)に無意志動詞や状態表現が来なければなりません。3のように、動作動詞が来る場合は、理由を表す「〜ので」や「〜から」を用いる必要があります。3で「〜なくて／ないで」を使った場合は次のようになるでしょう。

　　3′　バスが来なくて／来ないで、大変だった。

　4は「作らなく」を使った例です。4は前件、後件(主節)との意味的関係から、理由を表す「〜から／ので」にすべきと思われます。金澤(2000・2006)によると、「〜(せ)ず」という動詞の否定形の「ず」を「ない」に置き換え、連用中止形として「〜なく」としたことによりこうした言い方が現れてきたようです。

48 〜ず・〜ずに

A：「北国の春」という歌を知ってますか。
B：ええ、私の大好きな歌です。
A：私もそうです。
B：歌詞を見ずに歌えますか。
A：もちろんです。

学習者はどこが難しいか。よく出る質問。

1．「〜ず」と「〜ずに」の使い分けがわからない。
2．「〜ず」と「〜ずに」は「〜ないで」と同じ？
3．「〜ず」と「〜ずに」は書きことば？

学習者の誤用の例

1．彼女は塾に行かず東大に受かれた。
　　→彼女は塾に行かずに／行かないで東大に受かった。
2．やせるため何も食べず、そのままの生活を続けたら、危ないだろう。
　　→やせるため何も食べずに／食べないで、そのままの生活を続けたら、危ないだろう。
3．だれもこの問題を手付かず、この状態のままで続いていくだろう。
　　→だれもこの問題に手を付けないので、この状態のままで続いていくだろう。
4．朝ご飯を食べせずに、家をでかけた。
　　→朝ご飯を食べずに、家を出た。

説 明

●基本的な意味用法

　動詞の否定形「〜ず・〜ずに」は、話しことばでは「〜ないで・〜なくて」(⇒47) になります。話しことばに現れることもありますが、ややかたい、改まった言い方になります。

　「〜ず」と「〜ずに」の基本的な違いは、「〜ず」はそこで切れますが、「〜ずに」は次へつながっていこうとする点です。「〜ず・〜ずに」は否定を表す以外は特に意味を持たず、前後文との関係の中で、また、文脈の中で意味付けされていきます。

1．〜ず

1) 原因・理由を表す。

　後件（主節）に無意志表現が来ると、因果関係がはっきりしてくるので、原因・理由と解釈できることが多くなります。

　　(1)　雪山に登った息子と連絡がとれず、非常に心配した。

2) 付帯状況、「代わりに」（代替・交替）、並列などを表す。

　原因・理由を表す以外に、文の前後関係などによって、動作がどのような状況・状態で行われるかを表す「付帯状況」、「代わりに」、動作を「並列」的に並べる、などの意味合いを持つことがあります。

　　(2)　財布を持たず、家を出てしまった。(付帯状況)
　　(3)　旅行へは行かず、うちで寝ていた。(代わりに)
　　(4)　水も飲まず、ご飯も食べない。(並列)

これらは意味がはっきり固定しているのではなく、前後関係によって、読み手が意味付けをしていく要素が大きいと言えます。

2．〜ずに

1) 付帯状況を表す。

　　(5)　財布を持たずに、家を出てしまった。
　　(6)　朝ご飯を食べずに仕事するのはよくない。

2) 「代わりに」(代替・交替)を表す。

　　(7)　旅行へは行かずに、うちで寝ていた。

● **作り方・接続の仕方**

「〜ず・〜ずに」は「〜ないで」と同じく、動詞にしか接続しません。

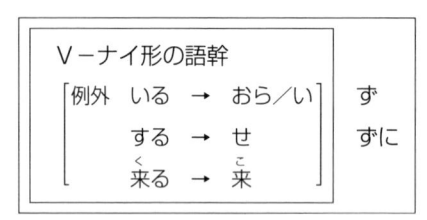

```
┌─────────────────────────────┐
│ V－ナイ形の語幹              │
│ ［例外　いる　→　おら／い　  │ ず
│ 　　　　する　→　せ　　　　  │ ずに
│ 　　　　来る　→　来　　　　  │
│ 　　　　(く)　　　(こ)　　　 │
└─────────────────────────────┘
```

　　(8)　田舎へ引っ越したが、知る人もおらず／いず、さびしい限りだ。
　　(9)　質問内容がわからなければ、黙っておらずに／いずに、必ず聞き返してください。

● **いつ使われるか**

1．会話の中で

次の会話では「〜ずに」は「どのような状態で運転をしていたか」という付帯状況を表しています。「〜ず」も使えますが、うしろにかかっていく「〜ずに」のほうが自然に感じられます。

(10) A：景色がきれいだね。
　　 B：ええ、ドライブもいいわね。
　　 A：あ、きれいな女の子が歩いている。
　　 B：きょろきょろ{せず／せずに}運転してちょうだいね。

　次は「～ず」が原因・理由を表す場合です。「～ずに」は次へかかっていこうとする（次の動作や事柄の状況を説明しようとする）ので、原因・理由としては使いにくくなります。後件（主節）には、意志を表す表現ではなく、無意志動詞や可能表現が来ます。

(11) A：論文、できましたか。
　　 B：いいえ、コンピュータが{動かず／?動かずに}、できなかったんです。
　　 A：今も動かないんですか。
　　 B：ええ、全然{動かず／?動かずに}、困っています。

(12)のように、「代わりに」という使い方では「～ず・～ずに」両方可能です。

(12) A：事故の説明会は終わりましたか。
　　 B：いや、ひどいもんですよ。
　　 A：どうして？
　　 B：会社の責任者は{出てこず／出てこずに}、弁護士が説明するんですから。

2．文章の中で（文のつながりの例）

例1　　原因・理由の文［～ので／から／て］、～ず／ずに～。

　ある原因・理由によりできない、または、できなかったために、そのことをしないで次の行動をすることを表す形です。「～ず・～ずに」は付帯状況を表しています。

(13)　時間がなかったので、何も{食べず／食べずに}家を飛び出した。

(14) とても眠くて、着替えを{せず／せずに}寝てしまった。

> **例2**　事態・状況の文 [〜が／けれども／ながら]、原因・理由の文 [〜ので／から／て]、〜ず／ずに〜。

例1と同じケースですが、まず事態・状況があり、ある原因・理由のためにその事態・状況に手を加えないで、次のことをしたことを表す形です。

(15) おなかがすいていたが、時間がなかったので、何も{食べず／食べずに}家を飛び出した。
(16) パジャマを着ようとしたが、とても眠くて、着替えを{せず／せずに}寝てしまった。

> **例3**　事態・状況の文。　〜ず／ずに〜。

前文で一つの事態・状況を説明し、次に「〜ず・〜ずに」を使って、より具体的に説明を加える形です。

(17) 彼女は黙っていた。何も{言えず／言えずに}泣いていた。
(18) 内山医師は開腹手術の最中であった。表情一つ{変えず／変えずに}手術に没頭していた。

> **例4**　事情・前提の文。　しかし、〜ず／ずに、〜。

前の文で事情や前提について述べられ、そう期待されていたにもかかわらず、別の状況になる場合の形です。

(19) すごく頑張った。しかし、成績は{上がらず／上がらずに}、むしろ下がってしまった。
(20) 先生に質問した。しかし、先生は何も{答えず／答えずに}、外を見ていた。

> **例5**　事情・前提の文 [〜が／けれども]、〜ず／ずに、〜。

例4が1文になった形です。

(21)　すごく頑張ったが、成績は{上がらず／上がらずに}、むしろ下がってしまった。
(22)　先生に質問したが、先生は何も{答えず／答えずに}、外を見ていた。

●どのような語と結び付きやすいか

「原因・理由を表す」ＸずＹ
〈Ｙに来る語〉
◆無意志動詞など：
可能動詞（できない、行けない、書けない）、自動詞（困る、がっかりする、苦労する、イライラする）、〜てしまう、など

(23)　すべてがうまく行かず、困っている。

◆感情・評価を表す形容詞：
残念だ、大変だ、よかった、悲しい、うれしい、など

(24)　思い通り評価してもらえず残念だ。

●「〜ず・〜ずに」「〜ないで」「〜なくて」の比較

　「〜ず」「〜ずに」「〜ないで」「〜なくて」の使われ方を比較すると、おおよそ次のようになります。4者を比べると、「〜ずに」と「〜ないで」が付帯状況で、「〜ず」と「〜なくて」が原因・理由で使われると言えます。

	付帯状況	原因・理由	代わりに
～ず	△	○	○
～ずに	○	?	○
～なくて	×	◎	○
～ないで	◎	△	○

◎「よく使う」、○「使う」、△「使うことがある」、?「使えるか否かどちらとも言えない」、×「使えない」(この比較は絶対的なものでなく、どちらかと言えばそう言えるという程度を示したものです。) (⇒47)

「学習者の誤用の例」の解説

1は「塾に行かない状況・状態」で「東大に受かった」のであるから、付帯状況を表す「～ずに」または「～ないで」を用いたほうが適切になります。

2も「何も食べない状況・状態の生活」という付帯状況の意味と考えられるので、「～ずに」または「～ないで」にしたほうがよいでしょう。

3は前件と後件が因果関係を表しています。ここでは「～ず」がはっきりとした因果関係は表していないので、訂正文のように「～ので」または「～から」で原因・理由を明確に表す必要があります。

4は形の間違いです。「食べせず」という言い方はありません。

49

～ながら・～ながら（も）

〈野球の実況〉
打ちました、打ちました。
ボールはぐんぐん伸びています。
入るか……。
ファールです。わずかながら、
左にそれました。

学習者はどこが難しいか。よく出る質問。

1. 「～ながら」は前件・後件（主節）とも同一主語をとるが、前件・後件（主節）で主語が変わってしまいがちである。
2. 「座って」と「座りながら」、「立って」と「立ちながら」の違いがわからない。
3. 「～ながら」はいつ「同時動作」で、いつ「逆接」になるの？

学習者の誤用の例

1. 座りながら、話しませんか。
   →座って話しませんか。
2. 張さんは本を読みながら、李さんは手紙を書いています。
   →張さんは本を読み、李さんは手紙を書いています。
3. 彼女は何もかも知っていながら、他人には知らせたくなかった。
   →彼女は何もかも知っていながら、他人には知らせなかった。
4. 彼女は何もかも知っていながら、大学院に入ってもっと勉強しようと思っている。
   →彼女は何でも知っているが／のに、大学院に入ってもっと勉強しようと思っている。

説明

●基本的な意味用法

「～ながら」には次の二つの意味用法があります。
1) 同時に起こる動作、並行して起こる動作を表す「～ながら」

　　(1)　彼女は大声で叫びながらドアを叩き続けた。

同時動作の「～ながら」では、前件の動詞も、後件（主節）の動詞も動作を表す意志動詞が来ます。
　その時点で目に見える同時動作ではありませんが、次のような場合も、長いスパン（期間）での同時動作として「～ながら」で表します。

　　(2)　銀行で働きながら、作詞活動もやっている。

2) 逆接を表す「～ながら（も）」
逆接を表す「～ながら」は書きことば的な言い方です。強めた言い方に「～ながらも」があります。前件から当然予想される事柄と反する事柄を述べるときに用いられます。

　　(3)　彼女は何もかも知っていながら、教えてくれない。
　　(4)　彼は失敗するとわかりながら（も）、やってしまう性格だ。

●作り方・接続の仕方

「ながら」への接続は次のようになります。同時動作では動詞のみ、逆接では動詞のほかに、形容詞・「名詞＋だ」で用いられます。ナ形容詞・「名詞＋だ」では「であり」が付くこともあります。

| Vーマス形の語幹 | ながら〈同時動作〉 |

| Vーマス形の語幹
イadj.ーい／イadj.ーくない
ナadj.語幹(であり)／ナadj.ーではない
N(であり)／Nではない | ながら(も)〈逆接〉 |

● **いつ使われるか**

1．会話の中で

次の(5)は同時動作を表す「～ながら」です。

(5) A：コンピュータがおかしくなったんです。
　　B：どうしたんですか。
　　A：このキーを押しながら、このキーを押したんです。
　　B：……
　　A：そうしたら、フリーズしてしまったんです。

次は逆接を表す「～ながら」です。

(6) A：男の人って、幸福な結婚をしていながら、どうしてほかの人を好きになるの？
　　B：男はいつも夢を追っかけてるんだよ。
　　A：夢？　馬鹿らしい。

(7) A：子育てセンターに来るお母さんが多くなりましたね。
　　B：ええ、お母さん達は毎日子育てに悩みながら頑張っているんですね。

> (8) A：お母さん達は頑張っていますね。
> 　　 B：ええ、でも、子育てを放棄したいと思うときもあるらしいですよ。
> 　　 A：そうですか。お母さん達は毎日子育てに悩みながら（も）、頑張っているんですね。

(7)Bの「お母さん達は悩みながら頑張っている。」という文は、若いお母さん達が悩むと同時に子育てをするという同時動作を表していますが、(8)のように「お母さん達は悩んでいるが、子育ても頑張っている」と逆接にとることもできます。「〜ながら」が同時動作を表すか、逆接を表すかは、「後件の動作や状態が、前件の状態に矛盾するか否か」で決まります。矛盾すると感じられる場合に逆接の意味合いが出てきます。

２．文章の中で（文のつながりの例）
例1　　〜ながら〜。　　意見・考えの文。

同時動作を表す「〜ながら」が談話（文章）の中で使われるとき、「〜ながら」の文が前に来て、あとにそれに対しての意見・考えを述べる文が来ることがあります。

　(9) 営業マンは笑顔を見せながら、客の様子を伺っている。たいていの人は表面的な笑顔に騙されてしまうのだ。
　(10) 若いママたちは悩みながら子育てに励んでいる。こういうことにこそ地域支援が必要である。

例2　　〜ながら〜のは、評価的判断の文。

同時動作をすることに対して評価的判断を表す形です。

　(11) ぐずる子供をあやしながら家事を続けるのは、大変だったにちがいない。
　(12) 携帯電話をかけながら運転するのは、危険この上ない。

例3　　〜ながら（も）〜。　　意見・考えの文。

逆接を表す「〜ながら（も）」を使って事態・状況を述べ、そのあとで、意見や考え

を述べる例です。

(13) ERIは不正を知りながら放置したと言われる。その行動は審査機関としては許されないものだ。
(14) 警察は犯罪に関係があるかもしれないと思いながらも、被害者の訴えを無視した。今回の殺人事件は警察のそうした態度によって引き起こされたところが大きい。

● どのような語と結び付きやすいか

基本的には、「同時動作」を表す「ながら」の前には動作性動詞が、「逆接」を表す「ながら(も)」の前には、状態を表す動詞や形容詞・名詞が来やすくなります。

１．「同時動作を表す」ＸながらＹ
〈Ｘ・Ｙに来る語〉
◆動作を表す動詞：
　食べる、飲む、書く、読む、勉強する、など

(15) 食べながらテレビを見る。

Ｘには「死ぬ、つく、消える」などの瞬間動詞(変化動詞)は来ません。

２．「逆接を表す」Ｘながら(も)Ｙ
〈Ｘに来る語〉
◆状態を表す動詞など：
　ある、いる、～ている、知る、知っている、悩む、など

(16) 彼は結婚していながら、独身だと言い回っている。

◆マイナス評価を表す形容詞・「名詞＋だ」：
　小さい、苦しい、狭い、貧しい、不満足だ、子供だ、など

(17) 彼は体が小さいながら(も)、学生相撲のチャンピオンだ。

● 「〜ながら」のほかの用法

「〜ながら」には次のような慣用的な言い方があります。

残念ながら、細々ながら、敵ながら、我ながら、など
(18) 商売は細々ながら、何とかやっています。
(19) 残念ながら、日本はメダルが一つしかとれなかった。
(20) 人より遅れているのがわかって、我ながら情けなくなった。

また、「〜ながら」には「同時動作」「逆接」以外に、状態や様子を表す言い方があります。これらも慣用的な言い方になっているものが多いです。

いつもながら、昔ながら、涙ながら、生まれながら、など
(21) いつもながら、彼女の料理はうまい。
(22) この清酒メーカーは、昔ながらの製法で日本酒を作っている。
(23) 被害者は涙ながらに事件の状況を語った。
(24) この子は生まれながらに優れた音楽の才能を備えている。

● 類義表現との比較

1．同時動作を表す「〜ながら」と「〜て」の比較

「テープを聞いて勉強する」や「座って話しましょう」のように「〜て」には「その動作がどのような状態・状況で行われているか」を表す「付帯状況」の用法があります。この「付帯状況」を(25)bでは同時動作を表す「〜ながら」で表すことができますが、(26)bでは不適切になります。座るという瞬時で終わる動作をしながら「話す」ということは、通常はできないからです。

(25) a．テープを聞いて勉強します。
b．テープを聞きながら勉強します。

(26)　a．座って話しましょう。
　　　b．×座りながら話しましょう。

(25)と(26)の違いは、「ながら」の前に来る動詞が継続動詞か瞬間動詞かということです。動詞に「ている」を付けて、動作の進行を表す動詞を継続動詞、動作の結果の状態を表す動詞を瞬間動詞といいます。「聞く、食べる、飲む、書く、勉強する」などは前者に、「死ぬ、こわれる、つく、消える、止まる、座る、立つ」などは後者に属します。(瞬間動詞は変化を表すので「変化動詞」と呼ばれることもあります。)(⇒初ポ33)

(25)の「聞く」のように、前件に継続動詞が用いられる場合は、「～て」と「～ながら」はほぼ同じ意味を持ちますが、(26)の「座る」のように瞬間動詞が来ると、「～ながら」の文は不適切になります。

2．逆接を表す「～ながら(も)」と「～が／けれども」「～のに」の比較

「～ながら(も)」「～が／けれども」「～のに」はいずれも逆接を表します。まず大きな違いは、「～ながら(も)」が主に書きことばで用いられるのに対し、「～が／けれども」「～のに」は話しことばで用いられる点です。また、「～ながら(も)」は状態を表す語や無意志動詞に付いたときに逆接を表す傾向があるのに対し、「～が／けれども」「～のに」にそういう制約はありません。次の「読む」は意志動詞なので、「～ながら(も)」では逆接を表しにくくなっています。

(27)　彼女はよく本を｛?読みながら(も)／読むが／読むけれども／読むのに｝ものを知らない。

また、「～が／けれども」は後件(主節)の文末に意志表現をとることができますが、「～ながら(も)」「～のに」はできません。

(28)　(私は)お金が｛×ありながら(も)／あるが／あるけれども／×あるのに｝、彼には貸したくない。

では、次に話し手の不満や非難を表すかどうか比べてみましょう。

(29) (あなたは)真実を知って{いながら／?いるが／?いるけれども／いるのに}、どうして黙っているんですか。

(29)から、「〜ながら(も)」「〜のに」は不満・非難を表しますが、「〜が／けれども」は表しにくいことがわかります。(⇒38、初ポ58・69)

> ### 「学習者の誤用の例」の解説
>
> 1は同時動作の「〜ながら」と付帯状況を表す「〜て」を混同した誤りです。「座る・立つ」はその動作をするのに時間を要さないため、「座りながら」話すことは不可能となります。ここは付帯状況の「〜て」を使って表す必要があります。
>
> 2は同時動作を2人の人の同時動作に使用した誤りです。「〜ながら」は常に1人の人が二つの動作をするときに用いられます。
>
> 3、4は逆接を表す「〜ながら」の用法です。3では後件(主節)に願望を表す「〜たい」を用いていますが、逆接を表す「〜ながら」では後件(主節)に意志表現をとることはできません。
>
> 逆接を表す「〜ながら」は、前件から当然予想される事態と反する事態を述べる場合に用いられます。4は、いろいろ知っていても大学院で勉強したい人はいるので、「〜ながら」が不自然になっていると考えられます。

50

〜につれて・〜にしたがって・〜にともなって・〜とともに・（〜に応じて）

A：今はインターネットの普及がすごいですね。
B：そう、子供から年寄りまでインターネットですものね。
A：ただ、インターネットの普及にともなって弊害も出てきていますね。
B：そうですね。

学習者はどこが難しいか。よく出る質問。

1. 「〜につれて・〜にしたがって・〜にともなって・〜とともに」はどれを使っても同じ？
2. 後件（主節）で変化を表す表現が正しくできない。
3. それぞれの前に来る動詞・名詞の形が正しく作れない。

学習者の誤用の例

1. スピーチの番が近づくにつれて、もっと緊張になる。
   →スピーチの番が近づくにつれて、だんだん緊張してくる。
2. 日が暮れるにしたがって、夜になる。
   →日が暮れるにしたがって、暗くなってきた。
3. 課長の部長昇進にともなって、彼の給料が高くなった。

→課長は部長昇進とともに、給料も高くなった。／課長は部長に昇進したので、給料も高くなった。
4．体が太っているとともに心臓の問題が出てきた。
　→体が太ってくるとともに／につれて心臓の問題が出てきた。

説明

●**基本的な意味用法**

「～につれて・～にしたがって・～にともなって・～とともに」は、いずれも「ある事態の変化・推移に合わせて、ほかの事態も変化・推移する」ことを表しますが、少しずつ意味用法に違いが見られます。

1．～につれて
「ある事態の変化・推移に合わせて」という意味で、前件と後件（主節）の物事の変化・推移は比例関係を示すことが多いです。名詞・動詞に接続しますが、どちらかと言えば動詞とともに用いられることが多いです。

　(1)　人口が増えるにつれて住宅問題が起こってくる。

2．～にしたがって
「指示通りに（行動する）」という意味と、「～につれて」と同じ「ある事態の変化・推移に合わせて」という意味があります。前者は名詞に、後者は動詞に付くことが多いです。次の(2)は前者の、(3)は後者の例です。

　(2)　私の合図にしたがって行動してください。
　(3)　人口が増えるにしたがって、住宅問題が起こってくる。

3．～にともなって
「～につれて」と同じく、「ある事態の変化・推移に合わせて」という意味を表します。「にともなって」の前には変化・推移を表す名詞、または、「動詞（V－る）（＋の）」

の形が来ます。書きことば的です。

 (4) 人口の増加にともなって、住宅問題も起こってくる。
 (5) 人口が増える(の)にともなって、住宅問題も起こってくる。

4．～とともに

「～につれて」と同じく「ある事態の変化・推移に合わせて」という意味もありますが、「同時に」「いっしょに」という意味も持ちます。(6)は「変化・推移」を、(7)は「同時に」、(8)は「いっしょに」を表しています。書きことば的です。

 (6) 人口の増加とともに、住宅問題も起こってくる。
 (7) 子供が卒業するとともに、父母会も解散した。
 (8) 皆さんとともに仕事ができて楽しかったです。

●**作り方・接続の仕方**

「につれて・にしたがって・とともに」と「にともなって」への接続の仕方は次のように異なります。

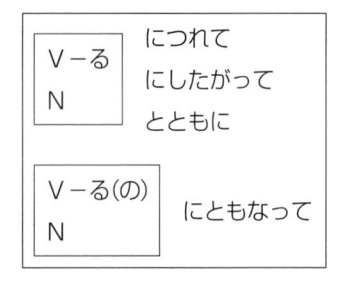

```
┌─────────┐  につれて
│ V－る   │  にしたがって
│ N       │  とともに
└─────────┘

┌─────────┐
│ V－る(の)│  にともなって
│ N       │
└─────────┘
```

●**いつ使われるか**

1．会話の中で

次の(9)は、「事態の変化・推移」を表します。一方の程度に合わせて変わることを表しています。

(9) A：ダイビングですか。
B：ええ、沖縄のほうへ。
A：海の中は水圧がすごいんでしょう？
B：ええ、深くもぐる{につれて／にしたがって／(の)にともなって／？とともに}、水圧がどんどん大きくなるんですよ。

「～につれて」と「～にしたがって」を比べると、「～につれて」は前件のことが引き金となり、比例的に後件(主節)の変化・推移も程度を増すというニュアンスを表します。「～にしたがって」は単に並行して起こっていることを表します。次の文では、「～につれて」のほうが場内の歓声によってアナウンサーの声が影響を受けたという感じがします。

(10) 場内の歓声が高まる{につれて／にしたがって}、実況アナウンサーの声も大きくなっていった。

(9)では「～とともに」が不自然に感じられます。「～とともに」が変化・推移を表すためには、「とともに」の前に来る語が行為・動作ではなく、事態の変化を表すものでなければならないようです。

(11) A：海の中は水圧がすごいんでしょう？
B：ええ、水深が深くなるとともに、水圧がどんどん大きくなるんですよ。

「～にともなって」は、時間的な前後関係があって、「それをきっかけにして、そのために」後件(主節)のことが続くという意味合いを含むこともあります。

(12) A：田中さん課長になったんだって。
B：うん。
A：うまく行くのかなあ。
B：田中さんの課長昇進{？につれて／？にしたがって／にともなって／？とともに}社内がギクシャクしているよ。

「〜につれて・〜にしたがって・〜にともなって」は書きことばの場合は、「〜につれ・〜にしたがい・〜にともない」となります。

(13) A国の日本バッシングが強まる{につれ／にしたがい／(の)にともない}、日本からの観光客も減少していった。

２．文章の中で（文のつながりの例）

例1　(最初の)状況・段階の文。　事態変化の文 [(しかし)〜につれて／にしたがって／にともなって／とともに〜]。

　最初はそうではなかったが、だんだんそうなっていくという変化・推移を表す形です。前に状況・段階の文が、うしろに事態変化の文が続きます。

(14) この団地は若いカップルが多かった。しかし、年数がたつ{につれて／にしたがって／(の)にともなって／とともに}、住民の高齢化が始まった。

(15) 横綱は初日は黒星だった。しかし、終盤に近づく{につれて／にしたがって／(の)にともなって／とともに}調子を上げていった。

例1は「〜が／けれども」を使って1文にすることもあります。

(16) この団地は若いカップルが多かったが、年数がたつ{につれて／にしたがって／(の)にともなって／とともに}、住民の高齢化が始まった。

(17) 横綱は初日は黒星だったけれど、終盤に近づく{につれて／にしたがって／(の)にともなって／とともに}調子を上げていった。

例2　(最初の)状況・段階の文。　事態変化の文 [(そして／しかし)〜につれて／にしたがって／にともなって／とともに〜]。

　例1と似ていますが、最初は程度の低いところから始まって、そのまま変化・推移を加速させていくという表し方です。

(18) 最初はゆっくりした速度の聞き取りから始める。そして英語が聞き取れるようになる{につれて／にしたがって／(の)にともなって／とともに}通常の速度に近づけていく。

(19) 子供は身の回りの昆虫や動物を通して漠然と死というものを知る。そして、年をとる{につれ／にしたがい／(の)にともない／とともに} 生と死の概念を明確化させていく。

この形も1文で続けることができます。

(20) 最初はゆっくりした速度の聞き取りから始め、英語が聞き取れるようになる{につれて／にしたがって／(の)にともなって／とともに} 通常の速度に近づけていく。

(21) 子供は身の回りの昆虫や動物を通して漠然と死というものを知り、年をとる{につれ／にしたがい／(の)にともない／とともに} 生と死の概念を明確化させていく。

例3　事態変化の文 [〜につれて／にしたがって／にともなって／とともに〜]。　（更なる）事態変化の文 [さらに、〜]。

全体的な推移・変化について説明する形です。一つの推移・変化がまた次の推移・変化を引き起こします。

(22) 試合が伯仲する{につれて／にしたがって／(の)にともなって／とともに}、声援が激しくなった。さらに、やじまで飛び出すようになった。

(23) 日本経済の再建が軌道に乗り始める{につれて／にしたがって／(の)にともなって／とともに}、各地に物流センター設立の機運が高まった。さらに、物流センター同士の交流も始まろうとしている。

例4　〜を見ると、事態変化の文 [〜につれて／にしたがって／にともなって／とともに〜] ということがわかる／傾向が見られる。

グラフや表を説明するときに、使われる言い方です。

(24) サラリーマンの現状を見ると、給料が上がる{につれて／にしたがって／(の)にともなって／とともに}、交際費などの出費も上がっていくのがわかる。

(25) 男女間賃金格差を見ると、年齢が高まる{につれて／にしたがって／(の)

にともなって／とともに}、男女間賃金格差は次第に大きくなるという傾向が見られる。

●どのような語と結び付きやすいか

「〜につれて・〜にしたがって・〜にともなって・〜とともに」はいずれも「ある事態の変化・推移に合わせて、ほかの事態も変化・推移する」という意味を表すため、動詞・名詞も変化や推移に関係する語が来やすくなります。

Xにつれて／にしたがって／にともなって／とともにY
〈Xに来る語〉
◆変化・推移を表す動詞など：
増える、減る、高まる、なる、続く、近づく、進む、慣れる、上昇する、上がる、発展する、時間がたつ、年をとる、回を重ねる、〜てくる、〜ていく、〜(し)始める、など

(26) 朝のホームドラマは回を重ねる{につれて／にしたがって／(の)にともなって／とともに}、おもしろくなっていった。

◆変化・推移を表す名詞：
上昇、下降、増加、減少、発展、進歩、成長、など

(27) 都市の発展{につれて／にしたがって／にともなって／とともに} 蝶々やとんぼが見られなくなった。

〈Yに来る語〉
◆変化・推移を表す表現：
なる、〜てくる、〜てきている、〜ていく、など

(28) 観覧車が上がっていく{につれて／にしたがって／(の)にともなって／とともに}、下にいる人間が小さくなっていく。

●類義表現との比較

「〜に応じて」との比較

「名詞＋に応じて」は動詞「応じる」から来たことばで、「〜に応えて」という意味を表します。

　　(29)　住民の要求に応じて、説明会を開くことになった。
　　(30)　営業成績に応じて報酬が変わります。

「〜につれて・〜にしたがって・〜にともなって・〜とともに」は「〜に応えて」という意味では用いられにくくなります。

　　(31)　住民の要求{に応じて／×につれて／?にしたがって／?にともなって／?とともに}、説明会を開くことになった。

(31)において、「〜にしたがって」は可能なようですが、「〜に応じて」と比べ、消極的に対応するという感じがします。

「に応じて」の前に変化を表す名詞が来ると、「ある変化に対応して」という意味になり、「〜につれて・〜にしたがって・〜にともなって・〜とともに」と置き換えが可能になります。

　　(32)　高齢者の増加{に応じて／につれて／にしたがって／にともなって／とともに}、介護サービスも充実してきた。

「学習者の誤用の例」の解説

　1は「〜につれて」の誤用です。前件は正しいですが、後件（主節）での変化の表現が不正確になっています。「緊張になる」は学習者がよく使う表現ですが、日本語にはありません。「緊張してくる」と表せるように、「〜てくる」「〜ている」を十分に指導する必要があります。

　2は「〜にしたがって」の誤用ですが、「〜につれて」と同じく後件（主節）での変化表現に戸惑っている誤用です。「夜になる」は徐々に変化するという意味合いが薄いので、「暗くなる」、または、「〜てくる」を加えた「暗くなってくる」にしたほうがいいでしょう。（⇒初ポ35）

　3は「〜にともなって」の誤用例ですが、前件と後件（主節）の主語の表し方に苦労しているようです。「課長」を文の主題にするなら、文頭において「課長は」として始めるとわかりやすくなります。また、給料は部長昇進時に上がるわけですから、「同時に、いっしょに」の意味の「〜とともに」のほうが適切になります。

　4は「〜とともに」の誤用例ですが、「とともに」は前に来る語が変化を表す語でないと、推移・変化を表すことができにくくなります。訂正文のように「太ってくる」とするか、「〜につれて」を用いたほうが比例的に変化していく様子がはっきり出ます。「とともに」は名詞と結び付きやすいので、次のように変化を表す名詞を用いて表すこともできます。

　4'　体重の増加とともに心臓の問題が出てきた。

51 〜には・〜のに

A：たくさんの人ですね。
B：切符を買うのに並ばなければなりませんね。
A：そうですね。
B：一番で切符を買うには
何時ごろから並べばいいんでしょうね。

学習者はどこが難しいか。よく出る質問。

1. 目的を表す「〜には」「〜のに」の使い方がわからない。
2. 「〜には」と「〜のに」の違いがわからない。
3. 「〜ために」と「〜には・〜のに」の違いがわからない。

学習者の誤用の例

1. 中国の教育改革をもっと進めるには、政府が新しい政策を出した。
　　→中国の教育改革をもっと進めるために、政府が新しい政策を出した。
2. 早く専門の研究に入るには、日本語の学習をやめました。
　　→早く専門の研究に入るために、日本語の学習をやめました。
3. この研究をするのに、図書館へ行ったほうがいいと思う。
　　→この研究をするには、図書館へ行ったほうがいいと思う。
4. この辞書は漢字を調べるために便利です。
　　→この辞書は漢字を調べるのに便利です。

説 明

●基本的な意味用法

「～には」「～のに」は前件で目的を表し、後件(主節)でその目的を達成するために「どうであるか、どうすべきか」という判断を表します。

１．～には

「～には」は基本的には、「～には <u>主語が 述語</u>」の形をとります。一般的な事柄を表し、個別的な事柄には使えません。「には」の前には動詞のほか名詞も来ます。

(1) やせるには有酸素運動が一番いい。
(2) ダイエットにはウォーキングが一番いい。

２．～のに

「～のに」の基本的な形は、「<u>主題／主語は ～のに 述語</u>」になります。「～のに」は一般的な事柄も個別的な事柄も表しますが、どちらかというと個別的なことを表すほうが多いです。「のに」の前には動詞が来ます。うしろには「いい、便利だ、役に立つ、時間・費用がかかる」などの述語が来やすいですが、あまり長い述語はとれません。

(3) 有酸素運動はやせるのに一番いい。(一般的)
(4) きのうはセーターを選ぶのに3時間もかかった。(個別的)

●作り方・接続の仕方

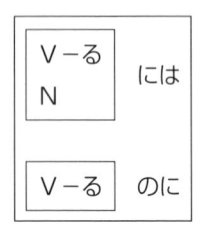

```
┌─────────┐
│ V－る   │ には
│  N      │
└─────────┘
┌─────────┐
│ V－る   │ のに
└─────────┘
```

●いつ使われるか

　１．会話の中で

　次の(5)は、目的を表す「～には」「～のに」が一般的なことを表す例です。後件(主節)には「必要だ、役に立つ、いい、便利だ」などを中心とした判断を表す表現が来ます。

　(5)　A：日本語の辞書を買おうと思っているんですが。
　　　 B：それなら電子辞書がいいですよ。
　　　 A：電子辞書ですか。
　　　 B：ええ、留学生が使う{には／のに}一番便利だと思います。

　次は個別的な事柄を表す場合の例です。個別的な事柄に対しては「～には」は使えなくなります。

　(6)　A：きのうは大変でした。
　　　 B：どうしたんですか。
　　　 A：新宿御苑の桜を見る{×には／のに}3時間も並んだんですよ。
　　　 B：それはそれは。

　次の(7)のように目的を明確にする場合には、「～のに」より目的を明確に表す「～ために」のほうが適切になります。個別的な事柄なので、「～には」は不適切になります。

(7)　A：日本へは何の勉強でいらっしゃったんですか。
　　　B：情報工学を勉強する{×には／?のに／ために}来ました。
　　　A：情報工学？
　　　B：ええ、具体的にはロボット工学を勉強する{×には／?のに／ために}来ました。

２．文章の中で（文のつながりの例）

例1　　事態・状況説明の文。　　目的の文［〜には／のに〜］。

一つの事柄の目的を説明するために、その前にまず状況を設定する形です。

(8)　北国ではまだだるまストーブを使っている。だるまストーブは暖かいので、冬を過ごす{には／のに}不可欠のものだ。
(9)　これはきわめて特殊なケースだ。これを説明する{には／のに}1時間はかかる。

例2　　事情・状況の文［〜が／けれども］、目的の文［〜には／のに〜］。

一つの事情・状況を出し、その問題の解決について質問したり、説明したりする形です。

(10)　住宅ローンを利用しようと思ってるんですが、利用する{には／のに}どんなことに注意したらいいでしょうか。
(11)　家のリフォームが盛んだが、リフォームする{には／のに}1千万はかかるそうだ。

例3　　目的の文［〜には／のに〜］。　　だから／そのために、〜。

物事を進めるときに、目的を述べ、次に「だから、どうすればいいか」を説明する形です。

(12) 申し込みする{には／のに}保証人が要ります。ですから、どなたかにお願いしておいてください。

(13) この仕事を成功させる{には／のに}地域の人々の情報が役に立つ。そのためにも、地元の人たちとのコミュニケーションを大切にしよう。

例4　目的の文 [〜には／のに] 〜ので／から、〜

例3の2文を、原因・理由を表す「〜ので／から」を使って1文にすることもあります。

(14) 申し込みする{には／のに}保証人が要るので、事前にどなたかにお願いしておいてください。

(15) この仕事を成功させる{には／のに}地域の人々の情報が役に立つから、地元の人たちとのコミュニケーションを大切にしよう。

● どのような語と結び付きやすいか

Xには／のにY

〈Yに来る語〉

◆「必要だ」「役立つ」という意味を表す表現：

必要だ、要る、便利だ、役に立つ、一番だ、(時間・費用が)かかる、など

(16) 東北へ行く{には／のに}新幹線が一番便利だ。

● 「〜には」のほかの用法

「〜には」には目的のほかに、「評価の基準」を表す意味用法があります。次のA、Bの文の形をとります。

A　[主題／主語]は　[評価の対象となる人・もの]には　[評価を表す語]
B　[評価の対象となる人・もの]には　[主題／主語]は／が　[評価を表す語]

(17) チョコレートは子供(が食べる)にはおいしすぎる。

(18)　私にはそんなことは無理だ。

「評価を表す語」には、「できる、できない、いい、悪い、無理だ、難しい、ふさわしい、形容詞＋すぎる」などが来ます。

●**類義表現との比較**

「～には・～のに」と「～(る)うえで」の比較（⇒32）

(19)　癌を治療する|には／のに／うえで|この薬が必要だ。

「～(る)うえで」は「～するにあたって」「～する過程で」の意味を表し、その場合や過程における注意点・問題点などについて述べることが多いです。後件（主節）に「必要だ・便利だ・いい」などが来ると、「～には・～のに」と同じような意味合いになりますが、「～には・～のに」が目的を表すのに対して、「～(る)うえで」は「その点・時点において」という意味を持つと言えます。

「学習者の誤用の例」の解説

　「～には・～のに」は、目的を達成するために後件（主節）で「どうであるか、どうすべきか」という判断を表します。1は後件（主節）で判断でなく具体的な行為を示しているので、明確に目的を表す「～ために」を用いる必要があります。2も1と同じ理由で「～ために」を使ったほうがいいと思われます。もし、「～には」を生かすとすれば、次のように後件（主節）に判断を表す表現を持って来るといいでしょう。

　　2'　早く専門の研究に入るには、日本語の学習をやめたほうがいいと考えました。

　3は「のに」と「には」の混同です。「～のに」は「（～は）～のに必要だ／要る／大切だ」などの形をとるのが普通で、「～のに」のあとは長い文はとれません。また、3は一般的なことについて述べているので、「～のに」より「～には」としたほうが安定します。

　4は述語に「便利です」という評価を表す表現が来ているので、「～ために」ではなく「～のに」がふさわしくなります。

52 〜場合

A：あした雨が降ったら試合は中止ですか。
B：はい、雨の場合は中止です。
A：小雨のときは？
B：小雨の場合は決行します。

学習者はどこが難しいか。よく出る質問。

1. 「〜場合」の適切な使い方ができない。
2. 「〜場合」と「〜とき」はどう違うの？
3. 「〜場合」と「〜たら」「〜ば」はどう違うの？

学習者の誤用の例

1. 交渉がうまくいける場合には、条約を結ぶ。
   →交渉がうまくいった場合には、条約を結ぶ。／交渉がうまくいきそうな場合には、条約を結ぶ。
2. 英語の場合、ちゃんとイエスやノーを言う。日本語の場合、違います。
   →英語の場合はちゃんとイエスやノーを言いますが、日本語の場合は違います。
3. 地震が起こる場合、エレベーターを使わないでください。
   →地震が起こった場合は、エレベーターを使わないでください。
4. 留守中、誰かが訪ねてくる場合、私はまもなく戻ってくるように伝えてください。
   →留守中、誰かが訪ねてきた場合は、私はまもなく戻ってくると伝えてください。

説 明

●基本的な意味用法

「〜場合」は起こる可能性のあるいくつかの状況の中から一つだけを取り上げて、それを問題にするときに使います。その点では仮定性を含む表現です。

 (1) 私が来られなかった場合、あなたが司会をしてください。

「〜場合」は、正式または公式な場面や、書かれたものに使われることが多いです。

 (2) 日本で生まれ、父母がともに知れない場合は、日本国籍を認める。
 (3) 提出が遅れた場合は、すみやかに申し出ること。

●作り方・接続の仕方

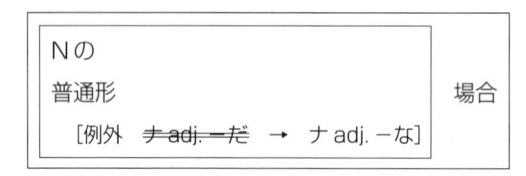

```
 Nの
 普通形                              場合
  [例外  ナadj. ─だ  →  ナadj. ─な]
```

●いつ使われるか

1．会話の中で

起こり得るいくつかの状況の中から一つを取り上げるという点では、「〜場合」は「〜たら」の意味合いを持ちます。このときは「〜場合は」になることが多いです。

 (4) A：あした雨が降ったら試合は中止かしら。
   B：うん、雨が{降った場合は／降ったら}中止だよ。
   A：小雨{の場合は／だったら}？
   B：小雨{の場合は／だったら}あると思うよ。

「〜場合」は(5)のように「〜とき」の意味で使われることも多いですが、仮定の意味合いを含むため、過去のことに用いると不適切になります。

> (5) A：コンビニのATMの手数料って高いですね。
> B：ええ、銀行の休業日に利用する{場合は／ときは}、倍になりますよ。
> A：先週日曜日に利用した{×場合／とき}、800円もかかってびっくりしました。

「〜場合・〜場合に・〜場合は」の使い分けは「〜とき」とほぼ同じです。(⇒初ポ63)

「〜場合に」は、後件（主節）に動作・変化を表す表現が来やすくなります。一方、「〜場合は」はその状況を特に取り上げたり、対比させたりする場合に使われます。

> (6) A：このゴムはどう使うんですか。
> B：いすがガタガタする場合に、ここにはめてお使いください。
> A：ああ、なるほど。
> B：通常の場合は、いすのうしろのポケットに入れておいてください。

2．文章の中で（文のつながりの例）

例1　通常の状況の文［〜が／けれども］、〜場合（は）、〜。

通常の状況を述べて、そのあとで特別の状況について述べるときに「〜場合（は）」が使われやすくなります。

(7) 前に立っているだけでは何も反応しませんが、ガラスに触れた場合はベルが鳴ります。

(8) 平日は手数料は要らないが、日曜や祝日の場合は手数料がかかる。

例2　　通常の状況の文。　　しかし／ただし、〜場合（は）、〜。

例1の1文を、「〜が／けれども」を使わずに2文で述べる言い方です。

(9) 前に立っているだけでは何も反応しない。しかし、ガラスに触れた場合はベルが鳴る。

(10) 平日は手数料は要らない。ただし、日曜や祝日の場合は手数料がかかる。

例3　　事情・前提の文。　　特に〜場合（は）、〜。

前の文で事情や前提について述べられ、次の文でそれに関わる一つを取り上げて説明する形です。

(11) 若者の晩婚化傾向が著しい。特に男性の場合は、結婚の必要性を感じない者も増えている。

(12) AIについては人間の知的生産性を高める研究が重要である。特に日本の場合、具体的応用研究にこそ力を入れる必要がある。

●どのような語と結び付きやすいか

動詞・形容詞・名詞はどのようなものでも来ることができます。
◆副詞・接続詞：特に、ただし、また、または、など

(13) 咳、痰をともなう場合、特に、湿性の咳の場合は、医師の診断を仰いでください。

(14) お申し込みはホームページからできます。ただし、家族会員の場合は、手続きに日数がかかることもあります。

(15) 契約されている場合、または、過去にご契約いただいていた場合、入会金は免除になります。

●類義表現との比較

「～場合」と「～とき」「～たら」の比較
「～場合」を「～とき」「～たら」と比較すると、次のようになります。

	～場合	～とき	～たら
話しことば	○	○	◎
書きことば	○公式・オフィシャル	○	×
仮定性	◎	?	○
過去の文	×	○	○

◎「よく使う」、○「使う」、?「使えるか否かどちらとも言えない」、×「使えない」を表します。（この比較は絶対的なものでなく、どちらかと言えばそう言えるという程度を示したものです。）（⇒初ポ63・64）

　「～とき」と比べると「～場合」はより仮定性が強く、「～とき」が過去の文でも使えるのに、「～場合」は使えないという違いがあります。また、「～たら」と比較すると、「～たら」がもっぱら話しことばで使われるのに対し、「～場合」は書いたものの中に現れることが多いようです。仮定性という点では、「～たら」が次のようなほぼ決まっていることにも使われるのに対し、「～場合」にはそのような用法はあまり見られません。

　(16)　授業が｛終わったら／×終わった場合｝、いっしょに昼ごはんを食べよう。

「学習者の誤用の例」の解説

1は「場合」の前に来る「うまくいく」のテンス・アスペクトの問題がからんでいると考えられます。「交渉がうまくいったら」なのか、「交渉がうまくいきそう」なのかによって訂正文のように2通りに訂正できます。

2は「〜場合」と「〜場合は」の違いです。「〜場合」は、後件（主節）に動作・変化を表す表現が来やすくなり、一方、「〜場合は」は取り立ての気持ちや対比の気持ちが入ります。2は日本語と英語を比べているので「〜場合は」とすべきです。

3も1とよく似た誤りです。エレベーターを使うのは、事実上「地震が起こったあと」なので「起こる」ではなく「起こった」とする必要があります。また、「地震が起こった場合」という特別の事態を取り立てているので、「〜場合」に「は」を付けて「〜場合は」としたほうが適切になります。

4も3と同じで「誰かが訪ねてきた場合」となります。このときも、その「場合」を取り立てているので、「〜場合は」としたほうがいいです。

53

～まま（で）・～まま（に）・（～とおり（に）・～っぱなし（で））

A：あ、コンタクト入れたままだった。
B：入れたままで寝てはいけないの？
A：入れたままでも大丈夫だけど、目が痛くなるから。
B：じゃ、外したほうが安心ね。

学習者はどこが難しいか。よく出る質問。

1．「（電気をつけ）たまま（で）、（寝た）」と「（電気をつけ）て、（寝た）」はどう違うか。
2．「（電気をつけ）たまま（で）、（寝た）」と「（電気をつけ）っぱなしで、（寝た）」はどう違うか。
3．「～ままで」と「～ままに」の使い分けは？
4．「まま」の前に来る動詞を自動詞にすべきか他動詞にすべきか迷う。

学習者の誤用の例

1．電車の中に3時間に立ったままでいるので、すわりたい。
　→電車の中で3時間立ちっぱなし／立ったままなので、すわりたい。
2．ゆうべテレビがついたまま、朝まで眠ってしまった。
　→ゆうべテレビをつけたまま、朝まで眠ってしまった。
3．友だちが言われるままに、今日は試験になる。
　→友だちが言ったとおりに、今日は試験がある。
4．私の新しい髪形は思ったとおりよりかわいい。
　→私の新しい髪型は思っていたよりかわいい。

説 明

●**基本的な意味用法**

「〜まま」には次の二つの意味用法があります。
 1)「同じ状態で、何も変化せずに」の意味

　　(1)　コンピュータの前に座ったまま(で)、一日が過ぎていく。

 2)「言うまま・思うまま・運命のまま」や「受身動詞＋まま」の形で、「その(意志の)通りに」「その意志に任せて」「(自然の)成り行きで」の意味

　　(2)　先輩に勧められるまま(に)、空手部に入ってしまった。

1)の場合は「〜ままで」、2)の場合は「〜ままに」という形が多く使われます。

●**作り方・接続の仕方**

「まま」への接続は次のようになります。「その(意志の)通りに」の場合は、形容詞は使われません。動詞については「同じ状態で」ではタ形とナイ形が、「その(意志の)通りに」は辞書形が使われます。

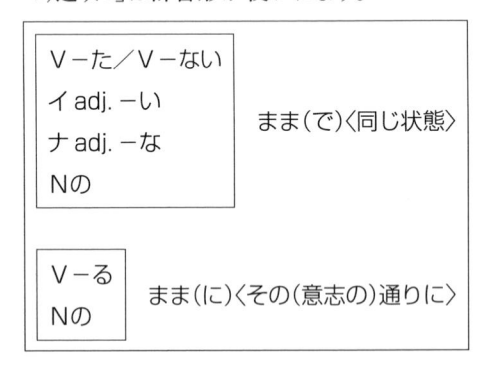

V−た／V−ない イ adj. −い ナ adj. −な Nの	まま(で)〈同じ状態〉
V−る Nの	まま(に)〈その(意志の)通りに〉

●いつ使われるか

1．会話の中で

次の(3)で使われている「まま」は「同じ状態で、何も変化せずに」の意味です。Aでは「〜たままだ」、Bでは「〜たままで」という形で用いられています。

(3) A：ゆうべは暑かったね。
    B：そうね。熱帯夜だったね。
    A：クーラーをつけたままだったから、今日は体がだるいよ。
    B：クーラーをつけたままで寝るのが体に一番よくないのよ。

次はナイ形に「ままで」が付く場合です。

(4) A：このごろの子供達は算数の力が落ちているそうだよ。
    B：内容が難しくなっているのかしら。
    A：いや、そうじゃなくて、子供達はわからなくても質問しないらしい。
    B：わからないままで、授業が進んでいくのね。

次は「その（意志の）通りに」の意味の「〜ままに」です。「気の向くままに」「思うままに」のほか、受身動詞とともに用いられることも多いです。

(5) A：贈賄容疑で逮捕する。
    B：私は知らない。私は社長に言われるままにしただけだ。

「〜まま」に「を」の付いた「〜(た)ままを」は、「見る、思う」などの動詞に付いて「そのままを」という意味を持ちます。

> (6) A：えっ、森さんはそんなこと言ってたんですか。
> B：ええ、そうです。
> A：全部でたらめです。
> B：いや、私は森さんから聞いたままをお話ししています。

２．文章の中で（文のつながりの例）

例1　　〜まま（で）〜。　　そうしたら／そのために、結果の文。

同じ状態にしておいたことが原因・理由、きっかけとなって、ある結果が起こるという文脈で使われます。

(7) 一晩中冷房をかけたままで寝た。そのために風邪を引いてしまった。
(8) 税金を払わないまま放っておいた。そうしたら、延滞税までとられてしまった。

例2　　〜しないで、〜まま（で）〜。

「〜まま（で）」は「〜しないで」とともに用いられることがあります。

(9) この魚は煮たり焼いたりしないで、生のまま食べたほうがおいしいです。
(10) 私の祖母は着替えないで、寝巻きを着たままで過ごすことが多い。

例3　　事情・前提の文［〜が／けれども］、〜ままだ／である。

「〜ままだ」の言い方は、ある前提や事情はよくなったが、依然として前と同じ状態であるという意味合いのときに用いられます。

(11) その後ハードウェアは大幅に進歩してきたが、その基本設計は依然として旧型のままであった。
(12) スラム街の一部は取り壊されたが、大半は依然として昔のままである。

例4　　〜まま〜うちに、結果の文。

ある状態を変えないで放置し、自然の成り行きに任せるうちに、ある結果になるということを表します。

(13)　原稿用紙に向かったまま一行も書かないうちに、眠ってしまった。
(14)　対策を打たないまま放っておくうちに、学校は荒れ放題になっていった。

例5　　原因・理由の文 [〜ので／から／ために]、〜ままになっている。

原因・理由があって、そのために「〜ままになっている」という言い方です。

(15)　バブルがはじけたために、多くのビルが未完成のままになっている。
(16)　原因が解明されていないので、現場は事故当時のままになっている。

●どのような語と結び付きやすいか

1．「同じ状態でを表す」Xまま(で)Y

〈Xに来る語〉

いろいろな意志動詞・無意志動詞が来ますが、存在を表す動詞（ある、いる、など）や状態を表す動詞の一部（要る、困る、など）は接続しにくくなります。

(17)　×家にいたまま、外出しようとしない。
(18)　×困ったままで、一日が過ぎていった。

2．「その(意志の)通りにを表す」Xまま(に)Y

〈Xに来る語〉

◆自発の意味を表す動詞など：

見える、感じる、思う、受身動詞（言われる、命令される、勧められる）、など

(19)　足の向くままに歩き回った。
(20)　聞かれるままに、答えただけだ。

●類義表現との比較

1.「〜ままに」と「〜とおりに」の比較

「〜とおりに」は次のように「〜ままに」と同じ意味合いを持ちます。

(21)　言われるままに、はんこをついてしまった。
(22)　言われた／言われるとおりに、はんこをついてしまった。

「とおりに」の前には動詞の辞書形・タ形が来ます。名詞が来る場合は「規定どおりに」「命令どおりに」のように「どおりに」となります。

「〜ままに」は「気が向くままに」「思うままに」のように無意志的意味合いを持ちますが、「〜とおりに」は「意志的な行為がなされて、それに従って」の意味で使われることが多いです。「〜とおりに」では前件と後件(主節)の主語は同じでも異なってもいいですが、「〜ままに」は同一主語になります。

(23)　a．社長が言う{×ままに／とおりに}（私は）書きました。（異主語）
　　　b．(私は)社長に言われる{ままに／とおりに}書きました。（同一主語）

また、「〜とおりに」は文末に意志表現をとることができますが、「〜ままに」はとりにくくなります。

(24)　見える{?ままに／とおりに}描いてください。

2.「〜まま(で)」と「〜っぱなし(で)」の比較

(25)　a．新幹線が込んでいて3時間立ったままだった。
　　　b．新幹線が込んでいて3時間立ちっぱなしだった。

「〜たまま」「〜っぱなし」は両方ともその状態が変わらずに続くということを表しますが、「〜っぱなし」はその状態が続く(放置しておく)ことに不満や非難などのマイナス評価が含まれます。次のaは間違いではありませんが、bのほうが禁止の命令にはふさわしく感じられます。

⑳　a．服を脱いだままにするな。
　　b．服を脱ぎっぱなしにするな。

「学習者の誤用の例」の解説

　1は「立ったままでいる」でも間違いではありませんが、疲れたという気持ちや不満を表すには、「～っぱなし」にしたほうが適切になります。
　2はテレビを誰かがつけて、それを知らないままに寝てしまったという意味であれば、間違いではありません。自分がつけて、そのまま寝てしまうという状況が普通なので、「つけたまま」としておきました。学習者は「ついたまま」と「つけたまま」の違いがわからないまま、「ついたまま」を使っている場合が多いです。
　「その（意志の）とおりに」という意味では「～ままに」も「～とおりに」も用いることが可能です。「～ままに」は無意志的に自然の成り行きでという意味合いを、「～とおりに」は意志的な行為であるという意味合いを含みます。3では、「友達が言った」のは意志的な行為であること、また、前件と後件（主節）の主語が異なるために、「～ままに」が不自然になっています。
　4は「思ったとおり」の「とおり」が不要です。「思ったとおりだ」「思ったとおり、（かわいい）」「思ったより（かわいい）」は可能ですが、「思ったとおりより」という言い方はありません。

54 連用中止（形）

A：ご遺族の皆さんは大変ですね。
B：ええ、皆さん、苦しみ、悩みながら生活してらっしゃるようです。
A：遺族の会というのがあるそうですね。
B：ええ、皆さん情報を持ち寄り、話し合っておられます。

学習者はどこが難しいか。よく出る質問。

1. 「～て」（勉強して）と連用中止（形）（勉強し）の使い分けがわかりにくい。
2. 「～て」は話しことばで、連用中止（形）は書きことば？
3. 「～て」と連用中止（形）は、文中でどう組み合わせて使えばいいのかわからない。

学習者の誤用の例

1. 留学生にはいろいろな学生がい、一人ひとりの対応が必要だ。
 →留学生にはいろいろな学生がおり、一人ひとりの対応が必要だ。
2. お父さんは新聞を読み、コーヒーを飲み、出かけた。
 →お父さんは新聞を読み、コーヒーを飲んで、出かけた。
3. テレビを見、ご飯を食べる。
 →テレビを見ながら、ご飯を食べる。
4. 私は小さいとき、よく親戚の家へ遊びに行き、その家はおもしろかったです。
 →私は小さいとき、よく親戚の家へ遊びに行ったが、その家はおもしろかったです。

説 明

●基本的な意味用法

　テ形で二つ以上の文をつなぐ形を、「テ形」接続と呼びます（⇒初ポ59）。それに対して、マス形の語幹でつなぐ形を「連用中止」接続と呼びます。マス形の語幹が国語学では連用形と呼ばれるからです。（本書では「連用中止（形）」という言い方を使います。）

（1）　本を読んで、しばらく考える。（テ形接続）
（2）　本を読み、しばらく考える。（連用中止（形）接続）

　「連用中止（形）」は動詞だけでなく、イ形容詞でも用いられます。一方、ナ形容詞・「名詞＋だ」では「〜で」または「〜であり」の形が使われます。「連用中止（形）」は主に書きことばで用いられます。

（3）　町中は人も少なく、たまに車が通り過ぎるだけであった。
（4）　爆破事件にもかかわらず、市内はにぎやかで（あり）、いつもと変わりがなかった。

（ここでは、「連用中止（形）」の肯定の形を取り上げます。動詞の否定の形については、本書の「48 〜ず・〜ずに」を参照してください。）

●作り方・接続の仕方

```
V－マス形の語幹
イ adj. －く
ナ adj. －で／ナ adj. －であり
Nで／Nであり
```

　一段活用の「いる・見る・寝る」、不規則動詞の「来る」は次のようになりますが、あまり使われません。「いる」は「おり」になることが多いです。

いる：？い　→おり
見る：？見　　寝る：？寝　　来る：？来(き)

● いつ使われるか

1．会話の中で

「連用中止（形）」は書きことばなので、会話の中であまり使われることはありません。会話の中ではややかたい、改まった言い方になります。(5)の「連用中止（形）」は動作が引き続いて起こる「継起」の使い方です。

(5)　A：今晩のパーティーに出られますか。
　　　B：ええ、今からうちに戻り、着替えてきます。
　　　A：会場へ直接行かれますか。
　　　B：ええ、そのほうが早いと思いますので。

改まったスピーチや司会などでは、「連用中止（形）」が現れます。(6)はスピーチの、(7)は司会の一部です。

(6)　A1：今日はドイツにおける日本語教育についてお話ししたいと思います。まず、私が通っているボン大学についてお話しし、次にほかの日本語学校について話したいと思います。
　　　A2：ドイツでは高校で日本語を教えているところは少なく、ほとんどの人は大学に入ってから勉強を始めます。

(7)　司会：今日は話し合いに参加していただきありがとうございました。今日の話し合いを通じ、いろいろな情報交換ができました。

物事の手順を説明するときも、説明の中に「連用中止（形）」が出てくることがあります。(8)は機械操作の、(9)は料理の説明の一部です。

(8) まずここにカードを差し込み、画面が明るくなるのを待ってください。画面が明るくなってきたら、右下の赤いボタンを押してください。画面に何枚かの写真が出ますから、必要な写真をクリックし、写真の下に希望枚数を入れてください。

(9) まずフライパンに油をひき、煙が出るくらい熱してください。フライパンが熱くなったら、にんにくとショウガを入れ、焦がさないように炒めてください。次に冷蔵庫から牡蠣を取り出し、フライパンに静かに入れてください。

次は「連用中止（形）」が並列表現で使われています。

(10) A：今度の演奏会はご兄弟で出演ですか。
B：ええ、弟がギターを弾き、私がドラムをたたきます。
A：そうですか。私もぜひ伺います。

2．文章の中で（文のつながりの例）

例1　事態変化の文 [～になり、～になって、（結局は）～]。

「なる」を「連用中止（形）」と「テ形」を混ぜて表す形です。物事が段階を経て変わっていく事態変化を表しています。

(11) システムが複雑になり、その修正も困難になって、結局手に負えないという状態になっている。
(12) 日常の接触が少なくなり、親子意識も希薄になって、そこに断絶が生まれる。

例2　事態・状況の文。　ただし書きの文[しかし、～連用中止形、～]。

ある事態・状況について説明し、それについてただし書き的な注釈を付ける場合

です。連用中止（形）には、「（問題・限界が）あり」の形が来ることが多いようです。

　(13)　ウイルスソフトが次々に作成されている。しかし、現在、その有効性にも限界があり、ソフト開発自体がいくつもの問題を抱えている。
　(14)　毎年多くの医学生が世に輩出される。しかし、個々の技術には問題があり、中には水準に達していない者もいるようだ。

例3　～とき／場合、～連用中止（形）、～。

　ある問題に対して、どのように対処するかについての考えを並べるときに、「連用中止（形）」が用いられる例です。

　(15)　ルールの数や採点方法が複雑なとき、どこに基準を置き、どう判定するかが問題である。
　(16)　子供を持つ女性が海外出張を命じられたとき、誰に子供を預け、どう家庭を維持するかという問題が起こってくる。

例4　比較の文［～と比べて／比べても］、～連用中止（形）、～。

　あるものをほかのものと比較し、それについて評価を述べる言い方です。

　(17)　このDVDレコーダは、他の機種と比べてはるかに録画が簡単であり、画像が鮮明だ。
　(18)　この大学は、他校と比較しても、教育方針がわかりやすく、信頼できる。

●どのような語と結び付きやすいか

　基本的には、「見る、寝る、来る」のような、マス形の語幹が1音になる動詞以外は「連用中止（形）」になることができます。

●類義表現との比較

「連用中止（形）」と「～て」の比較　（⇒初ポ59）

　「～て」と「連用中止（形）」との比較を、「継起」「付帯状況」「原因・理由」「並列」

に分けて比べてみましょう。

　1）動作が続いて起こる継起の場合

　　⒆　保育園に子供を迎えに行って、スーパーで買い物をして、家に帰る。

⒆は「～て」を使った文ですが、ここに「連用中止（形）」を用いると次のようになります。

　　⒇　保育園に子供を迎えに行き、スーパーで買い物をし、家に帰る。

⒇は適切な文ですが、「連用中止（形）」の特徴は、そこで切れ目ができるという点なので、文が切断された感じがします。通常、継起の文では「～て」と連用中止（形）が組み合わされて用いられます。

　　㉑　ａ．保育園に子供を迎えに行き、スーパーで買い物をして、家に帰る。
　　　　ｂ．保育園に子供を迎えに行って、スーパーで買い物をし、家に帰る。

　2）付帯状況を表す場合
「ヘッドホンをして音楽を聞く。」「壁にもたれて景色を写生する。」の「ヘッドホンをして」「壁にもたれて」のように、「ある動作がどのような状態・状況で行われているか」ということを付帯状況と言います。次の「座って」「めがねをかけて」も付帯状況を表しています。

　　㉒　座って話す。
　　㉓　めがねをかけて運転した。

　付帯状況は通常「～て」で表されますが、「連用中止（形）」で表すことはできるでしょうか。

　　㉔　？座り、話す。
　　㉕　？めがねをかけ、運転した。

「連用中止（形）」では、そこで切れるために、どういう状況・状態で動作をするかの

説明にはなりにくくなります。

3)原因・理由を表す場合

「〜て」は、後件(主節)に無意志動詞や状態表現が来ると理由を表しやすくなりますが、「連用中止(形)」は単なる継起を表しているのか、理由を表しているのかの区別がつかなくなります。

(26) a．肉を食べ過ぎて、おなかが痛い。
　　 b．肉を食べ過ぎ、おなかが痛い。
(27) a．ゆうべは寒くて、寝られなかった。
　　 b．ゆうべは寒く、寝られなかった。

4)並列を表す場合

前件と後件で対比的、対照的な事柄を表す場合です。「〜て」「連用中止(形)」両方可能です。(28)が動詞、(29)がイ形容詞の場合です。

(28) a．姉がピアノを弾いて、弟がドラムをたたく。
　　 b．姉がピアノを弾き、弟がドラムをたたく。
(29) a．このテレビは画面が明るくて、色がきれいだ。
　　 b．このテレビは画面が明るく、色がきれいだ。

「〜て」と「連用中止(形)」の特徴をまとめると、おおよそ次のようになると考えられます。

	〜て	連用中止(形)
継起	◎	○
付帯状況	○	×
原因・理由	○	?
並列	○	○

◎「よく使う」、○「使う」、?「使えるか否かどちらとも言えない」、×は「使えない」を表します。(この比較は絶対的なものでなく、どちらかと言えばそう言えるという程度を示したものです。)

「学習者の誤用の例」の解説

1は「いる」の「連用中止（形）」がわからなくて、「い」とした誤りです。「いる」は「おり」となります。

2は「連用中止（形）」を二つ並べています。間違いとは言えませんが、「連用中止（形）」と「テ形」を適宜混ぜて使ったほうが自然になります。2のように「連用中止（形）」が続くと、プツプツと切れた感じになるので、訂正文のようにしたほうがよいでしょう。

3の学習者は「連用中止（形）」に同時動作「～ながら」の用法もあると思ったようですが、「連用中止（形）」はむしろそこで切れ目ができるので、次の文との関係を密にしたい場合は「～て」「～ながら」などを使う必要があります。3では同時動作なので「～ながら」がいいでしょう。

4は「遊びに行く」と「その家はおもしろかった」をどう結び付けるかですが、「連用中止（形）」はそこで切れた感じを与えるので、評価表現とは結び付きにくいです。前置き的に「～が・けれども」を用いて表すといいでしょう。

指導法あれこれ〈3〉

30.「〜あいだ（は）・〜あいだに」の練習

練習はAとBの2種類あります。

[練習A]

1．教師は「〜あいだ（は）」を用いた文を準備し、黒板に書く。

　例：|大学に通っているあいだは、ずっと京都に住んでいる。|

2．学習者に少し時間を与え、黒板に書いた文の形や意味などを考えさせる。
3．学習者に気がついたことを言わせる。形、意味以外のことでもいい。

　気づいたことの例1：「あいだ」のうしろに「は」が付いている。
　　　　　　　例2：「あいだ」の前には「〜ている」が来やすい。
　　　　　　　例3：「大学に通っている」のと「京都に住んでいる」のは同時、など。

4．学習者に、例の文の「あいだは」はそのままにして、ほかの語（語句）を二つ変えて文を作らせる。
5．まず口頭で言わせ、次に板書させる。
　　ほかの学習者に正しいかどうか判定させる。

　変化文例1：大学に行っているあいだは、ずっと東京に住んでいる。
　変化文例2：大学で勉強しているあいだは、ずっと寮に住んでいる。
　変化文例3：大阪で仕事をしているあいだは、ずっと寮に住んでいる。
　変化文例4：大阪で仕事をしているあいだは、ずっと彼女と付き合っている。

[練習B]

1．教師は「〜あいだに」を用いた文を準備し、黒板に書く。

　例：|日本にいるあいだに、北海道へ行きたい。|

2．学習者に少し時間を与え、文の形や意味を考えさせる。
3．学習者に気がついたことを言わせる。形、意味以外のことでもいい。
4．学習者に、例の文の「あいだに」はそのままにして、1語（語句）を付け加え

て、文を作らせる。
5．まず口頭で言わせ、次に、板書させる。
　　ほかの学習者に正しいかどうか判定させる。

　変化文例1：日本にいるあいだに、友達と北海道へ行きたい。
　変化文例2：日本にいるあいだに、友達とオートバイで北海道へ行きたい。
　変化文例3：日本に住んでいるあいだに、友達とオートバイで北海道へ行きたい。
　変化文例4：日本に住んでいるあいだに、友達とオートバイで北海道へ行きたい
　　　　　　と思う。

31．「～一方（で）」の練習
「～一方（で）」を使って文を完成する練習です。

1．教師は31課の「文のつながりの例」の例5に適する文をいくつか考える。

　|評価的判断の文。|　（しかし、）～一方（で）、～。

　例1：彼は上司に評判がいい。しかし、上司に評判がいい一方で、部下には人気がない。
　例2：マンションは便利だ。しかし、便利な一方で、人とのふれあいが少ない。

2．練習問題として、「しかし」の部分まで与え、そのあとを学生に完成させる。ペアでさせてもいい。その後、クラスで発表させる。

　1）メールは簡単で速い。しかし、（　　　　　　　　　　　　　　　）
　2）マンションは便利だ。しかし、（　　　　　　　　　　　　　　　）
　3）飛行機は速い。しかし、（　　　　　　　　　　　　　　　　　　）
　4）結婚にあこがれている。しかし、（　　　　　　　　　　　　　　）
　5）○○首相は教育問題に熱心だ。しかし、（　　　　　　　　　　　）
　6）????（学習者に考えさせる）。しかし、（　　　　　　　　　　　）

34.「～おかげで・～せいで」の練習

「～おかげで・～せいで」を使って、質問したり答えたりする練習です。

1．学習者を3人1組にする。
2．各グループで、「誰かに何かをしてもらったので、いい結果になった。」、また「誰かが何かをしたので、よくない結果になった。」ということを話し合わせる。
3．各人が考えたことを、「～おかげで」の形と「～せいで」の形で文にし、ノートに書かせる。
4．3をグループ内で発表させる。
5．グループの代表はおもしろそうな文をいくつかを選び、クラスでそれを発表する。

35.「～にかぎって」の練習

「～にかぎって」の文作りの練習です。

1．学習者を3人1組にする。
2．各グループで、「特定のときにかぎって、いつもこうである／こうなってしまう」ということを話し合わせる。まず、教師が例を出すとよい。
3．各グループにおもしろそうな例を三～五つ選ばせ、「～にかぎって、～」の形を使って文を作らせる。
4．ノートに書かせる。
5．グループの代表にそれを発表させる。

　例1：出かけるときにかぎって、お客さんが来る。
　例2：予習をしていないときにかぎって、先生にあてられる。
　例3：シチューを作るときにかぎって、塩を入れるのを忘れる。

36.「〜からには・〜以上（は）」の練習

練習Aは「〜からには」の、練習Bは「〜以上（は）」の練習です。

［練習A］
1．教師は「〜からには」を用いた文を準備し、黒板に書く。

　　例：親の反対を押し切って東京に来たからには、うまくやらなければならない。

2．学習者に例の文の意味を理解させる。
3．学習者に例の文を拡大させる。
　　「が／けれども」を加え、「〜が／けれども、〜からには〜。」「〜からには、〜が／けれども〜」のような複合文を作らせる。

　　例1：親は反対したが、親の反対を押し切って都会に出てきたからには、うまくやらなければならない。
　　例2：親の反対を押し切って都会に出てきたからには、うまくやらなければならないと思うが、やれるかどうか心配だ。

4．ノートに書かせる。ペアで相談しながら作らせてもいい。
5．クラスで発表させる。ペアで発表させてもいい。

［練習B］
1．教師は「〜以上は」を用いた文を準備し、黒板に書く。

　　例：親の反対を押し切って東京に来た以上は、どうしても成功したい。

2．学習者に例の文の意味を理解させる。
3．学習者に例の文の前後に来る文を作らせる。

　　前文例：私が東京に行きたいと言ったとき、両親は反対した。
　　　　　　親の反対を押し切って東京に来た以上は、どうしても成功したい。
　　後文例：成功したら、両親に家を買ってやりたい。

4．必要に応じて、適当な接続詞（しかし、そして、そのため、など）を入れて作文

させる。ペアで相談しながら作らせてもいい。
5．ノートに書かせる。
6．クラスで発表させる。ペアで発表させてもいい。

39.「〜結果」の練習
1．教師は「〜結果」を用いた文を準備し、黒板に書く。

　　例： いろいろ考えた結果、国に帰ることにしました。

2．学習者に例の文の意味を理解させる。
3．学習者をペアにし、例の文を使って会話を作らせる。
4．ノートに書かせる。
5．クラスで会話を発表させる。

　　例：A：来年は大学院に進まれるんですか。
　　　　B：いえ、 いろいろ考えた結果、国に帰ることにしました。
　　　　A：そうですか。帰国されるんですか。
　　　　B：いろいろありがとうございました。
　　　　A：さびしくなりますね。

40.「〜ものだから・〜わけだから」の練習
学習者に日本人にインタビューさせる練習問題です。日本人との接触を作る機会にもなるでしょう。

1．教師は学習者に次のような課題を（宿題として）与える。
　　日本人に、どんなときに「〜ものだから」「〜わけだから」を使うかを尋ね、どういう状況で使うか、2〜3往復程度の会話を作ってもらうように頼む。
2．この活動はペアでやらせてもいい。
3．クラスで発表させる。

例：A：もう会を始めちゃったの？
　　　B：うん。
　　　A：僕が来るまで待っていてほしかったなあ。
　　　B：電話もくれないんだから、しかたないよ。
　　　A：携帯を忘れちゃったもんだから、電話できなかったんだよ。

43.「～(た)ところ・～ところに／へ・～ところを」の練習

「～(た)ところ」と「～ところに／へ・～ところを」の練習です。AとBの2種類あります。

［練習A］
文を完成する練習です。

　　例：友達のアパートへ行ったところ、大家さんから旅行に出かけたという話を聞いた。

　　1）彼女にプロポーズしたところ、(　　　　　　　　　　　　　　　　　　　)
　　2）先輩にお金を貸してほしいと頼んだところが、(　　　　　　　　　　　　　)
　　3）風邪をひいて寝ていたところに(　　　　　　　　　　　　　　　　　　　)
　　4）子供達が横断歩道を渡ろうとしていたところへ(　　　　　　　　　　　　)
　　5）ケネディ大統領は車に乗ってパレードしていたところを(　　　　　　　　)

［練習B］
練習Aで完成した文の前後に来る文を作る練習です。

　　例：友達のアパートへ行ったところ、大家さんから旅行に出かけたという話を聞いた。

前文例：ずっと電話をかけているのに、誰も出ない。
　　　　（それで、）友達のアパートへ行ったところ、大家さんから旅行に出かけたという話を聞いた。
後文例：旅行に行くんだったら、電話してくれればよかったのに。

44.「～とすると」の練習

「～とすると」を使って、質問したり答えたりする練習です。

1．学習者を3人1組にする。
2．各グループのメンバーそれぞれが自分は今何をしたいかを考える。
3．考えたことを「～たいと思う」の形で言い、ほかのメンバーは「～とすると」を使って質問をする。

　例：A：アメリカに留学したいと思います。
　　　B：そうですか。アメリカに留学するとすると、いくらぐらいかかりますか。
　　　A：費用ですか。
　　　B：ええ。
　　　A：やはり300万円はかかると思います。

47.「～ないで」の練習

「～て」の文から「～ないで」の文を作る練習です。

1．学習者に次の文を読ませ、意味を理解させる。

　　1）たづなを持って馬を走らせる。
　　2）お金を払ってコンサート会場に入る。
　　3）グラブをはめてボクシングをする。
　　4）目を開けて平均台の上を歩く。
　　5）シュノーケルを付けて潜る。

6）辞書を引いて、日本語の小説を読む。
7）メモを見てスピーチする。
8）テレビを見て1日過ごす。
9）母国語を使って、1週間過ごす。
10）お金を使って、生活する。
11）？？？（学習者に考えさせる）

2．学習者に1）〜11）の文の「〜て」を「〜ないで」に変えさせる。
3．クラスで答え合わせをする。
4．「〜ないで」の文の事柄ができるかどうかクラスで話し合わせる。

49.「〜ながら」の練習

同時動作、および、逆接を表す「〜ながら」の練習です。ＡＢＣの３種類あります。

［練習Ａ］

1．教師は同時動作を表す「〜ながら」を用いた文を準備し、黒板に書く。

　　例：　クラスの友達と話し合いながら、パーティーの準備を進めていくのは楽しい。

2．学習者に少し時間を与え、黒板に書いた文の形や意味を考えさせる。
3．学習者をペアにし、上の文（例）の「〜ながら」だけそのままにして、ほかの
　　語（語句）を二つ変えて、文を作らせる。

　　変化文例１：寮の友達と話し合いながら、寮祭の準備を進めていくのは楽しい。
　　変化文例２：寮の友達と議論しながら、寮祭の計画を進めていくのは楽しい。
　　変化文例３：会社の友達と議論しながら、プロジェクトの計画を進めていくのは楽し
　　　　　　　　い。
　　変化文例４：会社の上司と議論しながら、プロジェクトの計画を進めていくのは大変
　　　　　　　　だ。

4．文中の「〜ながら」の意味が「逆接」にならないように確認させながら進め

ていく。
5．4文できた時点でノートに書かせ、発表させる。

[練習B]
1．学習者をペアにする。
2．教師は学習者に二つの文を与える。
3．学習者はその二つの文を、一つは「ながら」を使い、もう一つは「～て」を使って結合させる。

　例1：辞書を見る。作文を書く。
　　　1）辞書を見て、作文を書く。
　　　2）辞書を見ながら、作文を書く。
　例2：いすに座る。話しましょう。
　　　1）いすに座って、話しましょう。
　　　2）いすに座りながら、話しましょう。

　（1）コーヒーを飲む。話しましょう。
　（2）テープを聞く。勉強する。
　（3）窓を開ける。寝る。
　（4）料理の本を見る。シチューを作る。
　（5）めがねをかける。車を運転する。
　（6）父の背中を見る。私は育った。
　（7）立つ。日本語を教えています。

4．「～ながら」と「～て」の両方が使えるか、または、どちらか一方しか使えないかを学習者同士で考えさせる。
5．学習者は正しい文をノートに書く。

[練習C]
1．教師が同時動作、および、逆接の「～ながら」を用いた文を準備する。
2．学習者に、その文に続くうしろの文を2文考えさせ、ノートに書かせる。

例： 携帯電話をかけながら、運転するのは禁じられています。
後文例１：交通事故を起こす可能性が高いですから。
後文例２：たぶんあなたの国でもそうだと思いますが。
例： 会社の中で何時間も話し合いながら、結局結論は出なかった。
後文例１：大変残念だが、しかたがない。
後文例２：来週もう一度話し合いを持ちたいと思う。

３．学習者に発表させる。

52.「～場合」の練習

教師はストーリー、または、新聞のコラムを準備します。
（ストーリーの例を下に載せておきます。）

１．教師は「指示語（こ・そ・あ）＋場合」をいくつか用いたストーリー（または、新聞のコラムなど）を準備する。
２．学習者に読ませる。
３．学習者にストーリーの中から「指示語（こ・そ・あ）＋場合」を見つけさせる。
４．その指示語（こ・そ・あ）は何を指すかを考えさせる。

例１：テレビで放映された映画を録画して、録画したビデオを友達に売ったとします。著作権法では、こういう場合「ある目的のために録画した」と見なすことになっているので注意が必要です。
例２：先日セミナーに参加しました。込んでいて領収書がもらえませんでした。このような領収書やレシートをもらえない、もらいにくい場合が時々あります。こういう場合は、経費としてみとめられないのでしょうか？
例３：１歳の子供が39度ちょっとの熱を出しました。他の症状はありません。こういう場合すぐに病院へ連れて行くべきでしょうか。
例４：アンケートは、記名だと書きづらいという場合もありますので、そういう場合は、匿名でのコメントという選択肢も取れます。

53.「〜まま（で）」の練習

「同じ状態」を表す「〜まま（で）」の練習です。AとBの2種類あります。

［練習A］
1．学習者をペアにする。
2．「〜まま（で）」を使った文をペアで作らせる。
3．1人が発表する。もう1人は横でその文に合ったジェスチャーをする。
　　（文を発表せず、ジェスチャーだけをしてほかの学習者に見せ、彼らに「〜まま（で）」の文を作らせてもいい。）

［練習B］
学習者の作った「〜まま（で）」の文に、前に来る文とうしろに来る文を付けて、会話を作らせる。

　　前文例　A：Bさん、どうしたんですか。声が変ですよ。
　　　　　　B：窓を開けたまま寝たので、風邪をひいてしまいました。
　　後文例　A：そうですか。気をつけてくださいね。

参考文献

浅野百合子(1975)「「うちに」「あいだに」「まに」をめぐって」『日本語教育』27号
庵　功雄他(2000)『初級を教える人のための日本語文法ハンドブック』スリーエーネットワーク
————(2001)『中上級を教える人のための日本語文法ハンドブック』スリーエーネットワーク
李　暻洙(1997)「中間的複合動詞「きる」の意味用法の記述：本動詞「切る」と前項動詞「切る」、後項動詞「—切る」と関連づけて」『日本語教育論集　世界の日本語教育』第7号　国際交流基金日本語国際センター
池上素子(2005)「原因を表す「によって／により」—学術論文コーパスにおける用いられ方—」『日本語教育』127号
池田玲子(1999)「ピア・レスポンスが可能にすること：中級学習者の場合」『日本語教育論集　世界の日本語教育』第9号　国際交流基金日本語国際センター
市川保子(1995)「外国人学習者のための「接続語」の使い分け分類表作成の試み—理由・結果・目的節について—」『文藝言語研究　言語編』28　筑波大学
————(1997)『日本語誤用例文小辞典』凡人社
————(2000)『続・日本語誤用例文小辞典—接続詞・副詞—』凡人社
————(2001)『外国人日本語学習者のための従属節分類辞典の研究と開発』研究成果報告書
————(2001)『日本語教育指導参考書22：日本語教育のための文法用語』国立国語研究所編、国立印刷局
————(2005)『初級日本語文法と教え方のポイント』スリーエーネットワーク
井上　優(2002)『日本語文法のしくみ』研究社
大喜多喜夫(2004)『英語教員のための授業活動とその分析』昭和堂
沖　裕子(1998)「接続詞と接続助詞の「ところで」—「転換」と「逆接」の関係性—」『日本語教育』98号
奥津敬一郎他(1986)『いわゆる日本語助詞の研究』凡人社

金澤裕之(2000)「超上級学習者の隠れた文法判断能力―「なく中止形」を試験紙として―」『日本語教育』104号
――――(2006)「誤用分析研究の可能性」『横浜国大 国語研究』第24号
鎌田　修他(1998)『中級から上級への日本語』The Japan Times
川端元子(2002)「程度副詞相当句(節)「Pほど」について」『日本語教育』114号
北川千里(1976)「「なくて」と「ないで」」『日本語教育』29号
北條淳子(1989)「複文文型」『日本語教育指導参考書15：談話の研究と教育Ⅱ』国立国語研究所編、国立印刷局
金田一春彦(1950)「国語動詞の一分類」『日本語動詞のアスペクト』(1976)むぎ書房に再録
桑原文代(1998)「変化の開始を表す「〜はじめる」」『日本語教育』99号
――――(2003)「説得の「のだから」―「から」と比較して―」『日本語教育』117号
グループ・ジャマシイ編(1998)『教師と学習者のための日本語文型辞典』くろしお出版
小泉　保他(1989)『日本語・基本動詞用法事典』大修館書店
江田すみれ(1987)「「名詞＋のこと」の意味と用法について―「について」とのかかわり―」『日本語教育』62号
――――(1991)「複合辞による条件表現Ⅰ「となると」の意味と機能」『日本語教育』75号
――――(1992)「複合辞による条件の表現Ⅱ―「と」「とすると」「となると」の意味と機能について」『日本語教育』78号
――――(1998)「条件を表す複合辞「とすると」「とすれば」「としたら」の共通点と相違点について」『日本語教育』99号
小林典子(2001)「誤用の隠れた原因」『日本語学習者の文法習得』野田尚史他、大修館書店
小柳かおる(2004)『日本語教師のための新しい言語習得概論』スリーエーネットワーク
酒井悠美(1999)「「―しておきながら」―タクシス(時間的順序)と話し手によるマイナス評価の表現―」『日本語教育』102号

杉村　泰(2001)「現代日本語における文末表現の主観性：ヨウダ、ソウダ、ベキダ、ツモリダ、カモシレナイ、ニチガイナイを対象に」『日本語教育論集　世界の日本語教育』第11号　国際交流基金日本語国際センター
────(2002)「コーパス調査による文法性判断の有効性─「～てならない」を例にして─」『日本語教育』114号
砂川有里子(1987)「複合助詞について」『日本語教育』62号
関　正昭(1989)「評価述定の誘導成分となる複合助詞について」『日本語教育』68号
張　麟声(2001)『日本語教育のための誤用分析─中国語話者の母語干渉20例─』スリーエーネットワーク
陳　芬慧(1999)「接続助詞「～ながら」について─「～ても」と比較して─」『日本語教育論集　世界の日本語教育』第9号　国際交流基金日本語国際センター
陳　連冬(1995)「限定の「ばかり」とは」『日本語教育論集 世界の日本語教育』第5号　国際交流基金日本語国際センター
坪根由香里(1996)「終助詞・接続助詞としての「もの」の意味─「もの」「ものなら」「ものの」「ものを」─」『日本語教育』91号
寺村秀夫(1978, 81)『日本語教育指導参考書4・5：日本語の文法(上)(下)』国立国語研究所編、国立印刷局
────(1982)『日本語のシンタクスと意味Ⅰ』くろしお出版
────(1982)「日本語教育における動詞の問題」『日本語教育』47号
────(1984)『日本語のシンタクスと意味Ⅱ』くろしお出版
────(1991)『日本語のシンタクスと意味Ⅲ』くろしお出版
────(1993)『寺村秀夫論文集Ⅰ』くろしお出版
────(1992)『寺村秀夫論文集Ⅱ』くろしお出版
土岐　哲他(1999)『日本語中級J501─中級から上級へ─』スリーエーネットワーク
友松悦子他(1996)『どんな時どう使う日本語表現文型500』アルク
────(2000)『どんなときどう使う日本語表現文型200』アルク
西原鈴子(1987)「談話構造における助詞の機能」『日本語教育』62号

日本語教育学会(1979)「〔特集〕中級をめぐる諸問題」『日本語教育』37号
日本語教育学会編(2005)『新版 日本語教育事典』大修館書店
日本語教育誤用例研究会(1997)『類似表現の使い分けと指導法』アルク
野田尚史編(2005)『コミュニケーションのための日本語教育文法』くろしお出版
蓮沼昭子(1985)「「ナラ」と「トスレバ」」『日本語教育』56号
春原憲一郎他(2004)『にほんご宝船 いっしょに作る活動集』アスク
姫野昌子(1999)『複合動詞の構造と意味用法』ひつじ書房
文化外国語専門学校編(1994)『文化中級日本語Ⅱ』凡人社
水谷　修他編(1971)『INTEGRATED SPOKEN JAPANESE Vol.1, 2』
　アメリカ・カナダ大学連合日本研究センター
南不二男(1974)『現代日本語の構造』大修館書店
宮島達夫他編(1995)『日本語類義表現の文法(上)(下)』くろしお出版
森田良行(1989)『基礎日本語辞典』角川書店
森山卓郎(2000)『ここからはじまる日本語文法』ひつじ書房
和田礼子(1998)「逆接か同時進行かを決定するナガラ節のアスペクトについて」
　『日本語教育』97号
Mario Rinvolucri(1984)『GRAMMAR GAMES』Cambridge University Press
Scott Thornbury著 塩沢利雄翻訳(2001)『新しい英文法の学び方・教え方』ピアソンエデュケーション
Seiichi Makino and Michio Tsutsui(1989)『日本語基本文法辞典 A DICTIONARY OF BASIC JAPANESE GRAMMAR』The Japan Times
Stefan Kaiser他(2001)『Japanese: A Comprehensive Grammar』ROUTLEDGE

索　引

あ
あいだ（は）　**259**，462
あいだに　**259**，462
あげく　**333**

い
いうと　**358**
いえば　**358**
以上（は）　**310**，465
いったら　**358**
いっても　**362**
一方（で）　**267**，463
一方だ　**267**
いられない　**195**，255

う
うえで（仕事をするうえで）　**275**
うえで（相談したうえで）　**333**
うえは　**310**
うが〜まいが　223
うちに　**265**，282
うちは　**282**
うと思う　**146**，251
うとする　**141**，251
うと〜まいと　223
うる　161

え
えない　**154**
える　161

お
応じて　**432**
おかげで　**292**，464

か
が　273，423
かかわらず　**325**
かぎって　**300**，464
限らない　308
かぎり　**300**
かぎりでは　**300**
限りに　308
限る　308
かけて　**21**
かけては　26
かける　152
がたい　**163**，253
かねない　161
かねる　**154**
可能表現　239
かもしれない　207
からこそ　**317**
から〜にかけて　**21**
からには　**310**，465
かわって　**319**

477

かわりに 319
関して 36

き
きれない 154
きれる 161

く
くせに 325
くらい 66
ぐらい 66

け
結果 333, 466
けれども 273, 423

こ
こそ 76
ことだ 170, 232, 254
ことだから 341

さ
際（に） 275
際して 275
さえ 84, 131
ざるをえない 178

し
しか 99

しかたがない 186
しかない 183
次第 384
したがって 425
したら 376
しては 12, 18
しまう 199
じゃない（か） 248
しょうがない 193
しようがない（寒くてしようがない）
　　　193
しようがない（説明のしようがない）
　　　235
しようで 235
しようによって 235

す
ず 410
すえに 339
ずに 410
ずにはいられない 195, 255
すると 376, 399, 468
すれば 376

せ
せいで 292, 464
せざるをえない 178

そ

相違ない **203**

即して **49**

そって **43**

た

対して **28**, 33, 128

たかと思うと **384**

だけ **93**, 118, 132

だけしか **100**

出す **148**

たところ **365**, 467

たところが **365**

たところで 373

たとたん（に） **384**

たほうがいい 215

たまらない **186**

たら 356, 381, 445

だろう 207, 247

ち

ちがいない **203**, 256

つ

ついて **36**, 129

通じて **59**, 129

つつある **133**

っぱなし（で） 452

づらい **163**, 253

つれて **425**

て

て 422, 459

ている 138

でさえ **84**

てしかたがない **186**

てしまう 199

でしょう 247

てしょうがない **193**

てしようがない **193**

てたまらない **186**

てならない **186**

ては 350

てみる 147

ても 350

でも 108

と

と 381

というと **358**

といえば **358**

といったら **358**

といっても 362

通して **59**, 129

と思う 146, 247, 251

と思うと **384**

とおり（に） 452

とき 445

ところ **365**, 467
ところが **365**
ところで 373
ところに **365**, 467
ところへ **365**, 467
ところを **365**, 467
としたら 376
として（は）**12**
とする **141**, 251
とすると **376**, 399, 468
とすれば 376
とたん（に）**384**
とって（は）**12**
とともに **425**
となったら 393
となると **393**
となれば **393**
とは限らない 308
ともなって **425**
ともに **425**

な

ないうちに **283**, 289
ないで **402**, 415, 468
ないではいられない **195**, 255
ないわけにはいかない 200
ながら **417**, 469
ながら（も）331, **417**
なくて **402**, 415

なければならない 183, 215, 233
なったら **393**
など **102**
なら 381
ならない **186**
なり 389
なると **393**
なれば **393**
なんか **102**
なんて **102**

に

に応じて 432
にかかわらず **325**
にかぎって **300**, 464
に限らない 308
に限る 308
にかけて **21**
にかけては 26
にかわって **319**
に関して **36**
にくい **163**, 253
に際して **275**
にしたがって **425**
にしては **18**
に相違ない **203**
に即して **49**
にそって **43**
に対して **28**, 33, 128

にちがいない **203**，256
について **36**，129
につれて **425**
にとって（は）**12**
にともなって **425**
にのっとって 49
には **434**
にもかかわらず **325**
にもとづいて **43**
によって **51**
にわたって **21**

の
のことだから **341**
のじゃないか **242**
のだから 316，347
のっとって 49
のではないか **242**，258
のに（逆接）328
のに（目的）**434**
のに対して 34

は
ば 381
場合 **441**，471
ばかり **111**
ばかりだ 273
ばかりに 297
始める **148**

はずだ 216
ぱなし（で）**452**
反面 273

へ
べきだ **209**，233，257

ほ
ほうがいい 215
ほかはない 183
ほど **66**，130

ま
まい **218**，258
前に 289
まで 90，**120**，132
までに 126
までもない 125
まま（で）**447**，472
まま（に）**447**

め
めぐって 41

も
も 90
もとづいて **43**
もとにして **43**
もの 231

ものか　231
ものだ　176, **224**
ものだから　**341**, 466
ものなら　231
ものの　231
もん　231

や
や否や　389

よ
ようがない　**235**
ようが〜まいが　223
ようで　**235**
ようと思う　146, 251
ようとする　**141**, 251
ようと〜まいと　223
ようによって　**235**
よって　**51**

れ
連用中止（形）**454**

わ
わけだから　347, 466
わけにはいかない　200
わたって　**21**

を
を限りに　308
を通じて　**59**, 129
を通して　**59**, 129
をめぐって　41
をもとにして　**43**

ん
んじゃない（か）　**242**
んだから　316, 347

著者
市川保子（いちかわ　やすこ）
元筑波大学助教授
元東京大学・元九州大学教授
『日本語類義表現と使い方のポイント―表現意図から考える―』（2018）スリーエーネットワーク、『Japanese: A Comprehensive Grammar, 2nd Edition』（2013 共著）Routledge、『日本語誤用辞典　外国人学習者の誤用から学ぶ日本語の意味用法と指導のポイント』（2010 共著）スリーエーネットワーク、『初級日本語文法と教え方のポイント』（2005）スリーエーネットワーク、『日本語教育指導参考書 22：日本語教育のための文法用語』（2001）国立国語研究所、『Situational Functional Japanese Ⅰ～Ⅲ』（1991-1992 共著）凡人社

装幀・本文デザイン
小林はる代（Spring Spring）

イラスト
向井直子

中級日本語文法と教え方のポイント

2007年 7 月25日　初版第 1 刷発行
2024年12月19日　第 17 刷 発 行

著　者　市川保子（いちかわやすこ）
発行者　藤嵜政子
発　行　株式会社スリーエーネットワーク
　　　　〒102-0083　東京都千代田区麹町3丁目4番
　　　　　　　　　　トラスティ麹町ビル2F
　　　　電話　営業　03（5275）2722
　　　　　　　編集　03（5275）2725
　　　　https://www.3anet.co.jp/
印　刷　萩原印刷株式会社

ISBN978-4-88319-445-2 C0081
JASRAC出0703817-417

落丁・乱丁本はお取替えいたします。
本書の全部または一部を無断で複写複製（コピー）することは著作権法上での例外を除き、禁じられています。